KB156490

의료인이 꼭 알아야 할

질병과 운전

질병/장애별 운전 가이드북

편저

히토스기 마사히토·다케하라 이타루

옮긴이

정한영·송혜선

A Clinician's Guidebook to Help Driving Person with Disabilities

의료인이 꼭 알아야 할 질병과 운전

질병/장애별 운전 가이드북

첫째판 1쇄 인쇄 | 2021년 12월 01일
첫째판 1쇄 발행 | 2021년 12월 14일

지 은 이　히토스기 마사히토, 다케하라 이타루
대 표 역 자　정헌영
발 행 인　장주연
출 판 기 획　이성재
편 집 기 획　김수진
편집디자인　양은정
표지디자인　김재욱
발 행 처　군자출판사(주)
등록 제4-139호(1991. 6. 24)
본사 (10881) **파주출판단지** 경기도 파주시 회동길 338(서패동 474-1)
전화 (031) 943-1888　　팩스 (031) 955-9545
홈페이지 | www.koonja.co.kr

이 책은 인천지역장애인보건의료센터의 도움으로 제작되었으며,
이 책자의 판매 수익금은 인천지역장애인의료센터로 귀속됩니다.

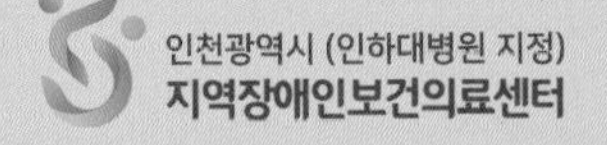

ISBN　979-11-5955-784-2
정가　20,000원

집필

편저

히토스기 마사히토	시가의과대학 사회의학강좌 법의학부문 교수
다케하라 이타루	도쿄도 재활병원 재활부장

집필 (집필순)

요네모토 교조	도쿄지케카이의과대학 명예교수
히토스기 마사히토	시가의과대학 사회의학강좌 법의학부문 교수
다케하라 이타루	도쿄도 재활병원 재활부장
사카타 히로유키	경찰청 교통국 운전면허과 경찰청기관(技官)
우에무라 나오히토	고치대학 의학부 정신과 강사
우에무라 슈이치	우쓰노미야 니시가오카병원 부원장
호리 아키라	우쓰노미야 니시가오카병원
하라 다카시	아이·고코로 클리닉 원장
가와이 겐스케	지치의과대학 의학부 뇌신경외과 주임교수
양성훈	국제의료복지대학 아타미병원 신경내과 뇌졸증·신경센터
나가야마 마사오	국제의료복지대학 의학부 신경내과학 교수/국제의료복지대학 아타미병원 부원장
와타나베 오사무	도쿄지케카이의과대학 부속 제3병원 재활의학과 교수
가토 노리아키	산업의과대학 재활의학 강좌 조교
하야시 야스후미	하라주쿠 재활병원 명예교수
스와 사토루	준텐도대학 의학부 부속 시즈오카병원 순환기과 선임준교수
마쓰무라 미호코	가미쓰가종합병원 당뇨병센터 센터장
미야케 야스후미	테이쿄대학 의학부 구급대학 강좌 교수/테이쿄대학 의학부 부속병원 중증구명구급센터 센터장
야나기하라 마리코	도쿄의과대학 수면학 강좌 강사/수면종합케어 클리닉 요요기
이노우에 유이치	도쿄의과대학 수면학 강좌 교수/수면종합케어 클리닉 요요기 이사장
사카하라 에쓰오	JR동일본 건강추진센터 부소장
구메카와 고이치	도쿄지케카이의과대학 안과학 강좌 강사
무리카미 다카시	시가의과대학 산과학 부인과강좌 교수
쓰지 이치로	시가의과대학 산과학 부인과강좌 강사

(집필시점)

역자

정한영 교수
인하대학교 의과대학 재활의학과 교수
고려대학교 의과대학 졸업 및 동 대학원 재활의학박사 취득
대한뇌신경재활학회장, 대한소아재활발달의학회장
인천권역 심뇌혈관질환센터장, 인천지역 장애인보건의료센터장
역서) 노인가정요양간병가이드/소아장애아동의 섭식/뇌성마비아동의 이해 외 다수

송혜선 교수
인덕대학교 비즈니스일본어과 교수
고려대학교 일어일문학과 졸업
일본 오차노미즈여자대학교 인문과학박사
한국일어일분학회 이사, 아일본학회 부회장
저서) 일본어 교육을 위한 문법연구/퍼펙트관광비즈니스일본어 외 다수

추 천 사

자동차 운전은 우리에게 일상적인 활동이자 많은 지역에서 생활 필수조건이 되었으며, 자동차 운전은 사회 전체의 안전과 관계가 깊다.

의사법 제1조에 규정되어 있는 '공중위생의 향상을 위해 기여해야 한다'는 의무를 다하기 위해 의사는 환자의 자동차 운전에 관해서도 적절한 조언을 해야 한다. 또한 의사법 제23조에 '의사는 진료한 환자 본인이나 가족에게 요양 방법 등 필요한 사항을 지도해야 한다'고 규정하고 있다. 즉, 진료를 할 때 환자의 일상생활을 고려한 다양한 요양지도를 할 의무가 있으며 여기에는 당연히 자동차 운전도 포함된다.

최근 인공지능(Artificial intelligence, AI)의 발달 및 응용과 함께 자율주행 기능이 급속도로 발전하고 부분적인 자율주행이 가능한 레벨2(주행 책임은 운전자이지만 시스템이 조향 및 속도를 자동 조절함)의 기술을 탑재한 차량도 나오고 있다. 물론, 거기에는 대응 주체인 운전자의 자동차 운전에 필요한 인지, 판단, 조작 능력이 필요하다. 자동차 운전은 다양한 능력이 복잡하게 관여하기 때문에 운전 능력을 정확하게 판단하기 쉽지 않다. 특히, 고령이 되면 시력, 반응 동작 등의 신체적 특성 저하, 정보처리, 주의배분, 집중력 저하와 같은 뇌 기능 저하 등이 나타난다. 더불어 합병되는 다양한 질병의 영향으로 기능 저하를 초래하는 경우가 많다. 건강 전문가인 의사는 개별 환자를 진찰하는 과정에서 자동차 운전 능력을 정확하게 판별해야 한다.

게다가 교통사고 원인의 약 10%는 운전자의 컨디션 변화에 기인하는 것으로 보인다. 이러한 사고를 예방하려면 운전자가 스스로 컨디션 관리를 엄격하게 하는 것은 물론, 대응하는 의사도 운전자의 건강상태를 양호하게 유지하도록 노력해야 한다. 교통사고 사상자를 줄이고 예방하는 열쇠를 쥐고 있는 사람이 의사라고 해도 과언이 아니다.

이 책은 자동차 운전자에 대한 의학적인 대응을 정리한 바이블이다. 환자 한 명이 여러 질환을 앓는 경우는 적지 않다. 그러므로 폭넓게 질병과 자동차 운전의 관계를 이해하고 깊이 알 필요가 있다. 이 책의 내용은 자동차 운전자를 대할 때 알아야 할 임상 각과의 구체적인 대응까지 폭넓게 망라하고 있다. 집필자는 운전의 중요성을 감안하여 임상의 최전선에서 활약하고 계시는 경험이 풍부한 교수님들께 집필 의뢰를 하였다. 지금까지 나온 관련 서적은 종류가 적어서 앞으로 일상진료를 할 때 필독서가 될 것이다. 임상의 여러 대가들께서 본서를 효과적으로 활용하여 환자에게 적절한 조언과 지도를 해주시길 희망한다. 그리고 일본의 교통사고 사상자가 줄어들기를 바란다.

2018년 1월 초하루

도쿄지케카이의과대학 명예교수 **요네모토 교조**

서 문

최근 고령자가 일으키는 교통사고가 사회적으로 주목을 받고 있다. 특히 치매와 관련해 2017년에 도로교통법이 개정되어 치매 운전자가 일으키는 교통사고를 더욱 효과적으로 예방할 수 있게 되었다. 같은 예로 뇌전증(간질)을 들 수 있다. 2011년 4월에 도치기현 가누마시와 2012년 4월에 교토부 교토시에서 운전자가 의식장애를 동반하는 발작을 일으켜 여러 사상자를 낸 사고를 계기로, 2013년에 도로교통법이 개정되었다.

그러나 실제로는 치매나 뇌전증 외에도 자동차 운전에 영향을 끼치는 질환은 많으며 환자 한 명이 여러 질환을 앓는 경우도 적지 않다. 그 결과, 많은 약물을 복용하고 있는 것이 현실이다. 질병과 운전에 주목해서 뇌졸중, 당뇨병, 녹내장 등 각종 질병과 운전의 관계에 대해 의학잡지에서 특집으로 편성하는 경우는 있지만 운전을 중심으로 각종 질병과의 관계를 정리한 서적은 지금까지 없었다. 의사는 운전이 가능한 가에 대해 상담을 받는 경우도 많고 운전에 관한 진단서를 작성하는 입장에 있기도 하다. 따라서 많은 질병을 앓고 있는 환자에게 자동차 운전에 관한 적절한 지도를 하기 위해서는 질병과 운전에 관한 포괄적인 지식을 갖추고 있어야 한다.

대중교통이 발달하지 않은 지역에서는 자동차를 스스로 운전할 수 있는지 여부가 계속 자립적으로 생활하는데 큰 영향을 끼친다. 따라서 현장에 있는 많은 의사들은 환자가 되도록 오랫동안 스스로 자동차 운전을 하며 사회에 참여하기를 바란다. 그러나 다른 한편으로는 자동차 사고가 발생할 경우의 참담한 결말을 생각해서 운전 중단을 권하는 일에 골머리를 앓고 있을 것이다.

이 책은 현장의 의사들이 환자의 자동차 운전에 관해 지도하고 운전 허가 여부를 판단하는 데 도움이 되기 위해 출간하였다. 임상 현장에서 마주하는 다양한 질병에 대해 자동차를 운전할 때 유의해야 할 점을 모아 '임상 의사를 위한 질병과 자동차 운전'으로 정리했다. 최근 주목을 모으고 있는 분야이자 아직 미해결 과제가 많이 남아있는 자동차 운전을 하는 환자를 직접 대하는 분들로 선정하여 집필 의뢰하였다. 바쁘신 와중에도 필자의 의도를 이해해주시고 매우 알기 쉽고 간결하게 옥고를 정리해 주신 분께 이 자리를 빌려 감사의 말씀을 드린다.

향후 점점 심각한 고령사회를 맞는 일본에서 의료인은 '질병을 앓는 사람들이 안전하게 자동차 운전을 계속하기 위해서'는 어떻게 해야 할지 고민해야 한다. 안전한 교통사회를 실현하기 위해 환자의 생활배경까지 고려한 현장의 의사들이 반드시 참여해야 한다. 본서가 환자의 자동차 운전을 생각하는 계기가 되어 여러분이 직면하는 과제를 해결하는 데 일조하기를 기대한다.

2018년 1월 초하루

히토스기 마사히토

다케하라 이타루

편역을 하면서

국내 등록 자동차 수는 2020년 이미 2천 3백만 대가 넘어 인구 2명당 1대 정도의 자동차를 가지고 있다. 이제 자동차는 생활에 없어서는 안 되는 필수 장비가 된 듯하다. 특히 스스로 거동이 어려운 노인과 장애인들은 그들의 일생생활을 위해서 자동차 활용은 필수적이다. 그러나 국내에는 이들이 안전하게 운전을 할 수 있는지를 점검해 주고, 이들의 안전운전을 도와주는 제도적 장치는 아직은 미흡한 면이 적지 않은 듯하다. 노인과 장애인들의 신체적, 정신적 기능저하는 안전운전과 밀접한 관련이 있기 때문에, 이들의 건강관리뿐만 아니라 장애평가와 기능회복에 대한 의료인들의 관심이 더욱 필요하다. 역자는 몇 년 전 일본의 지인으로부터 운전에 영향을 미칠 수 있는 장애와 연관된 질환들, 그리고 이런 장애를 가지고 있는 사람들의 운전면허 취득과정에 일본 의사들은 어떻게 참여하고 있으며, 어떤 의무를 가지고 있는지 등에 대한 훌륭한 책자를 소개 받았기에 이를 한국어로 번역하여 소개하게 되었다.

2002년부터 일본에서는 특정 질환으로 진단받은 사람에게는 운전면허를 부여하지 않은 '절대적 결격사유'가 폐지되고, 안전 운전 여부에 대한 신체적, 지적능력 검사를 통해 일정 수준의 능력이 검증되면 운전면허를 부여하도록 하는 '상대적 결격사유' 제도로 도로교통법이 개정되었다고 한다. 또한 2017년부터는 일본에서 운전을 하고자 하는 75세 이상의 모든 노인들은 운전을 위해서는 인지기능검사를 받아야한다. 이는 운전은 교통사고가 발생하는 경우, 타인의 생명과 재산, 신체를 손상시킬 수 있다는 점과 운전은 국민생활에 밀접하게 관련되어 있음을 감안하여 교통안전과 국민생활의 균형에 배려하는 동시에 장애인의 사회활동 참여를 부당하게 침해하지 않도록 하는 바람직한 제도라고 생각한다.

원작의 책 제목은 '임상 의사를 위한 질병과 자동차 운전'이지만 편집자는 '의료인이 꼭 알아야 할 장애와 운전'이라고 명명하고 싶다. 이 이유는 원작의 책에서 언급한 질병들은 단순한 질병이 아니라 해당 질병에 의해 나타나는 신체적, 정신적 장애가 운전에 미치는 질병들이기 때문이다. 즉, 질병 서술이 중심적인 주제가 아니라 운전을 방해하는 기능저하 혹은 장애가 그 중심 단어였다.

본 역서는 인천지역장애인보건의료센터의 지원으로 진행되었으며, 일본어 번역은 인덕대학교 일어과 송혜선 교수님께서 수고해주셨다. 또한 번역한 의학용어의 이해를 돕기 위해 필요한 경우 영문명을 추가 기술하였으며, 일본어 의학용어와 한국어 의학용어가 서로 다른 경우에는 관련 의학용어와 관련 문장에 인하대학교 의과대학 심장내과 김대혁 교수님, 우성일 교수님, 혈액종양내과 이문희 교수님, 그리고 정신건강의학과 김원형 교수님께서 많은 자문을 해주셨다. 교수님들께 깊은 감사의 인사를 드린다. 또한 본 번역서 작업을 흔쾌히 허락해 주신 일본 미와서점과 군자출판사 관계자, 그리고 책자 발간을 도와준 인천지역장애인보건의료센터 모든 선생님들에게도 감사드린다. 아무쪼록 이 책자가 국내 노인, 장애인들의 안전 운전에 대해 의사들이 해야 할 역할과 운전면허제도에 대해 다시 한번 생각해 보는 계기가 되고 더 나아가 국내 장애인운전면허제도 발전에도 유익한 정보가 되길 바라는 바이다.

2021년 11월

대표 역자/편집자 **정한영**

차 례

제 I 장
총론

1 질환관리의 중요성

1 운전자의 컨디션 변화에 의한 사고

자동차를 운전할 때는 복잡한 인지, 판단, 조작능력이 필요하기 때문에 컨디션의 변화로 이러한 능력이 떨어지면 안전운전이 불가능하게 되어 사고로 이어진다. 특히, 의식장애가 발생하면 자동차 운전에 큰 영향을 끼치게 된다. 최근에 운전자의 컨디션 변화에 기인한 중대사고가 자주 발생하면서 점차 사회 전체가 이 문제를 주시하게 되었고, 운전자 컨디션 관리의 중요성에 대한 인식이 커지고 있다. 2011년에 도치기현 가누마시에서 6명이 사망한 사고, 2012년에 교토부 기온에서 8명이 사망한 사고는 모두 운전자의 뇌전증 발작(Epileptic seizure)이 사고 원인으로 추정되었다. 또한, 군마현에 있는 간에쓰 자동차도로에서 45명의 사상자를 낸 사고는 운전자의 수면장애가 사고 원인으로 나타났다. 이러한 운전자의 컨디션 변화에 의한 사고를 예방하기 위해서는 의사들의 개입이 필수적이다.

그런데 운전 중에 큰 발작이나 심각한 컨디션 변화가 발생하면 제대로 핸들 조작을 할 수 없어 사고가 날 확률이 높다. 자동차 운전 중에 발생한 돌연사 예를 분석한 검토에서는 사고 직전에 회피 행동을 보인 경우가 겨우 26.5%에 불과했다.(1) 또한 직업 운전자를 대상으로 한(뒤에서 다룰) 조사에서도 컨디션 변화 직후에 핸들을 조작하거나 제동을 걸어서 사고를 회피할 수 있던 경우는 대상의 35.3%였다.(2) 따라서 운전 중에 발생하는 컨디션 변화 그 자체를 예방할 필요가 있으며 이를 위해서는 의사가 자동차 운전을 염두에 두고 치료 및 교육을 해야 한다. 환자의 질병을 양호한 상태로 컨트롤하는 것은 본인의 건강은 물론 사회 안전을 유지하기 위해서도 필요하다.

2 운전 중 컨디션 변화는 얼마나 일어나는가?

일본에서는 컨디션 변화에 기인한 사고를 포괄적으로 수집하는 시스템이 없어서 공식적인 통계로 컨디션 변화에 기인한 사고 발생 빈도를 명확하게 밝힐 수는 없다. 게다가 사고 원인 규명을 게을리한 면도 있어서 결과적으로 교통사고에 의한 외상으로 진단된 환자 중에는 운전 중 컨디션 변화에 기인한 사례가 포함되어 있다. 2003~2004년에 핀란드에서 발생한 교통사고에 의한 사망사고 예를 조사한 결과, 10.3%는 운전자의 컨디션 변화에 기인한다고 한다.(3) 2002~2006년에 캐나다에서 교통사고 사망자 부검 예를 대상으로 실시한 조사에서는 전체의 9%가 운전자의 관상동맥

(Coronary artery) 질환이 사고 원인이었다.(4) 이처럼 교통사고에 의한 사망사고의 약 10%가 운전자의 컨디션 변화로 인한 사고이다. 일본 도치기현에서 2011~2012년에 실시한 전향적 연구에 따르면 자동차 운전자의 사고 중 의식을 먼저 잃은 경우가 7.5%였다.(5) 따라서 사고의 약 10%가 운전자의 컨디션 변화에 의해 발생했다고 보아야 한다.

일반적으로 자동차를 운전하는 직업 운전자는 특히 운전 중에 컨디션이 변화하기 쉬운 것으로 알려져 있다. 우리는 최근까지 일본의 여러 도와 현의 법인 택시 운전사와 대형화물트럭 운전사를 대상으로 조사를 진행했다(표 1).(6~8) 그 결과, 운전 중에 컨디션 변화를 일으킨 경험이 있는 사람은 22.6~33.3%를 차지했다. 또한, 컨디션 변화가 원인이 되어 사고를 일으킨 경험이 있는 사람은 0~3.0%, 사고에 이르지는 않았지만 가슴이 철렁 내려앉은 경험이 있는 사람은 11.9~15.8%였다. 역시, 10% 이상의 운전자가 자동차 운전 중에 컨디션 변화로 사고 또는 사고가 날 뻔했다.

표 1. 운전 중 컨디션 변화 실태(문헌6~8에서 인용, 개정)

	택시 운전사 (A지구)	택시 운전사 (B지구)	대형화물트럭 운전사 (C지구)
운전 중에 컨디션이 악화된 경험이 있다	22.6%	32.6%	33.3%
컨디션 변화가 원인으로 사고를 일으킨 경험이 있다	3.0%	0.4%	0%
컨디션 변화로 가슴이 철렁 내려앉은 경험이 있다	15.8%	11.9%	15.7%

한편, 질병에 걸린 환자를 대상으로 한 횡단적 조사(Cross–Sectional study)에서도 자동차 운전 중에 해당 질환에 기인한 컨디션 불량을 경험한 사람이 일정 비율로 나타났다. 사이타마현에 있는 대학병원 신경내과 외래 통원환자를 대상으로 한 조사에서는 뇌경색, 뇌전증, 파킨슨병, 편두통 환자 총 288명 중 8명이 운전 중에 컨디션 난조를 경험했다.(9) 또한 도치기현 내 병원에 통원 중인 당뇨병 환자를 대상으로 한 조사에서는 1형 당뇨병 환자의 35.6%, 내복약만 복용 중인 2형 당뇨병 환자의 2.7%가 운전 중에 저혈당 발작을 경험한 적이 있다.(10) 이처럼 운전 중에 일어나는 컨디션 변화는 가까운 곳에서 일어나고 있다.

컨디션 변화의 원인

1 직업 운전자를 대상으로 한 조사

일본에서는 '운전자의 질병 때문에 사업용 자동차 운전을 계속할 수 없는' 경우에는 '자동차 사고 보고 규칙'에 의거해 그 사실을 국토교통성에 알리도록 되어 있다. 우리는 정보 공개 청구를 통해 이에 대한 자세한 사항을 분석하였는데 원인 질환으로는 뇌졸중이 가장 많았고, 심장질환, 실신, 소화기 질환이 그 뒤를 이었다(그림 1).[2] 생명을 위협하는 중증 질환이 아닌 비교적 일상적인 질환도 정상적인 운전을 방해하는 원인이었다.

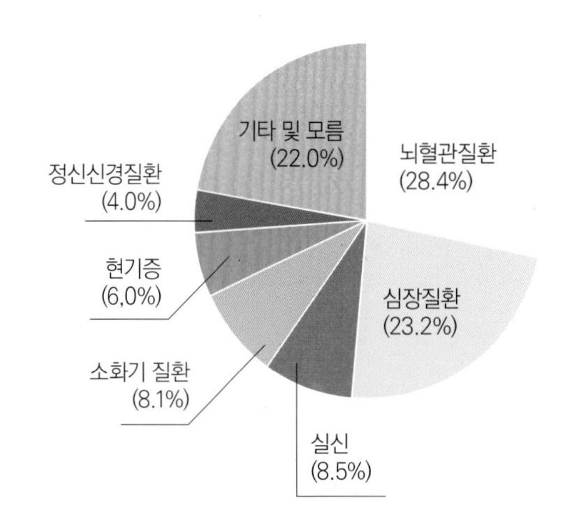

그림 1. 직업 운전자의 운전 중 컨디션 변화 원인(참고문헌 2에서 인용, 개정)

2 의료기관 내 조사

의료기관에 따라서 조사대상으로 삼은 환자의 질환 및 중증도가 달라, 일본 전체의 질환별 발생 빈도를 명확하게 파악하기는 어렵다. 앞서 언급하였듯이 신경질환 및 당뇨병 등 특정 질환을 대상으로 한 조사에서도 일정 비율로 운전 중 컨디션 변화가 발생하였다. 여기에서는 중증 및 사망한 환자를 조사대상으로 하는 경우가 많은 응급의료기관 및 부검 예를 통한 조사 결과를 소개하겠다.

응급의료시설의 보고에 따르면 운전 중 컨디션 변화의 원인으로 부정맥(Arrhythmia), 뇌전증(Epilepsy), 뇌혈관장애(Cerebrovascular accident, CVA) 등의 사례가 많다.[11,12] 그 밖에 당뇨병 환자의 저혈당증, 정신질환치료제에 의한 부작용, 실신, 급성약물중독 등이 있었다.[5,13] 운전 중 돌연사한 사망자를 부검한 검토에서는 그 원인으로 허혈성 심장질환이 가장 많았고 뇌혈관질환, 대동맥질환이 뒤를 이었다.[1,14]

4 자전거, 오토바이 승차 과정 중

앞서 기술한 바와 같이 자동차 운전 중에 일정 비율로 컨디션 변화가 발생하여 사고가 일어나는 경우가 있다. 당연히 이러한 현상은 자전거, 스쿠터, 오토바이 운전 중에도 발생할 수 있다. 그러나 자전거나 오토바이 운전 중 컨디션에 기인한 사고라는 것을 입증할 증거는 부족하다. 그 원인으로는 진단이 어렵다는 점을 들 수 있다. 자동차의 경우는 운전자가 의식을 잃은 모습이나 주행 궤적으로 운전자의 의식 소실 등을 추정할 수 있다. 그러나 자전거와 오토바이의 경우 사고 시 항상 운전자가 쓰러진 상태로 발견되는데, 사고 직전에 의식을 잃은 것인지 여부를 객관적으로 판단하기가 어렵다. 따라서 생존자가 의료기관으로 이송된 후에 본인의 진술을 통해 비로소 진단할 수 있다. 우리는 이러한 문제점을 감안하여 부검을 통한 사인이 내인성 질환으로 진단된 자전거 및 오토바이 운전자 사고의 예를 해석해서 증거를 구축하기 위해 노력했다.[15,16] 사망한 자전거 운전자 55건의 부검 예 중 16건이 운전 중에 발생한 내인성 질환으로 인한 사망이었고, 87.5%는 심장질환이었다. 또한 사고로 외상을 입어 사망한 그룹과 질병으로 인한 사망군으로 나누어 그 배경을 비교한 결과, 질병으로 인한 사망군에서는 성인병 병력이 있는 사람의 비율이 유의미하게 높았다. 다음으로 사망한 오토바이 운전자의 부검 사례 29건도 같은 방법으로 검토한 결과, 질병에 의한 사망은 7건이었고 허혈성 심장질환(Ischemic heart disease), 대동맥 박리(Aortic dissection), 뇌혈관장애(CVA)가 사인이었다. 역시, 질병에 의한 사망 사례에서는 심혈관 질환 및 성인병의 기왕력 비율이 유의미하게 높았다. 그러므로 자전거 및 오토바이 사고의 사상자를 진단할 때는 사고의 원인이 컨디션 변화에 기인하는지를 염두에 둘 필요가 있다. 또한 자전거 및 오토바이를 운전하는 환자를 진단할 때는 자동차를 운전할 때와 같은 주의와 지도를 할 필요가 있을 것이다.

5 법률로 규정되어 있는 사항

일본에서는 2002년 6월에 개정된 도로교통법에서 특정 질환 환자는 일률적으로 자동차 운전면허를 취득할 수 없다는 결격 사유가 폐지되면서 면허 취득 여부에 대해서 개별적으로 판단 받도록 하였다. 이는 교통사회의 안전을 유지하면서 장애인의 사회 참여 기회를 확보하기 위한 이유가 가장 크다. 더불어 도로교통법 제66조에서는 '누구라도 과로, 질병, 약물의 영향 및 기타 이유로 인해 정상적인 운전을 할 수 없을 우려가 있는 상태에서 차량 등을 운전해서는 아니 된다'고 규정하고 있다. 따라서 자동차를 운전하는 사람이 건강관리를 적절하게 하는 것은 자기책임이다. 또한 직업 운전자는 컨디션 변화에 의한 교통사고 예방을 위해 노력할 것을 사업장에 요구할 수 있다. 즉, 각 사업장에서는 건강진단결과 및 의사의 소견을 듣고 운전자의 건강상태를 파악할 것, 운전자 점검 시 적절한 판단 및 대처를 할 것, 운전 중에 이변이 발생한 경우에는 적절한 조치를 취할 의무가 있다. 이처럼 환자의 건강관리를 지원하는 일이나 직업 운전자의 건강 상태를 정확하게 파악하고 사업주에게 적절한 조언을 하는 일도 의사의 중요한 역할이다.

2014년 6월부터 시행된 개정도로교통법에 따라 특정 질병 등에 해당하는 자를 진단한 의사가 진단 결과 내용 등을 국가공안위원회에 보낼 수 있게 되었다. 그리고 그 행위는 형법의 비밀 유지 의무에 관한 규정에 저촉되지 않는다. 이 법은 의사의 지시에 따르지 않거나 치료약 복용, 필요한 조치를 취하지 않는 등 질환에 의해서 교통사고가 발생하는 것을 예방하기 위한 것이다.

6 예방을 위해 의사가 해야 할 일

의사법 제23조에서 '의사는 진찰한 환자 등에게 치료 방법 등 필요한 사항을 지도해야 한다'고 규정하고 있다. 자동차를 운전하는 일은 국민의 일상적인 활동이라 할 수 있다. 따라서 의사는 환자의 자동차 운전에 관해 적절하게 조언할 필요가 있다. 즉, 자동차 운전 여부를 조언하는 것은 물론, 자동차 운전을 전제로 한 건강관리, 환자의 상태에 따라 운전할 때 필요한 주의 사항 등에 대하여 정보를 제공해야 한다.

먼저, 앞서 다루었듯이 어떤 질병 혹은 증상을 잘 관리해야 한다. 환자가 약을 시간 맞추어 제대로 복용하고(복약 순응도, Drug adherence) 질병 관리가 잘 되면 운전 중에 교통사고가 발생하는 이변은 줄어 든다. 택시 운전사를 대상으로 한 저자들 연구팀의 조사에서는 병을 앓고 있는 환자 중 규칙을 잘 지키고 병원을 방문해서 주치의의 진료를 정기적으로 받는 비율이 높을수록 운전 중 컨디션 변화로 인한 사고 및 아찔한 경험이 상당히 적었다.[18] 그러므로 환자가 질환을 양호하게 관리하도록 지도하고 치료에 대한 순응도를 높일 필요가 있다.

표 2. 컨디션변화가 생겼을 때의 운전자의 행동(문헌6~8로부터 인용, 수정)

	택시운전사(A지구)	택시운전사(B지구)	대형트럭운전사(C지구)
직장에 신고하고 바로 운전을 멈춘다	26.7%	55.3%	23.5%
잠시 휴식을 취하고 운전을 다시 한다	63.3%	26.5%	64.7%
그대로 운전을 계속한다	10.0%	14.6%	11.8%

다음으로 환자가 컨디션이 나쁠 때 핸들을 잡지 않는다거나 운전 중에 컨디션이 나빠지면 무리하게 운전을 계속하지 않도록 주의를 주어야 한다. 직업 운전자를 대상으로 한 조사에서는 운

전 중에 컨디션 변화가 있을 때 회사에 신고하고 운전을 중단한 사람은 23.5~55.3%였고, 그대로 운전을 계속한 사람이 10.0~14.6%나 차지했다(표 2).[6~8] 직업 운전자뿐만 아니라 일반운전자에게도 이러한 경향이 있을 것으로 예상된다. 컨디션 변화로 운전을 계속할 수 없게 된 사람은 대부분 증상이 나타나기 전에 어떠한 변화를 느꼈다고 한다. 미국에서 실시한 조사에서는 자동차 운전 중에 실신 발작을 일으킨 사람의 87.4%가 발작 전에 어떤 전조증상(Prodromal symptoms)을 자각했다고 한다.[19] 직업 운전자를 대상으로 실시한 일본의 보고에서는 운전 시작부터 운전 중단까지 시간이 짧은 경우 해당 질환에 의한 운전자의 사망률 및 사고 발생률도 낮았다.[2] 그러므로 컨디션 변화가 나타났을 때 신속하게 운전을 중단하라고 철저하게 지도해야 한다.

다음으로 검사 및 진료 과정에서 약물을 투여했을 때에는 그 사실을 환자에게 설명할 필요가 있다. 예를 들어 안과 검사 시 약물로 산동시키는 경우, 이 검사 후 자동차를 운전하는 것은 위험하므로 사전에 자동차를 운전해서 내원하지 않도록 설명해야 한다. 또한 내시경 검사 시 진정제를 투여하는 경우가 있는데 이때도 마찬가지이다. 환자에게 사용하는 약물에 대해 설명해야 한다. 예전에 역류성 식도염으로 진단받은 60대 여성이 내시경 검사를 받았다. 수면유도제인 미다졸람(Midazolam) 정맥주사를 맞고 내시경 검사를 받은 후, 길항약인 아넥세이트(Anexate)를 투여받았다. 여성은 자동차를 운전해서 귀가하던 길에 운전 중 의식이 몽롱해져서 충돌사고를 일으켰다. 그 후, 민사소송에서 검사 시 수면유도제를 사용하고, 검사 후 자동차를 운전하는 것은 위험하다는 점 등을 설명해야 하는 의무를 위반했다하여 병원에 대한 손해배상 청구가 인정되었다.[20]

7 엄격해지는 사회의 감시

요즘은 사회의 감시도 엄격해져서 컨디션 변화로 인한 사고를 엄벌하라는 요구가 커지고 있다. 2014년 5월부터 시행된 '자동차 운전 사상행위 처벌법'에서는 제3조 2항에 의거하여 '법령에 예시되어 있는 자동차 운전에 지장을 미칠 수 있는 질병으로 인해 정상적인 운전에 지장을 줄 수 있는 상태에서 자동차를 운전하던 중, 그 병의 영향으로 정상적인 운전이 어려운 상태에 이르러 타인을 다치게 하거나 사망에 이르게 한 자'는 '위험운전치사죄'로 처벌된다. 법령으로 정한 질환에는 조현병(Schizophrenia, 일본병칭: 통합실조증), 뇌전증(Epilepsy), 저혈당(Hypoglycemia), 중증 수면 무호흡증후군(Severe sleep apnea syndrome) 등이 명기되어 있다. 즉, 환자의 질병관리가 불량하여 사고로 이어질 것으로 예상되는 상태에서 운전을 하여 그 결과, 사고가 발생하면 고의 범죄로 취급되어 더욱 엄격한 형사 책임을 지게 된다. 2012년 도치기현에서 발생한 뇌전증 환자에 의한 크레인차량 폭주 사고에서는 환자가 뇌전증 치료약을 복용하지 않은 사실을 알고 있던 모친에게 불법행위책임을 지고 환자와 함께 배상하라는 명령이 떨어졌다.[20]

8 마치며

자동차를 운전하는 사람에게 의사가 해줘야할 일은 많다. 특히, 앞으로 고령 운전자가 증가할 것이 예상되기 때문에 다양한 질환을 가진 운전자는 늘어날 것으로 추정된다. 따라서 의사가 자동차 운전을 고려한 치료 지도를 할 기회도 늘어난다. 의사는 환자의 운전 능력을 정확하게 판단해서 환자에게 효과적인 조언을 해야 한다. 즉, 해당 환자에게 '안전한 자동차 운전에 필요한 인지, 예측, 판단 및 조작 등에 관한 능력'이 있는지 판단하여 적절하게 지도해야 한다.

참고문헌

(1) Motozawa Y, et al. Sudden death while driving a four-wheeled vehicle: an autopsy analysis. Med Sci Law. 2008;48(1):64–8.
(2) Hitosugi M, et al. Sudden illness while driving a four-wheeled vehicle：a retrospective analysis of commercial drivers in Japan. Scand J Work Environ Health 2012;38:84-7.
(3) Tervo TM, et al. Observational failures/distraction and disease attack/incapacity as cause(s) of fatal road crashes in Finland. Traffic Inj Prev 2008;300:211-6.
(4) Oliva A, et al. Autopsy investigation and Bayesian approach to coronary artery disease in victims of motor-vehicle accidents. Atherosclerosis 2011;218:28-32.
(5) 岩田健司. 意識消失による自動車事故症例の検討. Prog Mad 2012;32:2271-4.
(6) 一杉正仁・他. タクシー運転者における健康起因事故の背景調査、効果的な事故予防対策の立案. 日本損害保険協会医研センター(編)：交通事故医療に関する一般研究助成. 研究報告集2012年度. 2014. pp373-381.
(7) 馬傷美年子・他. タンクローリー運転者に対する運転と体調変化に関する意識調査ー体調変化に起因する事故を予防するためにー. 日職災医会誌 2015;63:120-5.
(8) 馬傷美年子・他. タクシー運転者の健康管理と体調変化に関する意識調査ー健康起因事故を予防するためにー. 日交通科会誌 2016;15:28-35.
(9) 一杉正仁・他. 運転者の体調変化による事故発生状況の交通事故低減に向けた効果的予防対策の提言. 日本交通科学会(編)：損害保険協会自賠責運用益拠出事業 平成23~25年 度報告書. 一般社団法人日本交通科学学会 2015
(10) 松村美穂子・他. 糖尿病患者の自動車運転 Prog Med 2012;32:1605-11.
(11) 田熊清継・他. 内因性疾患による交通外傷の検討、日救急医会誌 2006;17:177-182.
(12) 篠原一彰・他. 運転中の急病発症ー過去17年間に当院ERで経験した事例の紹介と総括ー Prog Med 2012;32:1601-04.
(13) 本多ゆみえ・他. 意識消失による交通事故ー予防的観点から—. 交通科学研究資料 2013;54:64.
(14) 一杉正仁・他. 運転中の突然死剖検例の検討. 日交科協会誌 2007; 7:3-7.
(15) Hitosugi M, et al. Comparison of the injury severity and medical history of disease-related versus trauma-related bicyclist fatalities. Leg Med (Tokyo) 2016;18:58-61.
(16) Takeda A, et al. Autopsy cases of motorcyclists dying of trauma or diseases. Am J Forensic Med Pathol 2017;38：222- 5.
(17) 一杉正仁・他. 運転管理に必要な疾病・薬剤の知識. 労働科学 2011;7:240-7.
(18) Hitosugi M, et al.：Main factors causing health-related vehicle collisions and incidents in Japanese taxi drivers. Rom J Leg Med 2015;23:83-6.
(19) Sorajja D, et al. Syncope while driving : clinical characteristics, causes, and prognosis, Circulation 2009;120:928-34.
(20) 馬傷美年子. 健康起因事故と医学と法律. 医学と看護社 2016

2 진단서 작성에 대해서

1 들어가며

특정 질병이 있는 사람이 자동차 운전을 하고자 할 때는 의사의 진단서가 필요하다. 2014년 6월 1일부터 시행된 일본 개정도로교통법에서는 면허를 취득할 때나 갱신할 때, 일반적인 검사 외에, 신고자는 과거 5년 이내의 자신의 증상에 관해 문진표를 작성해야 하며, '네'라고 응답한 때에는 의사의 진단서를 제출해야 하는 경우도 있다.

2016년 11월 16일부로 경찰청 교통국 운전면허과장은 '치매에 관한 진단서 제출 명령제도의 원활한 운용을 위한 협력 당부에 대해서'라는 문서를 치매 관련 의사(전문의) 및 일본의 모든 행정구역 내 의사회 등에 통지했다. 2016년 11월 30일부로 경찰청 교통국 운전면허과장 및 경찰청 교통국 교통기획과장은 각 관내 경찰국 광역조정담당부장, 경찰청교통부장, 각 도(道)·부(府)·현(縣) 경찰본부장 앞으로 '임시적성검사 등에 관여하는 행정구역 내 의사회 등과의 깊은 연계 강화에 대해서'라는 문서를 통지하고 알렸다. 그리고 위험성이 높은 운전자에 대한 대책으로, 고령 운전자 대책 추진을 목적으로 2017년 3월 12일 일본 개정도로교통법이 시행되고 인지기능검사 결과에 의거해서 고도화되고 합법적인 고령자 강습이 실시되었다. 이 때 치매 우려가 있을 때에는 의사의 진단서 제출을 요구하는 경우가 있다.

이처럼 의사가 자동차 운전에 관한 진단서를 작성하는 기회는 증가하고 있지만 운전 여부에 대해서 명확하게 판단하기 어려운 사례가 있거나 진단서를 작성하는 일에 익숙하지 않은 점, 진단서 작성에 따른 책임 소재 등 많은 문제가 남아 있다.

2 특정 질병 등에 관한 임시적성검사 등의 실시요령 개정

2014년 6월 1일에 특정 질병에 관한 임시적성검사 실시요령이 개정되었다. 적성 상담을 받는 사람 중에서 면허 취득의 판단이 주치의의 진단서로 가능할 경우에는 진단서를 제출할 의사를 확인한 후 제출의사가 있을 경우에는 진단서만으로 임상적성검사를 대체할 수 있게 되었다. 그러므로 임시적성검사를 받지 않고 의사의 진단서로 운전 재개를 할 수 있기 때문에 진단서는 신중하게 작성해야 한다.

3 법령상 규정

현재, 면허 거부 및 보류 사유가 되는 질병 중 일본 도로교통법 제90조 제1항 제1호 '다'에서는 '자동차 등의 안전한 운전에 필요한 인지, 예측, 판단 및 조작 중 어떤 능력이 결여될 우려가 있는 증상을 보이는 질병'으로 규정되어 있다. 그러나 이것만으로는 어느 질병이 자동차의 안전 운전에 지장을 초래할지 애매해서 판단하기 어렵다.

실제 운용에 대해서는 경찰청 교통국 면허과에서 '일정한 질병에 관한 면허 허가 여부 등의 운용 기준'이 마련되어 있다(Ⅰ-3 '질병에 관한 운전면허제도에 대해서', 20쪽 참조).

면허의 취득 및 갱신 시에는 시력, 색채식별능력, 청력, 운전능력이 필요하다(표 1). 2종 면허는 심시력(Depth perception, 두 물체의 원근감 식별 능력)까지 요구된다. 시야는 한쪽 눈의 시력이 0.3에 미치지 않거나 한쪽 눈이 보이지 않는 경우에 문제가 되며, 다른 눈의 시야가 좌우 150도 이상이고 시력이 0.7 이상이어야 한다.

표 1. 1종 면허(대형자동차, 견인면허는 제외)에 필요한 신체 기능

시력	•양쪽 눈 시력이 0.7 이상이고, 한쪽 눈 시력이 각각 0.3 이상일 것 •한쪽 시력이 0.3이 되지 않는 자 또는 한 눈이 보이지 않는 자는 다른 눈의 시야가 좌우 150도 이상이고 시력이 0.7 이상일 것
색채식별능력	•빨간색, 파란색 및 노란색을 식별할 수 있을 것
청력	•양쪽 귀의 청력(보청기로 보강한 청력 포함)이 10미터 거리에서 90데시벨의 경음기의 소리가 들릴 것 •보청기를 사용해도 기준을 미달하는 경우 또는 보청기를 사용해서 기준에 도달한 사람이 보청기 없이 운전하고자 하는 경우에는 운전면허시험장에서 실제 차량을 이용해 임시적성검사로 적성이 확인된 경우, 안전교육을 받고 면허의 조건을 변경한다. 일반 차량을 운전하는 경우에는 와이드 미러를 장착하고 청각장애인 표식을 붙여야 한다. •보통화물차를 운전하는 경우에는 사이드 미러에 장착한 보조 미러가 필요하다.
운전능력	•자동차 등의 운전에 지장을 초래할 우려가 있는 사지 또는 체간 장애가 없을 것 •자동차 등의 운전에 지장을 초래할 우려가 있는 사지 또는 체간 장애가 있으나 신체 상태에 맞는 보조 수단을 장착하여 자동차 등의 운전에 지장을 초래할 우려가 없다고 인정받은 자일 것

청각은 기존에는 보청기를 사용해도 10미터 거리에서 90데시벨의 경음기의 소리가 들리지 않는 중증 청각장애인은 운전을 할 수 없었다. 그러나 2008년 6월 1일부터 중증 청각장애인도 특정 후사경(와이드 미러)을 사용하는 경우에 일반 차량은 운전할 수 있다. 이 경우에는 청각장애인 마크(그림 1)를 자동차 앞뒤에 붙이도록 되어 있다. 더불어 2012년 4월 1일부터 도로교통법 시행세칙의 일부가 변경되어 청각장애인도 보통 화물차를 운전할 수 있다. 단, 사이드 미러에 장착하는 보조 미러를 갖추어야 한다.

특정 질병에 관한 면허 취득 여부 등 운전 기준에 대해서는 제Ⅱ장의 각론을 참조하기 바란다.

그림 1. 청각장애인 마크
자동차 앞뒤에 붙이도록 의무화되어 있다.

4 진단서 관련 책임에 대해서

운전에 관련된 진단서를 작성한 적이 없거나 경험이 적은 의사의 경우에는 진단서를 작성하기 주저할 것이다. 그 이유 중 하나는 책임 소재에 있다고 본다. 운전에 문제가 되는 질병이 없는 사람도 교통사고를 일으킨다. 그렇기 때문에 만약 자신이 진단서를 작성한 환자가 교통사고를 일으켰을 때 피해자가 진단서를 작성한 의사에게도 책임을 요구하는 것은 아닐지 두려워하기 때문이 아닐까? 필자가 아는 바로는 진단서에 허위 기재를 하지 않는 한 형사적 책임은 없다.

5 운전면허학원의 운전 기능 판단에 대해서

2002년 6월에 개정된 일본 도로교통법에서는 장애인에 관한 면허 취득의 절대적인 결격사유가 폐지되었다. 그리고 면허 취득 여부는 개별적으로 판단하도록 바뀌었다. 즉, 어떤 질환을 갖고 있는 환자의 증상이 자동차 등의 안전한 운전에 지장을 초래할 우려가 없다고 판단되면 면허를 취득할 수 있다. 단, 현재 알츠하이머형 치매(Alzheimer's dementia), 혈관성 치매(Vascular dementia), 전두측두형 치매(Fronto-temporal dementia), 루이소체 치매(Dementia with Lewy body)는 진단을 받으면 운전면허를 취득할 수 없으며, 취득한 면허는 취소된다. 개별 판단을 하면 운전 재개 여부를 판단하기 어려운 증상도 적지 않다. 특히 정신기능, 인지기능에 관한 질환은 판단이 어렵다. 우리 의사들은 의료 전문가이지 운전 전문가가 아니다. 따라서 진단서 발부 시 현 증상을 기재하는 의견란에 '자동차 등의 안전한 운전에 필요한 인지, 예측, 판단 및 조작 중 어느 한 기능과 관련된 능력이 결여될 우려가 있는 증상을 보이지 않는다'고 되어있어도 그 판단은 어렵다.

운전면허학원에 운전기능 판단을 의뢰할 경우, 지역에 따라 다르지만 임시적성검사에 합격하지 않으면 도로주행연습은 실시하지 않고 운전면허학원 안에서만 실제 차량으로 연습을 허용하는 학원도 적지 않다. 이 경우, 실제 도로 주행 시 안전 운전에 필요한 인지, 예측, 판단이 확보되는지 판단하기 어렵다. 임시적성검사를 받기 위한 진단서를 작성하는 의사 측에서는 운전 기능의 정보가 필요하지만, 운전 기능을 판단하는 운전면허학원 측에서는 임시적성검사에 합격하지 않으면 도로주행연습을 하지 않는다는 모순이 현장에는 있어서 혼란을 야기한다.

6 진단서 발급 지역에 따른 차이에 대해서

기재 내용은 기본적으로 같지만 진단서의 형식은 지역마다 다소 차이가 있다. 필자는 주로 뇌졸중 진단서를 작성하기 때문에 뇌졸중 진단서를 예로 들어 소개하겠다.

도쿄도의 진단서(그림 2)와 지바현의 진단서(그림 3) 및 후쿠오카현의 진단서(그림 4)를 비교하겠다. 지바현의 진단서는 한 장의 진단서에 뇌졸중이 상단, 뇌전증이 하단으로 구성되어 있다. 그리고 뇌졸중 등의 현재 증상에 관한 의견이 지역마다 다르다. 도쿄도는 '아' 항목이 '운전을 금지할 필요는 없다'이지만 지바현은 '가'와 '나' 항목이 '운전을 금지할 필요는 없다'로 순서가 반대이다. 그리고 도쿄도는 이중부정문을 사용해서 기재하지만 지바현은 그렇지 않다.

후쿠오카현의 진단서는 도쿄도와 지바현의 진단서를 합친 형식이다. 지바현과 같이 이중부정문으로 기재하지 않는다. 도쿄도의 진단서와 같이 뇌졸중 전용 진단서이다. 현재 증상에 관한 의견은 '마'와 '바'가 운전을 삼가야 한다고 말할 수는 없다. 차이는 의학적 판단에 뇌전증(Epilepsy) 병력이라는 항목이 있고 현재 증상에 관한 의견이 도쿄도의 진단서에서는 가~아 8단계이지만, 가~바 6단계이다.

이처럼 지역에 따라서 진단서가 다른 이유를 필자가 문의했더니 기준이 되는 형식은 있지만 각 지방자치단체 차원에서 변경이 가능하다고 한다.(1)

7 진단서와 함께 첨부하는 서류에 대해서

진단서를 작성할 때 진단서와 함께 서류를 첨부해야 하는 경우가 있다. 뇌졸중 진단서를 예로 들면 도쿄도에서는 진단서 작성 가이드라인(그림 5)을 진단서와 함께 의료기관에 제출한다. 또한 후쿠오카현에서는 주치의의 진단서 및 임시적성검사 결과를 바탕으로 판단 기준(표 2)을 진단서와 함께 의료기관에 제출한다.

《뇌졸중(뇌경색, 지주막하출혈, 일과성 허혈뇌질환, 뇌동맥류파열, 뇌종양 등) 관계》

진 단 서 (도쿄도 공안위원회 제출용)

1. 성명 남/여
   생년월일 년 월 일생(세)

2. 의학적 판단
   ○ 병명
   ○ 종합소견(현 병력, 현 병증, 중증도, 치료경과, 치료상황 등)

3. 현재 증상(개선 전망 등)에 대한 의견

가. 뇌경색 등의 발병으로 다음에 기재된 장애(A~C) 중 하나가 반복적으로 발생하고 있기 때문에 운전을 금지해야 한다.
   A 의식장애, 지남력장애, 기억력장애, 판단력장애, 주의력장애 등
   B 신체 마비 등의 운전 장애
   C 시각장애(시력장애, 시야장애 등)

나. 상기의 '가'의 장애가 반복적으로 발생하지는 않았지만, '발작 위험이 없어 운전을 금지할 필요는 없다'(A)고는 진단할 수 없다.

다. 상기의 '가'의 장애가 반복적으로 발생하지는 않았지만, '앞의 기술(A)' 정도는 아니어도 6개월 이내에 '앞의 기술(A)'로 진단 가능할 것으로 예상된다.

라. 상기의 '가'의 장애가 반복적으로 발생하지는 않았지만, 6개월보다 단기간(1-5개월)에 '앞의 기술(A)'로 진단 가능할 것으로 예상된다.

마. 상기의 '가'의 장애가 반복적으로 발생하지는 않더라도 아직은 '향후 몇 년 안에 발작을 일으킬 위험이 없어 운전을 금지할 필요는 없다'고 진단할 수는 없지만, 6개월 이내에 '향후 몇 년 안에 발작을 일으킬 위험이 없어 운전을 금지할 필요는 없다'고 진단 가능할 것으로 예상된다.

바. 상기의 '가'의 장애가 반복적으로 발생하지는 않더라도 아직은 '향후 몇 년 안에 발작을 일으킬 위험이 없어 운전을 금지할 필요는 없다'고 진단할 수는 없지만, 6개월보다 단기간(1-5개월)에 '향후 몇 년 안에 발작을 일으킬 위험이 없어 운전을 금지할 필요는 없다'고 진단 가능할 것으로 예상된다.

사. 상기의 '가'의 장애가 반복적으로 발생하지는 않아, '향후 몇 년 안에 발작을 일으킬 위험이 없어 운전을 금지할 필요는 없다'

아. 상기의 '가'에서 '바' 중 어느 것에도 해당하지 않아 운전을 금지할 필요는 없다.
   • 회복해서 뇌경색 등에 걸렸다고 말할 수 없다.
   • 뇌경색 등에 걸렸지만 발작 위험이 없어 운전을 금지할 필요는 없다.
   • 발작의 위험은 없지만 만성화된 운동장애가 있다.
   • 기타( )

4. 기타 참고사항

전문의 및 주치의로서 상기와 같이 진단합니다.

년 월 일

병원 및 진료소 등의 명칭 및 소재지
담당진료과명
담당의사 성명 (인)

그림 2. 도쿄도의 진단서
현재 증상에 대한 의견으로 운전 재개 판단을 선택한다.

진 단 서

(공안위원회 제출용)

1. 성명 남/여
   생년월일 년 월 일생(세)
   주소

2. 의학적 판단
   병명
   최초 진료일
   소견(현 병력, 현 병증, 중증도 등)

   ※ 년 월 일에 상기의 질병 등으로 인해 자동차 등의 운전은 삼가야 할 상태이지만 계속적인 치료로 인해 년 월 일의 진단으로 다음의 병상을 회복한 것으로 인정한다.

3. 뇌졸중 등(해당 / 비해당) ※ 해당하는 경우에는 아래에 답변 바랍니다.
현재 증상(운전능력 및 개선 전망 등)에 대한 의견
※ 주요 판단 기준 '발작 위험이 없어 운전을 금지할 필요는 없다(A)'

가. 이미 회복해서 뇌경색 등에 걸렸다고 볼 수 없다.
나. 뇌경색 등에 걸렸지만 발작 위험이 없어 운전을 금지할 필요는 없다.
다. 의식장애, 지남력장애, 기억력장애, 판단력장애, 주의력장애, 신체 마비 등의 운전 장애, 시력장애, 시야장애(이하, 단순하게 '장애'라고 함) 등이 반복적으로 발생하지 않았고 '향후 ( )년 정도면 발작을 일으킬 위험이 없어 운전을 금지할 필요는 없다.
라. 장애가 반복적으로 발생하지는 않아, '(A)'라고까지는 할 수 없지만 6개월 이내에 '(A)'로 진단 가능할 것으로 예상된다.
마. 장애가 반복적으로 발생하지는 않았지만 아직은 '향후 ( )년 정도면 발작을 일으킬 위험이 없어 운전을 금지할 필요는 없다(B)'고 진단할 수는 없다. 그러나 6개월 이내에 '(B)'로 진단 가능할 것으로 예상된다.
바. 장애가 반복적으로 발생하지는 않았지만 '(A)'라고는 할 수 없다.
사. 장애가 반복적으로 발생하고 있다.

4, 뇌전증(해당 / 비해당) ※해당하는 경우에는 아래에 답변 바랍니다.
최종 발작(년 월 일)
증상
현재의 증상 및 향후 예상에 관한 의견
가. 과거 5년 이내 발작이 없고 향후 발작이 일어날 위험이 없는 것으로 보인다.
나. 발작이 과거 2년 이내에 일어난 적이 없고 향후 ( )년 정도면 발작이 일어날 우려가 없는 것으로 판단된다.
다. 과거 2년 이내에 발작을 일으키고 있지만 그것은 의식장애 및 운동장애를 동반하지 않는 단순 부분 발작에 한하며 1년간 관찰하여 판단할 때 향후 증상이 악화될 우려가 없는 것으로 판단된다.
라. 과거 2년 이내에 발작을 일으켰지만 수면 중 발작에 한하며, 2년간 경과를 관찰하여 판단할 때 향후 증상이 악화될 우려가 없는 것으로 판단된다.
마. 상기의 '가', '나', '다' 및 '라'라고는 할 수 없지만 향후 6개월(월) 이내에 '가', '나', '다' 및 '라'의 진단이 가능할 것으로 예상된다(해당 사항에 ○ → 가, 나, 다, 라).
바. 과거 2년 이내에 발작을 일으켰다.
사. 향후 발작을 일으킬 우려가 있다.

전문의 및 주치의로서 상기와 같이 진단합니다.

년 월 일

병원 및 진료소 등의 명칭 및 소재지
담당진료과명
담당의사 성명 (인)

그림 3. 지바현의 진단서
뇌졸중에 대해서 상단, 뇌전증에 대해서 하단에 기재하도록 되어 있다.

《뇌졸중(뇌경색, 지주막하출혈, 일과성 허혈성뇌질환, 뇌동맥류파열, 뇌종양 등) 관계》

진 단 서 (후쿠오카현 공안위원회 제출용)

1. 성명 남/여
생년월일 년 월 일생(세)
주소

2. 의학적 판단
○ 병명
○ 종합소견(현 병력, 현 병증, 중증도, 치료경과, 치료상황 등)
※증후성 뇌전증 기왕력
최종 발작일

3. 현재 증상(운동능력 및 개선 전망 등)에 대한 의견
가. 뇌경색 등의 발작으로 다음에 기재된 장애 중 하나가 발생했다.(해당 부분에 ○ 표시)
- 의식장애, 지남력장애, 기억력장애, 판단력장애, 주의력장애 등과 같은 고차뇌기능장애
- 신체 마비 등의 운전 장애
- 시각장애(시력장애, 시야장애 등)

나. 상기의 '가'의 장애가 발생하지는 않았지만 '(A)발작 위험이 있어 운전을 금지해야 한다'고 진단된다.
다. 상기의 '가'의 장애가 발생하지는 않았어도 아직은 '(A)운전을 금지해야 한다'고 판단되며 향후 6개월 이내[혹은 6개월보다 단기간(1-5개월간)]에 '(B)발작 위험이 없어 운전을 금지할 필요는 없다(운전 가능)'고 진단 가능할 것으로 예상된다.
라. 상기의 '가'의 장애가 발생하지는 않았어도 아직은 '(A)운전을 금지해야 한다'고 판단되지만 향후 6개월 이내[혹은 6개월보다 단기간(1-5개월간)]에 '향후 몇 년 안에 (B)로 진단 가능할 것으로 예상된다.(운전 가능)'
마. 상기의 '가'의 장애가 발생하지는 않아, '향후 ( )년 정도면 발작 위험이 없어 운전을 금지할 필요는 없다.
바. 상기의 '가'에서 '마' 중 어느 것에도 해당하지 않는다.(해당 부분에 ○ 표시)
- 이미 회복해서 뇌경색 등에 걸렸다고 볼 수 없다.
- 뇌경색 등에 걸렸지만 발작 위험이 없어 운전을 금지할 필요는 없다.

4. 그 밖에 특별히 기재해야 할 사항

전문의 및 주치의로서 상기와 같이 진단합니다.

년 월 일

병원 및 진료소 등의 명칭 및 소재지(전화번호)
담당진료과명
담당의사 성명 (인)

그림 4. 후쿠오카현의 진단서
도쿄도의 진단서보다 간결하다.

진단서 작성 가이드라인

《뇌졸중(뇌경색, 지주막하출혈, 일과성 뇌허혈증, 뇌동맥류파열, 뇌종양 등) 관계》

1. 성명 남/여
   생년월일 년 월 일생(세)
   주소

2. 의학적 판단
   ○ 병명
   ○ 종합소견(현 병력, 현 병증, 중증도, 치료경과, 치료상황 등)

〈병명〉

○ 상태상이 아닌 병명을 기재한다. 단, 질병으로 판단하지 않는 사실을 진단하는 경우에는 '○○의 증상(상태상)이 있지만 질병으로 판단되지 않는다'고 기재한다.

〈종합소견〉

○ 3의 의견을 이끌어내는 데 근거가 되는 증상 및 경과 등을 구체적으로 기재한다.

3. 현재 증상(개선 전망 등)에 대한 의견

가. 뇌경색 등의 발작으로 다음에 기재된 장애(A~C) 중 하나가 반복적으로 발생하고 있기 때문에 운전을 삼가야 한다.
   A. 의식장애, 지남력장애, 기억장애, 판단장애, 주의장애 등
   B. 신체 마비 등의 운전 장애
   C. 시각장애(시력장애, 시야장애 등)

나. 상기의 '가'의 장애가 반복적으로 발생하지는 않았지만 '발작 위험이 없어 운전을 금지할 필요는 없다(A)'고는 진단할 수 없다.

다. 상기의 '가'의 장애가 반복적으로 발생하지는 않아 '앞의 기술(A)'이라고까지는 할 수 없지만 6개월 이내에 '앞의 기술(A)'로 진단 가능할 것으로 예상된다.

라. 상기의 '가'의 장애가 반복적으로 발생하지는 않아 6개월보다 단기간(개월)에 '앞의 기술(A)'로 진단 가능할 것으로 예상된다.

마. 상기의 '가'의 장애가 반복적으로 발생하지는 않아, 아직은 '향후 몇 년 안에 발작을 일으킬 위험이 없어 운전을 금지할 필요는 없다'고 진단할 수 없지만, 6개월 이내에 '향후 몇 년 안에 발작을 일으킬 위험이 없어 운전을 금지할 필요는 없다'고 진단 가능할 것으로 예상된다.

바. 상기의 '가'의 장애가 반복적으로 발생하지 않더라도, 아직은 '향후 몇 년 안에 발작을 일으킬 위험이 없어 운전을 금지할 필요는 없다'고 진단할 수 없지만, 6개월보다 단기간(1-5개월)에 '향후 몇 년 안에 발작을 일으킬 위험이 없어 운전을 금지할 필요는 없다'고 진단 가능할 것으로 예상된다.

사. 상기의 '가'의 장애가 반복적으로 발생하고 있다고는 할 수 없지만 '향후 ( )년 정도면 발작 우려 관점에서 운전을 삼가야 한다고 할 수 없다'

아. 상기의 '가'에서 '바' 중 어느 것에도 해당하지 않아 운전을 금지할 필요는 없다.
   - 이미 회복해서 뇌경색 등에 걸렸다고 볼 수 없다.
   - 뇌경색 등에 걸렸지만 발작 위험이 없어 운전을 금지할 필요는 없다.
   - 발작의 위험은 없지만 만성화된 운동장애가 있다.
   - 기타( )

〈3 현시점에서의 증상(운동능력 및 개선 전망)에 관한 의견〉

○ 2에서 질병으로 판단하지 않는 사실을 진단할 때는 기재 불필요.
○ 가, 나, 다, 라, 마, 바, 사, 아 중 하나를 ○로 표시한다.
  - 자동차 등의 안전한 운전에 지장이 없는 것으로 판단되는 경우에는 사 또는 아
  - 자동차 등의 안전한 운전에 지장이 있는 것으로 판단되는 경우에는 가, 나, 다, 라, 마 또는 바

그림 5. 도쿄도의 진단서 작성 가이드라인
진단서 자체의 작성 방법이 기재되어 있다.

○ '라' 및 '바'에서 6개월보다 짧은 기간에 판단 가능할 것으로 예상되는 경우에는 ( ) 안에 해당 기간(1-5개월)을 기재한다.
○ '마', '바'의 공단 및 '사'의 ( ) 안에는 1 이상의 정수를 기재한다.
○ '아'에 해당하지 않는 경우에는 '•' 중 하나를 ○로 표시하고 '• 기타'의 경우에는 ( ) 안에 소견 내용을 기재한다.

4. 기타 참고사항

〈4 기타 참고사항〉
○ 앞에 기재한 2 및 3 이외에 특별히 기재해야 하는 사항을 기재한다.

전문의 및 주치의로서 상기와 같이 진단합니다.
년 월 일
병원 및 진료소 등의 명칭 및 소재지
담당진료과명
담당의사 성명 (인)

○ 임시적성검사의 경우에는 '전문의'를 ○로 표시하고 주치의인 경우에는 '주치의'를 ○로 표시한다. 주치의가 임시적성검사를 하는 경우에는 양쪽에 ○로 표시한다.

※진단서 작성 시 유의사항
1. 증상이 만성화된 '지남력장애, 기억장애, 판단장애, 주의장애 등'에 대해서는 본 진단서가 아니라 "치매 진단서"로 추가 판단이 필요하다.

2. 증상이 악화되었다
가. '신체마비와 같은 운동장애'
나. '시각장애(시력장애, 시야장애 등)'
다. '청각장애'
에 대해서는 공안위원회가 신체장애 기준에 따라 판단한다.

3. 의식장애(발작) 우려 유무 등에 관한 의견을 종합소견란에 기재한다.

(표 2)가 진단서와 같이 의료기관에 제출된다. 진단서 작성 가이드라인은 진단서 자체의 작성 방법을 지도하기 때문에, 주치의의 진단서 및 임시적성검사 결과에 입각한 판단 기준은 주치의의 진단서 및 임시적성검사 결과를 통해 거부 및 취소 등의 판단 및 다음 임시적성검사 대응을 제시한다.
다른 각 질환의 진단서에도 진단서 작성 가이드라인 및 진단서 및 적성검사 결과에 입각한 판단 기준이 존재하지만, 실제로 의료기관에 진단서와 함께 첨부할지 여부는 지역에 따라 다르다.

표 2. 주치의의 진단서 및 임시적성검사 결과에 입각한 판단 기준
면허의 거부 및 취소와 같은 판단 등이 기재되어 있다.

	진단서 또는 임시적성검사 결과 내용	주치의의 진단서에 의거한 판단	임시적성검사에 의거한 판단	임시적성검사에 의거한 판단 다음 임시적성검사
1	다음의 장애가 반복해서 발생한다. • 의식장애, 지남력장애, 기억장애, 판단장애, 주의장애 • 신체 마비 등과 같은 운전 장애 • 시각장애(시력장애, 시야장애 등) 등	거부 또는 취소	거부 또는 취소	
2	상기의 장애가 반복적으로 발생하지는 않았지만 발작 위험이 있어 운전을 금지해야 한다.	거부 또는 취소	거부 또는 취소	
3	상기의 장애가 반복적으로 발생하지는 않아, 6개월 이내에 발작 위험이 없어 운전을 금지할 필요는 없다고 진단이 가능할 것으로 예상된다.	보류 또는 효력 정지 (○개월간)	보류 또는 효력 정지 (○개월간)	별첨5의 임시적성검사 수검 명령 및 진단서 제출 명령으로 대응
4	상기의 장애가 반복적으로 발생하지는 않아, 6개월 이내에 '향후 n년 정도면 발작 위험이 없어 운전을 금지할 필요는 없다'고 진단할 수 있을 것으로 예상된다.	보류 또는 효력 정지 (○개월간)	보류 또는 효력 정지 (○개월간)	별첨5의 임시적성검사 수검 명령 및 진단서 제출 명령으로 대응
5	상기의 장애가 반복적으로 발생하지는 않아, 향후 n년 정도면 발작 위험이 없어 운전을 금지할 필요는 없다.			n년 후
6	상기 이외 • 이미 회복해서 뇌경색 등에 걸렸다고 볼 수 없다. • 뇌경색 등에 걸렸지만 발작 위험이 없어 운전을 금지할 필요는 없다 등			

※ 증상이 만성화된 '지남력장애, 기억장애, 판단장애, 주의장애 등'에 대해서는 치매 기준으로 판단.
※ 증상이 만성화된 '운동장애(마비), 시각장애(시력장애, 시야장애 등) 및 청각장애'에 대해서는 신체장애 기준으로 판단.
※ n는 1 이상의 정수.

8 마치며

의사가 작성하는 진단서는 환자의 운전 여부에 큰 영향력을 미친다. 환자의 운전으로 인해 발생할 교통사고를 과도하게 두려워해서 운전을 허가하지 않는다면 환자의 생활의 질을 떨어뜨린다. 또한 적절한 평가도 하지 않고 운전 가능으로 진단서에 기재하는 일은 위험한 운전자를 도로에 내보내는 것이기 때문에 반드시 피해야 한다.

운전에 관한 진단서는 현시점에서 의료인에게 익숙한 진단서라고 할 수 없고 운전 여부의 판단

기준이 불명확해서 진단서 작성에 어려움을 겪는 일도 있다. 향후, 의견서 작성에 관한 자세한 매뉴얼 및 교육기회가 필요하며 많은 의사들이 올바른 지식을 갖출 수 있도록 환경을 정비할 필요가 있을 것이다.

(1) 武原 格. 診断書の記載と問題点. MB Med Reha 2017;207:22-32.

3 질병(장애)과 관련된 운전면허제도에 대해서

질병과 관련된 운전면허제도는 1999년에 실시한 장애인에 관한 실격조항 검토와 함께 운전면허 발급 여부 판단에 관해서 병명으로 판단하는 조항이 바뀌어 특정 질병의 증상이 자동차 등의 안전한 운전에 얼마나 지장을 주는가 여부에 따라 판단하도록 변경되어 현재에 이르렀다. 따라서 이 책에서는 이러한 경위에 근거하여 운전면허 허가 여부에 관한 운용기준 등에 대해 설명하고자 한다.

1 특정 질병과 운전면허의 관련성에 대해서

1 일본 도로교통법 규정

일본 도로교통법(1960년 6월 25일 제105호)에서는 운전면허(이하, '면허'라고 한다)의 거부, 취소, 보류 및 정지 사유로 환각(Hallucination) 증상을 동반한 정신병, 발작(Seizure)으로 인한 의식장애(Consciousness disorders) 및 운전 장애를 초래하는 질병, 기타 자동차 등의 안전한 운전에 지장을 줄 우려가 있는 병, (개호보험법 제5조의 2에 규정된) 치매(Dementia), 알코올(Alcohol), 마약(Narcotics), 대마(Cannabis), 아편(Opioid) 및 각성제(Analeptics)의 중독자(이하, '특정 질병 등'이라고 한다)를 규정 하고 있다.

또한 앞서 언급한 정신병 및 질병에 대해서는 정령으로 규정된 것으로, 일본 도로교통법 시행령(1960년 10월 11일 정령 제270호)에서 다음과 같이 규정하고 있다(별표(표 1) 참조).

- 조현병(Schizophrenia, 자동차 등의 안전한 운전에 필요한 인지, 예측, 판단 및 조작 중 어느 한 능력이 결여될 우려가 있는 증상을 나타내지 않는 자는 제외)
- 뇌전증(Epilepsy, 발작이 재발할 우려가 없는 자, 발작이 재발해도 의식장애 및 운동장애를 초래하지 않는 자 및 발작이 수면 중에만 재발하는 자는 제외)
- 재발성 실신(Recurrent syncope, 뇌 전체의 허혈로 일과성 의식장애를 초래하는 질병으로 발작이 재발할 우려가 있는 자를 말한다)
- 무자각 저혈당(Asymptomatic hypoglycemia, 인위적으로 혈당을 조절할 수 있는 자는 제외)
- 조울증(Manic-depression, 조울 및 우울을 포함해 자동차 등의 안전한 운전에 필요한 인지, 예측, 판단 및 조작 중 어느 하나와 관련된 능력이 결여될 우려가 있는 증상을 나타내지 않는 자는 제외)

- 중도의 졸음 증상을 나타내는 수면장애(Sleep disorder)
- 기타 자동차 등의 안전한 운전에 필요한 인지, 예측, 판단 및 조작 중 어느 하나와 관련된 능력이 결여될 우려가 있는 증상을 나타내는 질병

※ 그 밖에 자동차 등의 안전한 운전에 필요한 인지, 예측, 판단 및 조작 중 어느 하나와 관련된 능력이 결여될 우려가 있는 증상을 나타내는 병으로는 뇌졸중(뇌경색, 뇌출혈, 지주막하출혈, 일과성 허혈성 뇌질환 등) 및 기타 정신장애(급성 일과성 정신병성 장애, 지속성 망상형 장애 등)를 들 수 있다.

또한 특정 질병 외에 눈이 보이지 않는 경우나 사지를 모두 잃은 경우와 같은 신체장애가 발생한 경우에는 면허가 취소 또는 6개월을 초과하지 않는 범위에서 정지되는데, 시력이 적성시험의 합격 기준을 만족하지 않는 경우나 사지 또는 체간에 장애가 있는 경우라도 신체장애 등의 상태 및 정도, 운전을 하려는 자동차 등에 맞춰 필요한 면허 범위 및 면허 관련 조건을 붙여서 면허를 취득할 수 있다[도로교통법 제91조, 별표(표 1) 참조].

이에 따라 예를 들면 양팔이 팔꿈치 관절 위에서 없거나 양팔을 완전히 못쓰게 된 경우라도 하지로 운전할 수 있는 오토매틱 자동차 조건이 붙은 일반 자동차 면허에 한해 면허를 취득할 수 있게 된다.

또한 면허에 조건이 붙은 자로부터 해당 조건의 해제 또는 변경 신청이 있는 경우에는 필요한 심사를 실시하여 그 여부를 판단하도록 되어 있다.

2 2001년 일본 도로교통법 개정(절대적 결격사유에서 상대적 결격사유로)

2001년 일본 도로교통법 개정(이하, '2001년 개정'이라고 함) 이전에는 정신병 환자, 지적장애인, 뇌전증 환자, 눈이 보이지 않는 사람, 귀가 들리지 않는 사람 또는 말을 할 수 없는 환자 등은 병명으로 면허를 주지 않는 이른바, '절대적 결격사유'였다. 그러나 1999년 8월, 정부의 장애인시책추진본부가 결정한 '장애인에 관한 결격사항 재고에 대해서' 등에 의거하여 면허가 국민생활에 밀접하게 관련되어 있는 한편, 교통사고가 발생하는 경우, 타인의 생명과 재산, 신체를 손상시킬 수 있다는 점을 감안하여 교통안전과의 균형에 배려하면서 장애인이 사회활동 참여를 부당하게 저지하는 요인이 되지 않도록 제도를 검토하였다.

그 결과, 2001년 개정으로 안전한 운전에 필요한 신체적 능력 및 지적능력은 면허시험(적성, 기능 및 학과시험)으로 확인하는 것이 기본이 되었다. 특정 질병 등에 걸렸거나 신체에 장애가 발생한 사람(이하, '특정 질병 등에 걸린 사람 등'으로 한다)이라도 자동차 등의 안전한 운전에 지장이 없는 경우나 지장이 없는 정도까지 회복한 경우도 있기 때문에, 종전과 같이 '질병명' 등으로 판단

하는 장애인의 면허 결격사유의 모든 사항을 폐지하고 '질병의 증상'이 자동차 등의 안전한 운전에 미치는 지장 유무로 면허 취득 여부를 개별적으로 판별하는 이른바 '상대적 결격사유'로 개정하고 2002년 6월 1일부터 시행하고 있다.

3 2013년 일본 도로교통법 개정(특정 질병 등의 증상에 관한 문진표 제출 등)

질병이 원인이 되어 나타난 증상에 의해 2011년 도치기현 가누마시에서 크레인 차량이 폭주한 사고(집단등교 중 아동 6명이 사망) 및 2012년에 교토 기온에서 왜건(Wagon) 차량이 폭주한 사고(통행 중인 보행자가 다수 사상)가 계기가 되어 2013년에 일본 도로교통법이 개정되었으며,

- 면허 취득 및 운전면허증 갱신 시 특정 질병 등의 증상에 관한 '문진표'를 제출하는 등 특정 질병 등의 증상에 관한 질문 등에 관한 규정 정비
- 특정 질병 등에 해당하는 자를 진단한 의사의 임의 제출
- 특정 질병 등에 해당하는 것으로 의심되는 자에 대한 면허의 효력 잠정적 정지
- 특정 질병을 이유로 취소된 경우에 면허 재취득 시 시험 일부 면제
- 특정 질병을 이유로 취소된 경우에 재취득한 면허를 계속된 것으로 판단하도록 새롭게 규정하고 일부를 제외(※)하여, 2014년 6월 1일부터 시행했다.

※ 특정 질병을 이유로 취소된 경우에 재취득한 면허를 계속된 것으로 판단하도록 2015년 6월 1일에 시행되었다.

표 1. 별표

[도로교통법(1960년 법률 105호)]

(면허의 거부 등)

제90조 공안위원회는 전조 제1항의 운전면허시험에 합격한 사람(해당 운전면허시험 관련 적성시험을 받은 날로부터 기산하여 제1종 면허 또는 제2종 면허의 경우는 1년을, 임시면허인 경우에는 3개월을 경과하지 않은 자에 한한다)에 대해서 면허를 주어야 한다. 단, 다음의 각 호 중 어느 하나에 해당하는 자는 정령에서 규정한 기준에 따라 면허(임시면허를 제외한다. 이하 이 항부터 제12항까지 동일)를 주지 않거나 6개월을 초과하지 않는 범위 내에서 면허를 보류할 수 있다.

1. 다음에서 언급하는 질병에 걸린 사람
   가) 환각 증상을 동반하는 정신병으로 정령에서 규정한 것
   나) 발작에 의해 의식장애 및 운동장애를 초래하는 병으로 정령에서 규정한 것
   다) 가 또는 나에 언급된 것 외에 자동차 등의 안전한 운전에 지장을 줄 우려가 있는 병으로 정령에

서 규정한 것

1-2. 개호보험법(1997년 법률 제123호) 제5조의 2에 규정된 치매(제103조 제1항 및 제103조 제1항 제1호의 2에서 단순히 '치매'라고 한다)인 자

2. 알코올, 마약, 대마, 아편 또는 각성제 중독자

3~7. (생략)

2~14. (생략)

(면허의 조건)

제91조 공안위원회는 도로에서의 위험을 방지하고 기타 교통안전을 도모하기 위해 필요하다고 인정될 때에는 필요한 범위 안에서 그 면허와 관련된 자의 신체 상태 또는 운전 기능에 따라 대상자가 운전할 수 있는 자동차 등의 면허 종류를 한정하고, 그 밖의 자동차 등을 운전할 때는 필요한 조건을 붙이거나 이를 변경할 수 있다.

(면허의 취소, 정지 등)

제103조 면허(임시면허를 제외한다. 이하 제106조까지 동일)를 받은 사람은 다음의 각 호 중 어느 하나에 해당하게 된 경우에는 그 사람이 해당 각 호 중 어느 하나에 해당하게 되었을 때 그 사람의 주소지를 관할하는 공안위원회는 정령에서 규정한 기준에 따라 그 사람의 면허를 취소하거나 6개월을 초과하지 않는 범위 내에서 기간을 정하여 면허의 효력을 정지할 수 있다. 단, 제5호에 해당하는 사람 중 전조의 규정을 적용 받는 사람일 때는 해당 처분은 그 사람이 동조에 규정된 강습을 받지 않고 동조의 기간이 경과한 후가 아니면 불가능하다.

1. 다음에 언급된 병에 걸린 사람으로 판명되었을 때
   가) 환각 증상을 동반하는 정신병으로 정령에서 규정한 것
   나) 발작에 의해 의식장애 및 운동장애를 초래하는 병으로 정령에서 규정한 것
   다) 가 또는 나에 언급된 것 외에 자동차 등의 안전한 운전에 지장을 줄 우려가 있는 병으로 정령에서 규정한 것

1-2. 치매로 판명되었을 때

2. 눈이 보이지 않거나 자동차 등의 안전한 운전에 지장을 줄 우려가 있는 신체장애로 정령에서 규정한 병이 발생한 사람으로 판명되었을 때

3. 알코올, 마약, 대마, 아편 또는 각성제 중독자로 판명되었을 때

4~8. (생략)

2~10. (생략)

[도로교통법시행령(1960년 정령 제270호)]

(면허의 거부 또는 보류의 사유가 되는 질병 등)

제33조의 2의 3 법 제90조 제1항 제1호 가의 정령에서 규정한 정신병은 조현병(자동차 등의 안전한 운전에 필요한 인지, 예측, 판단 또는 조작 중 어느 하나와 관련된 능력이 결여될 우려가 있는 증상을 나타

내지 않는 사람을 제외한다)이다.

2. 법 제90조 제1항 제1호 나의 정령에서 규정한 병은 다음과 같다.
   가. 뇌전증(발작이 재발할 우려가 없는 사람, 발작이 재발해도 의식장애 및 운전장애를 초래하지 않는 자 및 발작이 수면 중에만 재발하는 사람은 제외한다)
   나. 재발성 실신(뇌 전체의 허혈로 일과성 의식장애를 초래하는 병으로 발작이 재발할 우려가 있는 사람을 말한다)
   다. 무자각 저혈당(인위적으로 혈당을 조절할 수 있는 사람은 제외한다)
3. 법 제90조 제1항 제1호 다의 정령에서 규정한 병은 다음과 같다.
   가. 조울증(조증과 우울증을 포함해 안전한 운전에 필요한 인지, 예측, 판단 또는 조작 중 어느 하나와 관련된 능력이 결여될 우려가 있는 증상을 나타내지 않는 사람을 제외한다)
   나. 중도의 졸음 증상을 나타내는 수면장애
   다. 제2호에서 언급된 것 외에 자동차 등의 안전한 운전에 필요한 인지, 예측, 판단 또는 조작 중 어느 하나와 관련된 능력이 결여될 우려가 있는 증상을 나타내는 질병
4. (생략)

(면허의 취소 또는 정지의 사유가 되는 질병 등)
제38조의 2 법 제103조 제1항 제1호 가의 정령에서 규정한 정신병은 제33조의 2의 3 제1항에 규정된 것으로 한다.

2. 법 제103조 제1항 제1호 나의 정령에서 규정한 병은 제33조의 2의 3 제2항 각 호에 기재한 것으로 한다.
3. 법 제103조 제1항 제1호 다의 정령에서 규정한 병은 제33조의 2의 3 제3항 각 호에 기재한 것으로 한다.
4. 법 제103조 제1항 제2호의 정령에서 규정한 신체장애는 다음과 같다.
   1) 체간의 기능에 장애가 있어서 앉아 있을 수 없는 사람
   2) 사지 전부를 잃은 사람 또는 사지를 완전히 쓸 수 없는 사람
   3) 제2호에서 언급한 사람 외 자동차 등의 안전한 운전에 필요한 인지 또는 조작 중 어느 하나와 관련된 능력이 부족한 사람(법 제91조의 규정에 따라 조건을 붙이거나 이것을 변경하여 그 능력이 회복된 사실이 확실한 사람은 제외한다)

2 최근에 개정된 특정 질병 등에 관한 운전면허제도의 내용에 대해서

특정 질병 등에 관한 면허제도에 대해서는 앞서 언급하였듯이 2013년에 법이 개정되어 현재에 이르렀는데, 제도 내용은 다음과 같다.

1 면허 취득 및 면허증 갱신 시에 특정 질병 등의 증상에 관한 문진표 제출

공안위원회는 특정 질병 등에 해당하는지 여부를 파악하기 위해 면허 취득 및 면허증 갱신을 위한 신청서를 제출하고자 하는 사람(이하, '면허신청자'라고 한다)에게 문진표 [도로교통법 시행규칙 별기 양식 제12의 2. 문진표(그림 1)]를 교부할 수 있고 해당 문진표를 교부받은 면허신청자는 해당 문진표에 필요사항을 기재하고 앞에 기재한 신청서와 함께 기재를 완료한 문진표를 제출해야 한다(도로교통법 제89조 제2항, 제101조 제4항, 제101조의 2 제2항).

또한 허위로 기재한 질문표를 공안위원회에 제출한 경우에는 처벌(1년 이하의 징역 또는 30만 엔 이하의 벌금)된다(도로교통법 제117조의 4 제2항).

문진표

다음 사항에 대해서 해당하는 ㅁ란에 √ 표시를 하십시오.

1	과거 5년 이내에 질병(질병 치료에 따른 증상을 포함합니다)이 원인이 되거나 원인은 명확하지 않지만 의식을 잃은 적이 있다.	ㅁ네 ㅁ아니오
2	과거 5년 이내에 질병이 원인이 되어 신체의 전부 또는 일부가 일시적으로 생각대로 움직일 수 없었던 적이 있다.	ㅁ네 ㅁ아니오
3	과거 5년 이내에 충분한 수면시간을 가졌는데도 낮 동안에 활동하는 와중에 잠들어 버린 횟수가 주 3회 이상인 적이 있다.	ㅁ네 ㅁ아니오
4	과거 1년 이내에 다음 중 어느 하나에 해당한 적이 있다. ◆ 음주를 반복해서 쉬지 않고 몸에 알코올이 들어있는 상태를 3일 이상 계속한 적이 3회 이상 있다. ◆ 질병 치료를 위해 의사로부터 음주를 그만두라는 조언을 받았음에도 음주를 한 적이 3회 이상 있다.	 ㅁ네 ㅁ아니오 ㅁ네 ㅁ아니오
5	질병을 이유로 의사로부터 운전면허의 취득 또는 운전을 삼가라는 조언을 받았다.	ㅁ네 ㅁ아니오

공안위원회 앞　　　　년　월　일

상기와 같이 답변합니다.　　　답변자 서명 ________________

(주의사항)
1. 각 질문에 '네'라고 대답해도 즉시 운전면허를 거부 또는 보류하거나 이미 받은 운전면허를 취소 또는 정지하지 않습니다.
2. 허위로 기재해서 제출한 자는 1년 이내의 징역 또는 30만 엔 이하의 벌금에 처합니다.
3. 제출하지 않는 경우에는 절차를 진행할 수 없습니다.

그림 1. 문진표

2 특정 질병 등에 해당하는 환자를 진단한 의사에 의한 임의 제출

의사는 진찰을 받은 사람이 특정 질병 등에 해당하는 환자로 판단하고 그 환자가 면허를 받은 것을 알았을 때는 그 사실을 공안위원회에 임의로 제출할 수 있도록 하고, 해당 의사의 제출 행위는 비밀누설죄(형법 제134조 제1항)의 규정에 해당하지 않아 비밀유지의무위반에 저촉되지 않는다(도로교통법 제101조의 6 제1항, 동조 제3항).

또한 의사가 진찰을 받은 사람이 특정 질병 등에 해당한다고 판단한 경우, 그 환자가 면허를 받았는지 여부는 공안위원회에 확인을 요청할 수 있다(도로교통법 제101조의 6 제2항).

3 특정 질병 등에 해당하는 것으로 의심이 되는 환자에 대한 면허의 효력 잠정적 정지

공안위원회는 전문의의 진단을 받아 임시 적성검사를 실시하거나 진단서 제출이 요구되는 경우에는 다음과 같이 진행한다. 즉, 해당 적성검사를 받아야 할 사람 또는 해당 명령을 받아서 진단서를 제출하도록 되어 있는 사람이 교통사고를 일으킨 경우, 해당 교통사고의 상황을 분석하여 판단하다. 또한 특정 질병 등에 걸린 것이 의심될 경우나 의사의 진단에 의거하여 3개월을 초과하지 않는 범위 내에서 면허의 효력을 정지시킬 수 있도록 되어 있다.

또한 임시적성검사 등의 결과, 처분을 받은 환자가 특정 질병 등에 해당하지 않는 것으로 밝혀진 경우, 공안위원회는 신속하게 해당 처분을 해제하도록 되어 있다(도로교통법 제104조의 2의 3 제1항).

4 특정 질병을 이유로 취소된 경우에 면허 재취득 시 시험 일부 면제

특정 질병에 해당하는 등을 이유로 면허를 취소당한 사람이 그 후 질병 회복 등으로 인해 그 사람이 소지하던 면허를 재취득하고자 하는 경우(이하, '재취득'이라고 한다)에는 그 사람의 면허가 취소된 날로부터 3년 이내이면 시험의 일부를 면제한다(학과시험, 기능시험을 면제, 적성시험만 실시. 도로교통법 제97조의 2 제1항 제5호).

5 특정 질병을 이유로 취소된 경우에 재취득한 면허를 계속된 것으로 간주

특정 질병에 해당하는 등의 이유로 면허를 취소당한 경우, 취소 처분일로부터 3년 이내에는 취소된 면허와 재취득한 면허를 계속된 것으로 간주한다. 따라서 예를 들면 면허 취소 전에 모범운전자였던 사람은 재취득 후에도 면허증의 유효기간을 산정할 때 모범운전자로 취급한다.

3 특정 질병 등과 관련된 운전면허 여부에 관한 절차에 대해서

특정 질병 등에 걸린 면허 취득자의 파악부터 행정처분 실시까지의 절차 흐름은 그림 2와 같다.

특정 질병 등에 걸린 환자를 파악하는 하나의 단서로는 교통사고 등을 단서로 하여 당사자의 특이한 언동 및 사고발생 상황으로 파악하는 경우 외에 면허갱신 시에 제출한 문진표에 기재된 신고 내용 및 본인 또는 가족이 지방자치단체 내 면허 센터의 상담 창구에서 시행한 상담 내용을 통해 파악하는 경우도 적지 않다.

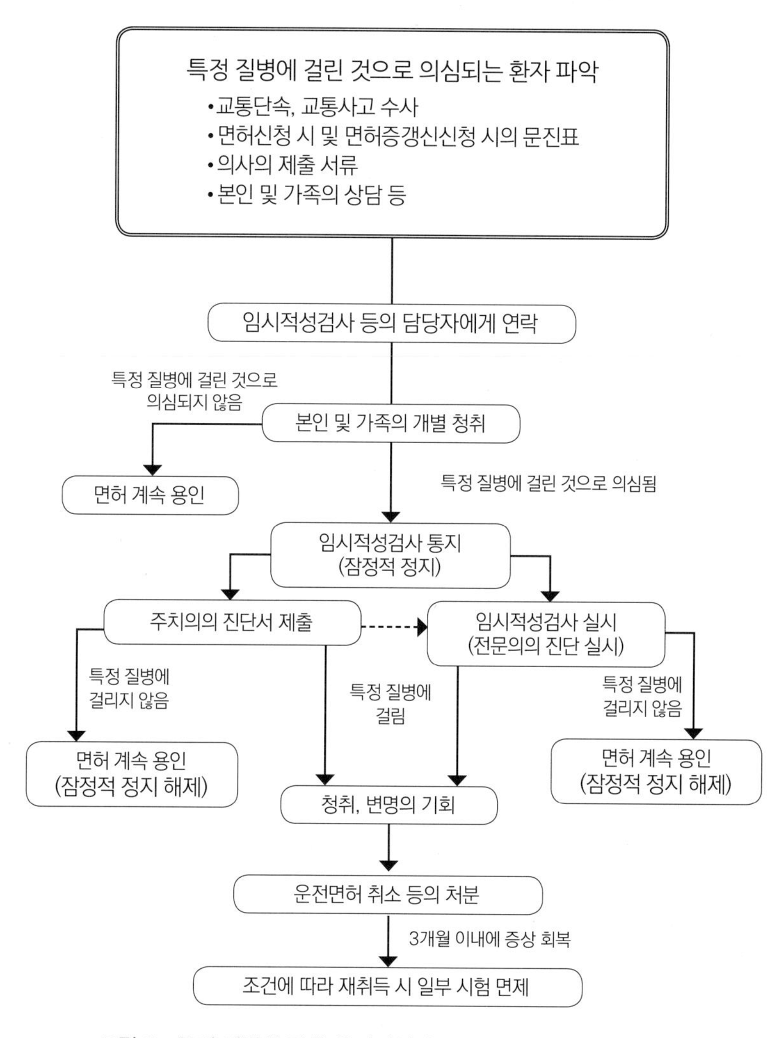

그림 2. 특정 질병에 관한 운전면허발급 여부에 관한 절차의 흐름

이러한 단서에 따라서 파악된 환자에게 지방자치단체 내의 공안위원회가 지정한 전문의가 작성한 진단서를 참조하여 임시적성검사를 실시한다. 또는 임시적성검사를 대신하는 조치로서 주치의의 진단서 제출을 하게 하는 절차를 거쳐 해당 진단 결과에 의거하여 해당 자치단체의 공안위원회가 면허허가 여부를 판단하고 행정처분의 필요성이 인정되는 경우에는 취소(결격기간은 1년), 또는 정지(최장 6개월간)을 결정할 수 있도록 한다.

또한 처분을 할 때, 면허의 취소 또는 90일 이상의 정지 처분을 하는 경우에는 당사자의 의견을 듣거나, 90일 미만의 정지 처분을 하는 경우에는 변명의 기회를 주고 본인에게 의견을 듣거나 유리한 자료를 제출할 기회를 준다.

한편, 앞서 언급한 바와 같이 특정 질병 등의 이유로 운전면허가 취소된 경우에도 처분 후 3년 이내에 병증이 회복되어 면허를 재취득할 때 학과시험과 기능시험을 면제하도록 되어 있다.

치매에 관한 운전면허제도 개정에 대해서

2015년에 일본 도로교통법이 개정되어 고령운전자의 교통사고방지대책으로 75세 이상의 고령운전자에게는 갱신 시 실시하는 인지기능검사에서 치매의 우려가 있는 제1분류로 판정된 경우에는 의사의 진단이 의무화되었으며, 치매로 진단된 경우에는 공안위원회의 절차를 거쳐 면허의 취소 등이 이루어지도록 되어 있다[2017년 3월 12일 시행].

개정도로교통법 시행에 따라 의사의 진단을 받을 고령운전자들이 연간 약 5만 명으로 대폭 증가할 것으로 예상되어 일본의사회 및 치매 관련 학회 등과 연계하여 대응하고 있다.

1 의사의 진단체제 확보와 연계

경찰은 의사회 등 관련 단체에 적극적으로 협력을 요청하여 진단 체제를 확보하고 진단에 대한 협력은 물론 진단을 필요로 하는 자에게 소개하는 일까지 승낙한 의사의 수만 하더라도 개정도로교통법 시행 전인 2017년 2월 말 현재, 약 3,100명에 달한다. 또한 각 지방자치단체 내 경찰에 연락책임자 및 연락담당자를 두어 지방자치단체 내 의사회와 정보를 교환하면서 질문 및 요청 등에 대한 연계를 강화한다.

2 진단서 모델 양식 및 작성 가이드라인 변경

개정도로교통법 시행에 따라 치매 전문의는 물론 가정의 등의 진단 기회도 늘었기 때문에 진단의 정확성 및 신뢰성을 확보하기 위해 진단과 관련된 검사결과 등의 기재를 진단서의 요건으로 정하고 전문의가 아닌 의사(일반의)라도 진단서 작성에 지장을 주지 않도록 진단서의 모델 양식 및 작성 가이드라인을 변경하였다.

또한 일본의사회는 '가정의를 위한 치매 고령운전자의 운전면허갱신에 관한 진단서 작성 지침서'를 작성하고 공표하는 동시에 일본치매학회 등의 치매 관련 5개 학회에서는 전문의를 위한 질문 및 답변(Q&A)를 작성하고 공표하는 등 원활한 시행을 위해 노력하고 있다.

5 운전적성 상담창구의 충실화와 이용 촉진에 대해서

지방자치단체 내 경찰의 운전면허센터, 운전면허시험장 등에는 면허 취득 및 연장 가능성에 관한 운전적성 상담을 접수하는 창구를 설치하였다. 상담을 신청한 특정 질병 등에 걸린 사람 또는 그 가족 등에게 질병의 증상 및 장애 정도 등에 관하여 상세하게 청취하고 면허 취득과 관련하여 적절한 조언을 하거나 필요에 따라 전문의를 소개하고 있다.

해당 창구에서는 의학적 관점에서 상당히 면밀하게 대응할 수 있도록 전문의 등에게 특별교육을 받은 경찰직원 및 의학적 지식이 풍부한 간호사나 보건사와 같은 의료계 전문직원들을 배치하여 상담을 받도록 하고 있다. 또한 상담 시 상담자의 사생활을 최대한 보호하면서 특정 질병 등에 걸린 자 등의 사회 참여를 부당하게 저해하지 않도록 상담자의 마음을 배려하여 대응하고 있다.

특정 질병 등에 걸린 환자 등이 면허를 취득 또는 연장하고자 할 때 개별 판단은 극히 곤란한 상황을 초래할 것으로 예상되며, 자동차 등의 운전을 쉽게 판단하면 중대 사고를 일으킬 우려도 있다. 그러므로 사전에 운전적성 상담을 받아 개개인의 구체적인 질병 등의 증상 및 장애 정도 등에 의거하여 면허 여부를 판단하고, 필요한 면허조건을 포함해 적절한 면허 허가 여부에 관한 조

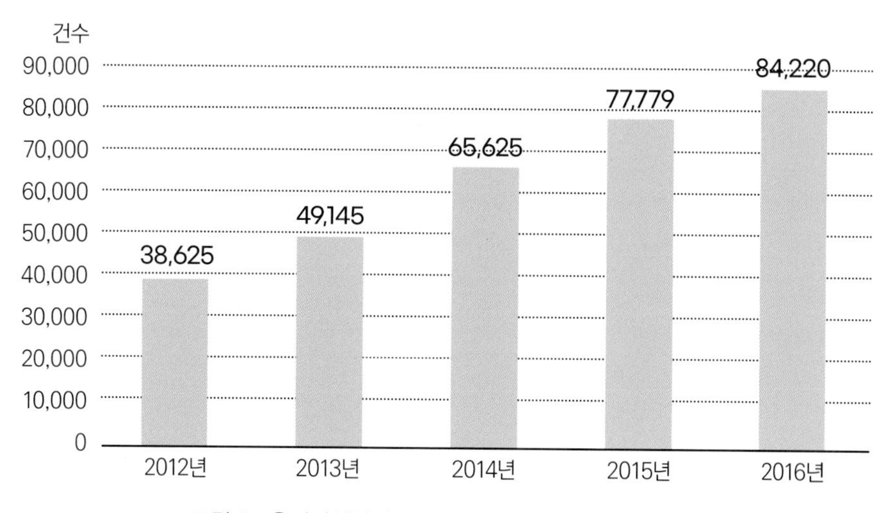

그림 3. 운전적성상담 수리 건수의 경년 추이(과거 5년)

언을 받게 하는 등 자동차 운전을 위해 효율적이고 효과적인 치료 및 재활도 연계할 수 있다.

따라서 경찰은 충실한 운전적성 상담창구 운영을 비롯해 의사회, 환자단체 등의 협력을 얻어 운전적성 상담창구의 적극적인 이용을 널리 홍보해야 한다. 최근에는 운전적성상담 건수가 눈에 띄게 증가하는 경향이 나타나는 것을 보아도 주치의 등을 통해 특정 질병 등에 걸린 환자에게 널리 알려지고 이용 빈도가 향상된 것을 알 수 있다(그림 3 참조).

특정 질병에 관한 운전면허의 적절한 행정 추진에 대해서

특정 질병 등에 관한 면허 허가 여부는 경찰청 운전면허과장 통지 '특정 질병 등에 관한 운전면허 관계 사무의 운용상 유의사항에 대해서(2017년 7월 31일)'에 있는 '특정 질병에 관한 면허 여부 등의 운용 기준'에 의거하여 이루어지며 통지 전문은 경찰청 홈페이지에 공개되어 있다. 이 운용 기준은 각 질병에 관한 관계 학회 등의 협력을 얻어 의학적 견해에 의거하여 검토한 것으로, 필요에 따라 적절하게 개정하고 있다.

공안위원회에서는 해당 면허교부 여부를 도로교통의 안전 확보 관점에서 적절하게 판단해야 하며 특정 질병 등에 관한 행정 처분을 하는 경우에는 각각의 '질병의 증상'이 운용 기준에 명시된 어느 증상에 해당하는지를 판단하는 것이 중요하다.

따라서 '질병의 증상'을 나타내는 진단서는 행정 처분을 할 때 상당히 중요한 판단 자료이며 적절한 판단을 하려면 진단서를 작성하는 의사의 협력이 반드시 필요하다. 한편, 진단에 따라서는 생활에 직결되는 운전면허라고 하는 권리를 박탈하는 것이기 때문에 진단을 주저하는 의사도 있을 수 있지만, 운전면허에 관한 행정 처분의 책임은 도로교통법상 공안위원회에 있다.

또한 절차상으로도 의사가 진단서를 제출한 후, 처분을 받는 본인으로부터 청취 등의 절차를 거쳐 최종적으로 공안위원회가 판단하므로 특정 질병 등에 관한 행정처분 책임은 의사가 아닌 공안위원회에 있다는 점을 본인 및 의사 모두 주지하는 것이 중요하다.

제 Ⅱ 장
각론

인지기능장애

1 들어가며

이 책에서는 먼저 기존의 일본 개정 도로교통법의 법적 정비 경위에 대해 서술하고, 다음으로 인지기능 저하를 일으키는 경도인지장애(Mild cognitive impairment, 이하 MCI) 및 치매(Dementia)에 관한 임의신고제도와 해당 가이드라인에 대해 설명하고자 한다. 그리고 실제 신고와 지방자치단체의 공안위원회가 의사에게 요구하는 진단서 작성 방법을 간략하게 설명하고 일상 임상에서 유의해야 하는 점과 주의사항에 대해서 필자의 경험을 바탕으로 기술한다는 사실을 먼저 밝힌다.

일본에서는 2002년에 개정도로교통법이 시행되고 '치매'가 운전면허의 갱신 제한에 해당하는 항목으로 법에 명시되었다.(1) 게다가 고령사회를 반영해서 2009년부터는 75세 이상의 면허갱신 해당자에게는 강습–예습 검사가 도입되어 치매에 대한 운전대책이 마련되었다. 그리고 2014년 6월부터 치매를 포함하는 행정명령으로 정한 특정 질병을 앓는 운전자에 대해서 의사의 임의신고(신청)제도가 도입되었다.(2) 이처럼 사회적 대책은 주로 행정적인 입장에서 마련된 것이며, 질병을 앓는 운전자 특히, 치매나 경도인지장애(MCI)를 앓는 환자의 운전 능력이 심신에 장애가 없는 사람에 비해 언제부터 위험이 높아지고, 언제부터 제한을 가해야 하는지에 대해서 의학적 검토가 아직 충분하지 않다. 또한 2017년 3월부터는 75세 이상의 고령 운전자가 강습–예습 검사에서 "치매 우려"가 있는 제1분류로 판정되면 향후 교통위반의 유무와 상관없이 가정의나 주치의의 치매 유무 판단 및 전문의의 치매 판단이 필요하다.(3) 전국에서 65,000명의 고령자가 의료기관에서 치매 판단을 받아야 할 수도 있다는 보도도 있다.(4) 따라서 향후, 의사가 경도인지장애(MCI) 및 치매로 판단한 경우, 인지 신고 제도 및 그 신청에 관해 각 관련 학회에서 작성한 가이드라인을 참고해서 진단서를 작성해야 한다.

2 치매환자의 운전 실태

일본에서 65세 이상의 운전면허 소지자는 2014년도에 1,600만 명을 넘었으며, 치매 유병률로 보면 치매환자의 면허 소지자는 대략 200만 명에 가까운 것으로 추정된다(그림 1).(5) 따라서 일상 임상에서 운전면허를 소지한 치매 환자를 만나는 경우도 적지 않다. 그리고 앞서 기술하였듯이 2014년 6월 1일부터 의사가 치매를 진단한 경우에는 임의로 공안위원회에 신고할 수 있는 시스템이 법적으로 마련되었다. 또한 치매성 질환 치료는 전문의는 물론 많은 가정의가 시행하고 있기 때문에 경우에 따라서는 의사가 법적 책임을 지게 될 수도 있으므로 임상의는 치매 환자의 운전면허제도에 관해서 알아 둘 필요가 있다.

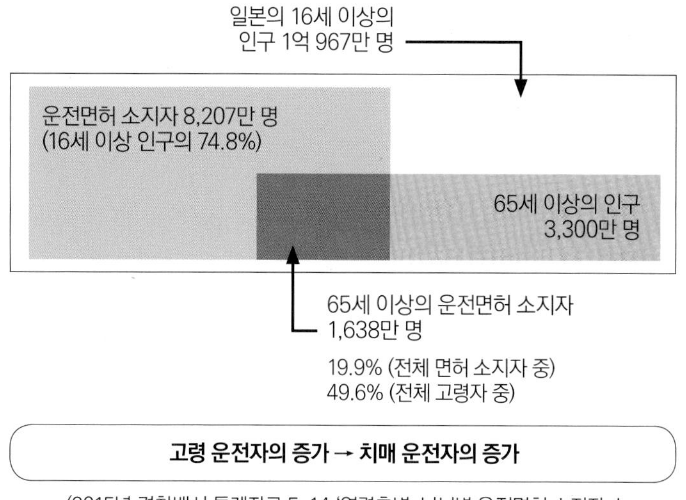

그림 1. 일본의 고령 운전자 수
(미무라 마사루: 치매와 운전에 관해 알아두어야 할 포인트는? CNS Today 치매신경과학 3:10-11, 2013에서 인용, 개정)

지금까지 일본에서 실시한 치매 운전자에 대한 대규모 실태조사로는 2009년에 일본노령정신의학회의 조사가 있다.(6) 이 조사는 2008년 1~3월에 진단된 치매환자 7,329명분의 데이터를 분석했으며 전국 각지의 의사 368명이 참여하였다. 그 결과, 조사 시점에 832명(11%)이 운전을 하고 있었는데, 운전을 하는 치매환자 6명 중 1명이 교통사고를 일으켰다. 또한 사고를 일으킨 환자의 절반 정도가 75세 미만이었다. 인명사고도 7% 발생했다. 이 조사가 전국적인 규모라는 점을 고려하면 치매 환자의 자동차 운전은 지방만의 특별한 문제가 아니라 이제는 치매 치료 시 어디에서나 접할 수 있는 문제가 되었다.

치매환자의 운전에 대한 강습 예비검사와 임의신고제도 -공안위원회에 대한 제출 가이드라인

1 강습 예비 검사(인지기능검사)

2009년에 일본 도로교통법이 개정되어 75세 이상의 면허 소지자에게는 면허갱신 시 인지기능 검사를 하도록 하였다.(3) 본 제도 및 검사내용에 대한 자세한 내용은 경찰청 홈페이지(URL: http://www.npa.go.jp/annai/license_renewal/ninti/)를 참조하기 바란다. 본 검사는 75세 이상의 면허 갱신자가 대상이었으며 운전면허학원 및 면허 센터에서 검사를 받도록 하였다. 시간은 약 30분 정도이며 ① 시간, 지남력 상실, ② 기억 재생, ③ 시계 그리기, ④ 언어 유창성과 같은 간이인지기능검사를 실시하였다. 본 검사에서 치매가 의심되고 1년 이내에 일정한 위반 및 사고(기준행위)가 있는 경우에는 공안위원회에서 치매 여부 판단을 명령하였고, 본 판별 검사(*S*creening test)의 유효성 및 타당성에 대해서는 예비적 검토를 실시하여 69세 이상의 2.5%, 75세 이상의 3.2%가 치매로 의심되는 제1분류로 식별된다는 결과(7)가 보고되어 행정적으로도 충분히 활용할 수 있는 범위였다. 식별능력에 관해서는 치매 의심과 인지기능 저하가 의심되는 제1분류와 제2분류 및 심신장애가 없는 사람과 인지기능 저하 의심이 있는 제2분류와 제3분류를 식별하는 절단점(Cut-off point) 검사를 실시했다. 2017년 3월 12일부터는 교통위반 유무와 관계없이 본 검사에서 제1분류로 판단된 경우, 치매 유무를 판단하기 위해 의사의 진단을 받을 의무가 생겼다. 따라서 새롭게 시행되는 도로교통법에는 가정의도 충분히 주의를 기울여야 한다. 그리고 의학적으로는 75세 이하의 고령자 및 청년성 치매 운전자에 대한 법 정비 및 평가에 관한 치매 전문의를 어떻게 지정할지가 향후 과제다.

2 임의통보제도

일본 도로교통법이 개정되어 2002년 6월부터 행정명령으로 정한 특정 질환을 앓는 환자로 판명된 경우, 공안위원회는 면허 제한을 명령할 수 있게 되었다. 행정명령으로 정한 특정 질환이란, 치매뿐만 아니라 당뇨병, 인공심장박동기를 삽입한 심장질환, 수면무호흡증후군 등 자동차 운전에 필요한 인지, 예측, 판단, 조작에 지장을 줄 수 있는 질환들이 개정도로교통법에 명시되었다. 구체적으로는 치매의 경우, 주치의가 진단서를 제출하면 환자의 운전면허 유효성을 제한하거나 정지할 수 있다. 지금까지 진찰할 때 주목하지 않았던 환자의 운전 문제에 의사가 관여하는 법적 근거로, 아라이(8)는 '의사에게 선관주의의무(어떤 사람이 직업 및 사회적지위에 따라 일반적으로 요구되는 정도의 주의를 기울여야하는 의무)와 설명보고의무가 있기 때문에 관리자인 의사가 사회통념상 환자의 일상생활상의 문제 관리에도 배려할 의무가 있다'고 지적하였다. 따라서 의사는 질병 치료과정에서 설명의무가 있어, 환자의 자동차 운전 사실을 알게 된 경우에는 환자와 가족에게 설명할 의무가 생긴다. 또한 2009년부터 75세 이상의 면허갱신자는 반드시 강습–예비 검사를 받아야 하며, 임상의는 좋든 싫든 치매환자의 자동차 운전에 관여할 수밖에 없게 되었다(Ⅰ–3 '질병에 관한 운전면허제도에 대해서', 27쪽 참조). 또한 본 제도에 따라 2017년 3월부터 위반 유무와 상관없이 치매가 의심되는 제1분류로 판정된 사람은 모두 치매 유무를 판단하는 임시적성검사를 받아야 한다.[9]

이에 의사가 할 수 있는 대응으로 2014년 6월부터 임의통보제도가 시행되었다. 본 제도에 대해서는 일본신경학회, 일본신경치료학회, 일본치매학회, 일본노년의학회, 일본노년정신의학회 등 5개 학회가 공동으로 '운전면허증에 관한 치매 등의 진단 신청 가이드라인'(URL: http://www.rounen.org/)[10]을 발표하였다. 여기서 '치매 진단명 등을 포함한 개인정보의 임의통보에 있어서는 치료나 의사와 환자의 관계의 여러 면에서 지장이 생길 수 있으므로, 신중한 태도가 요구된다'고 되어 있다. 그리고 의사가 치매로 진단하고 그 환자가 자동차 운전을 하고 있는 사실을 알게 된 경우에는 ① 자동차 운전을 중단하고 면허증을 반납하도록 환자 및 가족(또는 돌보는 사람)에게 설명하고 그 사실을 진료기록에 기재한다. ② 치매 진단 신고를 할 때에는 환자 본인 및 가족(또는 돌보는 사람)의 동의를 얻도록 한다. ③ 신고를 한 의사는 사본을 본인 또는 가족(또는 돌보는 사람)에게 전달할 것을 권장하고 있다. 또한 의사가 환자의 동의 없이 신고하더라도 도로교통법 제101조의 6 제3항의 규정에 따라 형법의 비밀누설죄 및 개인정보보호법에 위반되지는 않지만, 민사법에서는 소송에 휘말릴 가능성도 있기 때문에 향후 연구 과제로 보인다.

어찌되었든 치매로 판명된 경우, 일본에서는 실질적으로 운전이 금지된다. 알츠하이머형 치매로 치매치료제를 처방받는 환자는 처방전 및 첨부 문서에 운전을 삼가도록 지도해야 한다고 되어 있다.[11] 그러므로 치매를 진단하거나 경도인지장애(MCI)로 치매치료제를 사용한 경우에는 적응외 사용이기 때문에 PMDA(의약품의료기기종합기구)의 피해자구제제도를 이용할 수 없다는 점에 유의해야 한다. 진단 고지를 포함해서 일본에서는 치매로 판명되면 운전면허를 정지할 수 있다는 점, 임의신고를 할 수 있다는 점, 치매치료제 사용 시 운전을 삼가도록 명시되어 있는 점을 환자 본인, 환자 가족에게 전하고 진료 기록 카드에 기재해야 한다.

4 새로운 제도 개시와 그 영향

그림 2는 2017년 3월부터 실시된 새로운 제도의 흐름을 보여준다.[12] 본 제도의 시행 배경으로는 현재, 강습–예습 검사에서 치매가 의심되어도 면허갱신 1년 이내에 일정한 위반을 하지 않으면 면허를 갱신할 수 있었지만, 위반이 없어도 강습–예비 검사에서 치매가 의심되는 제1분류 및 인지기능 저하 위험 가능성이 있는 제2분류도 교통위반 및 사고가 많은 사실이 판명되었다. 이에

경찰청에서는 치매 대책을 강화하여 위반 유무와 상관없이 면허갱신 시 치매가 의심되는 경우, 의료기관에 치매 판단을 요구하도록 결정하였다. 지금까지 전국에서 연간 4,027건/년(2015년도)(13)의 의사 진단서가 제출되었는데 새로운 제도에서는 제1분류의 고령자 5~6만 명/년이 존재할(4) 것으로 판단되어 의료기관에서 진단을 받는 인구가 단순계산해도 10배나 더 증가할 것으로 예상된다. 또한 의료기관에서 진단 검사 외에 할 수 있는 대응 방법으로 자진반납이라는 방법도 마련되었다. 그러나 대중교통이 부족하거나 혼자 생활하는 사람들이 늘고 있는 사회적 구조를 감안하면 면허반납 후 지역생활을 계속하기 위한 이동수단 확보가 어려워져, 도시 이외에서는 대부분 의료기관에서 진단을 받는 사람들이 늘어날 것으로 예상된다. 따라서 새로운 오렌지 플랜(치매시책추진종합전략)(14)에서도 고령자의 교통안전 확보 차원에서 대중교통을 확충해야 한다는 제안이 나오고 있어 향후 의료와 개호(요양)의 연계가 더욱 중요해질 것으로 보인다.

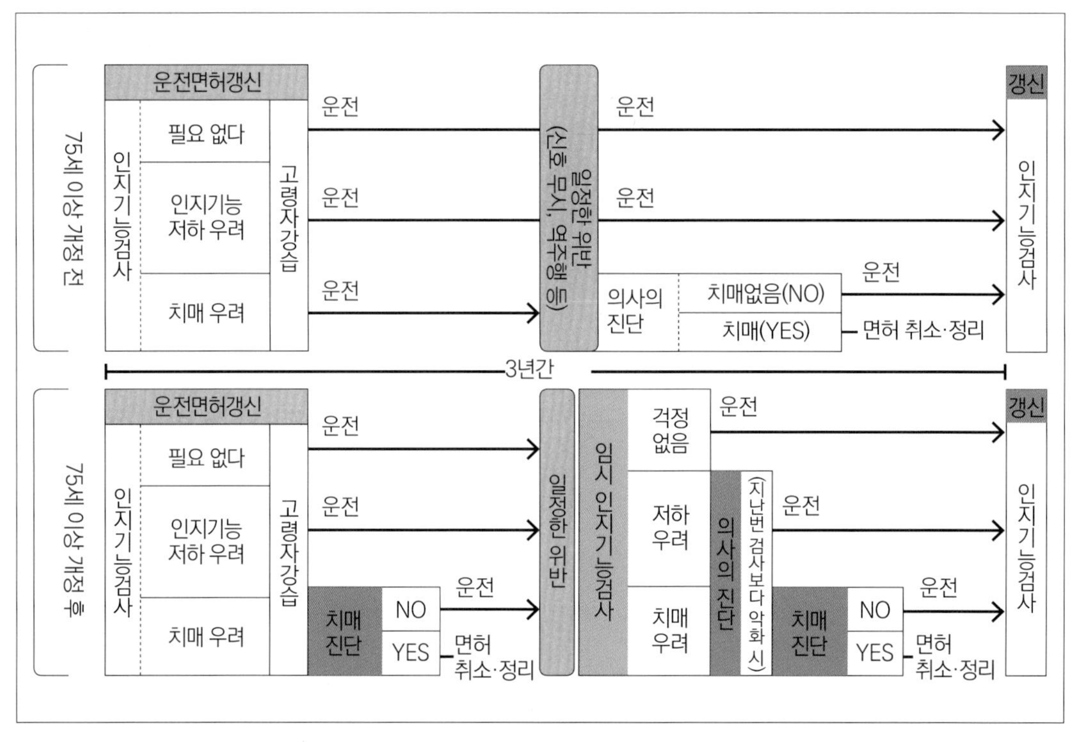

그림 2. 인지기능검사를 둘러싼 흐름–2017년 3월 12일에 시행된 새로운 제도
(시사닷컴 [도표·사회] 인지기능검사를 둘러싼 흐름(2015년 3월)에서 인용, 일부 개정)

5 진단서 작성 방법과 대응

앞에서 기술한 바와 같이 강습–예비 검사에서 치매가 의심되는 제1분류로 판단되는 경우, 가정의 및 주치의는 치매 판단 및 진단서 제출이 필요하다. 진단서를 작성할 때 임상의가 이해하기 어려운 용어 및 기재가 번잡하게 느껴질 수 있는 항목이 있기 때문에 경찰청에서는 더욱 간편한 작성 양식을 만들었다. 그림 3은 2017년 7월 시점에 제작된 진단서 작성 양식이다. 경찰청 및 지방자치단체 공안위원회의 설명에도 있듯이 운전면허갱신 판단의 최종 책임은 지방자치단체의 공안위원회에 있다. 치매 식별이 아닌 가정의 및 주치의가 진단 당시 알 수 있는 사항을 기재하도록 되어 있으며, 검사를 실시하지 않았거나 검사가 불가능한 경우에는 그 이유를 기재한다. 그 밖에도 치매질환의료센터를 알고 있는지 여부, 치매 전문의 제도를 알고 있는지 여부를 기재하도록 되어 있으며, 치매로 판단한 근거를 설명하는 부분에 기재하면 충분하다. 진단서에 기재하는 치매란 어떤 것인지에 대해서는 개호(요양)보건법 제5조의 2에 규정되어 있으며, 회복될 전망이 보이지 않는 치매, 혈관성 치매, 루이소체형 치매, 전두측두형 치매는 운전면허를 취소하고 회복 가능성이 있는 치매 및 기타 치매의 경우에는 6개월 후에 재평가해야 한다. 또한 인지기능 저하는 보이지만 치매라고는 할 수 없는 경도인지장애(MCI)의 경우도 6개월마다 재평가하도록 되어 있다. 따라서 진단서 작성 시 주의해야 할 사항(표 1)은 통상임상에서 치매 진단을 신중하게 하면서 치매치료제를 사용할 때는 첨부 문서를 바탕으로 약물치료를 도입하고 정기적으로 치매 진행 및 경과를 검진해야 한다는 점이다. 또한 진단서의 서식은 각 지방자치단체의 공안위원회에 따라 차이가 있으며 의사가 늘 작성하는 진단서 형식으로 하면 된다. 공안위원회에서 판단이 가능한 정보를 기재하기만 한다면, 반드시 특정 서식이 아니더라도 제출이 가능하기 때문에 자세한 내용은 가까운 경찰서나 지방자치단체 공안위원회에 문의하기 바란다.

진 단 서 (지방자치단체 공안위원회 제출용)

1. 성명 남/여

생년월일 년 월 일(세)

주소

2. 진단

① 알츠하이머형 치매

② 루이소체형 치매

③ 혈관성 치매

④ 전두측두형 치매

⑤ 기타 치매( )

⑥ 치매가 아니지만 인지기능저하가 보여 향후 치매가 될 우려가 있다

(경도의 인지기능저하가 인정된다·경계상태에 있다·치매가 의심된다 등)

⑦ 치매가 아니다

소견(현 병력, 현재 증상, 중증도, 현재의 정신 상태와 관련된 기왕력, 합병증, 신체소견 등에 대해 기재한다. 기억력장애, 지남력장애, 주의력장애, 실어증, 실행증, 실인증, 실행기능장애, 시공간인지장애 등의 인지기능장애 및 인격·감정장애 등의 구체적인 상태에 대해서 기재한다)

3. 신체·정신 상태에 관한 검사결과(실시한 검사에 체크하고 결과를 기재)

□ 인지기능검사·신경심리학적 검사

□ MMSE □ HDS-R □ 기타(실시검사명)

□ 미실시(미실시의 경우 체크하고 이유를 기재)

□ 검사 불능(검사 불능의 경우 체크하고 이유를 기재)

□ 임상검사(화상검사 포함)

□ 미실시(미실시의 경우 체크하고 이유를 기재)

□ 검사 불능(검사 불능의 경우 체크하고 이유를 기재)

□ 기타 검사

4. 현재 증상(개선 전망 등에 관한 의견)

전항2⑤에 해당하는 경우(갑상선기능저하증, 뇌종양, 만성경막하혈종, 정상압수두증, 두부외상후유증 등)만 기재

(1) 치매가 6개월 이내[또는 6개월보다 단기간(개월간)에 회복할 기미가 있다.

(2) 치매가 6개월 이내에 회복할 기미가 없다.

(3) 치매가 회복할 기미가 없다.

5. 기타 참고사항

상기와 같이 진단합니다. 년 월 일

병원 또는 진료소의 명칭 및 소재지

담당진료과명

담당의 성명

A4용지 양면 인쇄로 사용. A4용지 2장의 경우 간인 필요, A3용지 1장 인쇄도 가능

그림 3. 진단서 양식

표 1. 치매 운전자 진단 시 해야 할 것과 할 수 있는 것

치매 유무, 원인, 중증도를 파악한다.
치매라고 판단된 환자가 자동차운전을 하고 있다면 일본의 도로교통법에 관한 정보를 제공한다. 현재, 알츠하이머치매, 혈관성치매, 전두측두형치매, 레비소체형치매 등의 변성형치매는 운전이 금지되어 있다. 운전금지인 치매의 판정기준은 일본의 개호보험법 제5조 2항의 규정에 있는 「일상생활에 지장을 주는 정도의 중증도인 치매의 상태일 것」
가이드라인의 정보를 준다. 일본 내 5개의 치매 진료와 관련된 치매관련 학술단체에서 합동으로 작성한 치매와 자동차운전에 관한 가이드라인의 내용과 존재를 환자와 그 가족에게 알려준다. 임의통보제도란 2014년도 6월 1일부터 의사는 치매환자가 운전면허증을 갖고 있으며, 현재 운전을 하고 있다는 것에 대한 정보를 공안위원회에 제공할 수 있는 제도.
본인 및 가족과 반드시 상의하고 진료 기록 카드 기재를 게을리 하지 않는다.
치매치료제 적응에 대해서 적절하게 설명한다.
운전 중단 전후의 본인 및 가족 평가를 계속한다. 치매의 병명고지도 동반하기 때문에 본인의 심리적 영향(우울 위험) 및 운전 중단에 직면하는 보호자에게 심리교육을 하고 지원한다.

치매 환자의 운전에 관한 신고, 진단서 작성과 의사의 역할, 책무 및 관련 학회의 제언

의사는 치매 진단을 할 수는 있지만, 환자의 운전능력을 평가하는 전문가는 아니다. 법령에는 의사가 작성한 진단서 및 임시적성검사를 바탕으로 공안위원회가 운전면허증을 발행한 경우, 그 최종적인 책임은 공안위원회에 있다고 되어 있다. 따라서 의사는 고령 환자에게 치매성 질환이 존재할 수 있다는 사실을 항상 염두에 두고 진단을 해야 하며, 환자가 치매이면 자동차 운전에 대해서 환자 본인 및 가족과 잘 상의하고, 운전 중단을 권고해야 하는 경우에는 그 사실을 진료 기록 카드에 기재해 놓아야 한다. 앞서 기술하였듯이 의사에게는 선관주의의무(민법 644조), 설명보고의무(민법 645조)가 있기 때문에 '선량한 관리자인 의사가 사회통념상, 환자의 일상생활상의 문제 관리에도 배려할 의무가 있다'는 인식이 사회에도 알려져 있다. 더구나 의사는 질병 치료과정에 설명 의무가 있기 때문에, 환자의 자동차 운전 사실을 알게 된 경우에는 환자, 가족에게 설명할 의무가 발생하므로 진단 및 치료과정에서의 설명 내용에 대해서 특히, 자동차 운전에 관해서는 진료 기록 카드 기재를 게을리하지 않아야 한다. 또한 기재를 해도 치매환자는 운전 중단 권고 사실 자체를 잊어버리거나 이해하지 못하는 경우도 있다. 또는 치매환자가 지역생활을 할 때 운전에 의존하고 있는 경우, 운전이 사는 보람이거나 취미활동일 때에는 중단권고를 거부하는 경우도 많다. 따라서 중단권고를 할 때에는 '왜 눈앞에 있는 치매환자가 운전에 집착하는지' 등 심리사회적인 배경에도 주목할 필요가 있다. 또한 가족이 운전면허증과 자동차 열쇠를 빼앗아도 무면허로 운전하는 치매환자도 있다. 따라서 기본적으로 치매환자에게 운전중단을 권고하는 동시에 운전을 중단한 치매환자의 통원 및 생활의 계속성을 주치의가 의식해야 한다. 이처럼 주의를 기울여도 치매와 운전 문제는 아직 과제가 많으며, 강습-예비 검사 연령을 75세 이하에도 적용해야할지, 약물과 운전 능력의 관계 등 사회적, 의학적으로도 해결되지 않는 문제도 수없이 남아있어서 향후 더 많은 의학적 연구가 필요하다. 특히, 건강한 고령자가 운전 중단 후에 우울증 발생률이 2배로 증가하는 등의 의학적 보고[15] 및 운전을 중단하면 치매가 악화된다는 Shimada 등[16]의 보고는 치매 환자 및 가족의 개호(요양)에도 큰 영향을 끼칠 수 있어서 향후 더 많은 의학적 검증이 필요하다. 또한 아라이 외[17]는 치매 고령환자가 운전을 중단해도 지역생활을 유지할 수 있도록 심리교육 매뉴얼을 마련하였다. 이 매뉴얼은 제2판이 작성되어(2016년 4월 1일 공개) 치매 진단, 배경질환별 운전 행동 감별, 운전의 위험성 및 중단권고를 언제 해야 하는지 등의 지시를 기술하였고, 고지 후에 본인과 가족에게 실시하는 대응을 구체적으로 제시하였다. 국립장수의료센터 장수정책·재택의료연구부의 홈페이지에서 가족개호(요양)환자용 책자인 '치매 고령환자의 자동차 운전을 생각한다. 가족개호(요양)보호자를 위한 지원 매뉴얼, 치매 고령환자의 안전과 안심을 위해'를 다운로드 받을 수 있으니 참고 바란다.

7 마치며

임상의가 치매를 진단한 경우, 환자가 운전면허를 소지하고 있으면 임의신고제도를 숙지하고 있어야 한다. 또한 가정의 차원에서 판단하기 어려운 때에는 전국에 마련된 치매질환의료센터를 통해 2차 소견을 받을 수도 있다. 이 때 전문의가 운전중단을 권고하는 등 가정의와 전문의의 연계를 고려한 문제 대응이 향후 더욱 늘어날 것으로 보인다. 2017년 3월 12일부터는 새로운 개정도로교통법이 시행되었기 때문에 임상의는 운전면허제도의 동향에도 주의를 기울일 필요가 있다.

(1) 道路交通法改正 新法90条1項 本文第103条第1項 (免許の取消し、停止等) 平成13年6月 (平成14年6月施行). http://www.houko.com/00/01/S35/105.HTM

(2) 任意通報制度改正道路交通法101条の6 (平成25年6月14日交付). https://www.npa.go.jp/koutsuu/index.htm

(3) 臨時適性検査等に関する規定の整備. https://www.npa.go.jp/syokanhourei/kokkai/270310/01_youkou.pdf

(4) 読売新聞朝刊. 2016年9月14日

(5) 三村 將. 認知症と運転について理解しておくべきポイントは? CNS today, 認知神経科学 2013;3:10-1.

(6) 池田 学. 日本における認知症患者の運転に関する疫学的知見と新たな法規制. Psychiatry Today Congress Reports NO26 Physician's Report 2010;9-11.

(7) 国家公安委員会 75歳以上の運転者の免許更新. 老年精医誌 2009;20:105-7.

(8) 新井 誠. アルツハイマー型痴呆における法的側面を俯瞰する アルツハイマー型痴呆に 関する権利擁護について. 老年精医誌 2004;15:18.

(9) 警察庁ホームページ「道路交通法施行令の一部を改正する政令案」に対する意見の募集について. 案件番号 120160016. http://search.e-gov.go.jp/servlet/Public

(10) 運転免許証に係る認知症等の診断の届出ガイドライン. https://www.rounen.org/

(11) 上村直人. 医師のための認知症の理解と援助—臨床現場における対応から—. 堀川悦夫 (監:自動車運転を考える. Modern Physician 2017;37:161-4.

(12) 時事ドットコム、【図解・社会】認知機能検査をめぐる流れ (平成27年3月10日). https://www.jiji.com/jc/graphics?p=ve_soc_unyukotsu20150310j-0l-w68

(13) 第1回 高齢運転者交通事故防止対策に関する有識者会議配布資料一覧. http://www.npa.go.jp/koustsuu/kikaku/koureiunten/kaigi/1/shiryo_ichiran.html

(14) 厚生労働省:認知症施策推進総合戦略 (新オレンジプラン) —認知症高齢者等にやさしい 地域づくりに向けて (概要). http://www.mhlw.go.jp/file/06-Seisakujouhou-12300000-Roukenkyoku/nop1-2_3.pdf

(15) Chihuri S, et al. Driving cessation and health outcomes in older adults. J Am Geriatr Soc 2016;64:332-41.

(16) Shimada H, et al. Driving continuity in cognitively impaired older drivers. Geriatr Gerontol Int 2016;16:508-14.

(17) 荒井由美子. 認知症高齢者の自動車運転を考える 家族介護者のための支援マニュアル©—認知症高齢者の安全と安心のために—. http://www.nils.go.jp/department/dgp/index-dgp-j.htm

2 조현병, 조울증 등과 같은 정신질환

1 들어가며

2014년 5월에는 '자동차 운전사상행위처벌법'이 시행되어 조현병(Schizophrenia), 조울증(Bipolar disorder) 등과 같은 정신질환 병명을 예로 들면서 질병의 영향으로 정상적인 운전에 지장을 초래하여 발생하는 교통사고는 우발적인 사고보다 무거운 형량을 내리도록 되어 있다. 또한 2014년 6월부터는 개정도로교통법이 시행되어 면허 취득, 갱신 시 정신질환 등을 포함한 특정 질병의 신고를 의무화하고 허위신고는 벌칙 대상이 되었다. 이로 인해 사회에서 조현병, 조울증 등과 같은 정신질환 환자는 사고를 잘 일으킨다고 인식할 가능성이 있으며, 또한 정신질환 환자가 불필요하게 운전을 제한받을 가능성도 있다. 환자에게 자동차 운전은 생활을 유지하는데 중요하며 운전을 제한하면 사회생활 또는 직업상 지장을 초래할 수 있다. 그리고 경우에 따라서는 자동차로 통원이 어려워져 질환 악화를 일으킬 수도 있다. 정신건강의학과 의사는 환자가 교통사고를 일으키지 않도록 주의를 주어야하며, 동시에 환자의 운전이 지나치게 제한되지 않도록 배려해야 한다.

이 책에서는 정신질환 환자와 자동차 운전에 대해 개략적으로 설명한 후 자동차를 운전하며 통원하는 환자에 대한 우즈미야니시가오카병원(이하, 당원)의 노력 및 운전자 대상 조사 결과를 소개하고자 한다.

2 정신질환 환자의 자동차 운전

자동차 운전은 사회 참여 시 필요한 수단이다. 따라서 의사는 환자를 요양 지도할 때 환자의 운전능력을 정확하게 판단할 필요가 있지만 현실적으로 운전능력을 평가하는 것은 쉽지 않으며 질병의 영향에 따른 사고 발생을 확실하게 예측할 수 있는 지표는 없다. 또한 정신질환 환자가 사고를 잘 일으키는지를 검토한 보고도 적다. 조현병과 교통사고에 관한 보고에서 조현병 운전자와 일반운전자 사이에 충돌사고 및 교통규칙위반에 관해 유의미한 차이는 없다는 보고가 있다.[1,2] 한편, 마쓰이 등[3]은 사고 경험률은 조현병 환자가 더 많지만 사고내용을 검토하면 다른 자동차와 발생한 교통사고는 차이가 없고, 혼자 다치거나 물건을 파손하는 대물사고는 조현병 환자가 더 많이 일으켰다고 보고했다. 기분장애(Mood disorder)와 교통사고에 관한 보고는 없지만, 억울 및 불안증상과 교통사고 발생률에 유의미한 관련은 없다는 보고,[4,5] 기분장애와 불안장애(Anxiety disorder)로 보이는 환자는 사고발생률이 높다는 보고(6)가 있다. 이처럼 보고가 다양해서 현실적으로 정신질환 환자가 어느 정도 사고를 일으키고 있는지에 대한 자세한 내용은 알 수 없다.

3 자동차를 운전하는 외래환자에 관한 조사

본원에서는 외래환자에게 평소에 자동차를 운전하는지를 묻고 컨디션이 나쁠 때는 무리하게 운전하지 않도록 지도하고 있다. 우리는 정신질환 치료 중에 자동차 운전을 하는 환자를 대상으로 운전 실태 등을 조사하여 실제 사고율 및 어느 정도가 사고 위험으로 이어지는지를 검토하였다.

대상은 2014년 10~12월 동안 본원에 통원하고 평소에 자동차를 운전하는 환자 224명이다. 의사가 ① 운전 빈도, ② 운전이 부담이 되는지, ③ 운전 중 자각증상, ④ 과거 1년간 사고 유무, ⑤ 사고 원인 등을 조사했다.

표 1에 대상 환자의 배경을 표기하였다. 남성 138명, 여성 86명이고 평균 연령은 48세였다. 평균 이환기간은 12년이었다. 국제질병분류(ICD-10)에 의거한 질환 분류로는 기분장애(Mood disorder)가 89명, 조현병(Schizophrenia)이 64명, 신경증성 장애(Neurotic disorder)가 56명, 뇌전증(Epilepsy)이 2명, 기타가 13명이었다.

표 2는 운전관련사항을 나타낸다. 운전 빈도는 '거의 매일'이 159명, '1~2일 간격'이 33명, '주 1회'가 16명, '월 2~3회 이하'가 16명이었다. 운전이 부담되는지는 '전혀 문제가 없다'가 155명, '가끔 부담이 된다'가 58명, '부담이 되어서 운전을 하고 싶지 않다'가 7명, '운전을 그만 두었다'가 2명이었다. 운전 중 증상에 대해 어떤 자각 증상을 느낀 사람이 54명으로 전체의 24%였다. 증상을 자세히 보면 '멍하다, 졸리다, 갑자기 졸음이 온다'가 33명, '권태감, 나른해진다'가 13명, '몸이 생각대로 움직이지 않는다'가 9명, '어지럽다, 휘청거린다'가 8명, '두통, 머리가 무겁다'가 7명, '저리는 등의 감각장애'가 4명, '갑작스러운 의식 상실'이 2명, '기타'가 9명이었다.

표 3은 과거 1년간 사고 발생과 사고 원인을 나타내었다. 인명사고를 일으킨 경우가 5명(2%), 대물사고를 일으킨 경우가 15명(7%)으로, 합계 20명(9%)이였다. 사고 원인은 운전 실수가 14명, 피충돌사고가 4명, 컨디션 변화가 1명, 불명이 1명이었다.

표 4는 사고 원인을 조사하기 위해 환자 배경 및 운전관련사항과 사고 유무를 비교하여 나타내었다. 성별, 평균 이환기간, 기분장애, 신경증성 장애, 조현병은 사고 유무와 비교하여 유의미한 차이는 나타나지 않았다. 그러나 평균 연령은 사고 유무와 유의미한 차이가 나타났는데 사고가 있는 쪽이 연령이 낮았다.

표 5는 운전관련사항과 사고 유무에 대해서 표시하였다. 운전 빈도(매일과 그 이하) 및 운전 부담(전혀 문제 없음과 문제 있음)은 사고 유무와 유의미한 차이가 나타나지 않았다. 증상을 상세하

표 1. 환자 배경(224개의 예)

평균연령(범위)	48세(22~80세)
성별	남성 138건 (62%), 여성 86건 (38%)
평균 이환기간	12년(0~55년)
정신질환	
기분장애	89건 (40%)
조현병	64건 (29%)
신경증성 장애	56건 (1%)
뇌전증	2건 (1%)
기타	13건 (5%)

표 2. 운전 관련 사항(224개의 예)

운전 빈도	
거의 매일	159건 (71%)
1~2일 간격	33건 (15%)
주 1회	16건 (7%)
월 2~3회 이하	16건 (7%)
운전이 부담되나?	
전혀 문제 없다	155건 (69%)
가끔 부담이 된다	58건 (26%)
부담이 되어서 운전을 하고 싶지 않다	7건 (3%)
운전을 그만 두었다	2건 (1%)
운전 중 질환: 있음 54건(24%), 없음 170건	
멍하다, 졸리다, 갑자기 졸음이 온다	33건 (15%)
권태감, 나른해진다	13건 (6%)
몸이 생각대로 움직이지 않는다	9건 (4%)
어지럽다, 휘청거린다	8건 (4%)
두통, 머리가 무겁다	7건 (3%)
저리는 등의 감각장애	4건 (2%)
갑작스러운 의식 상실	2건 (1%)
기타	9건 (4%)

게 검토하면 '멍하다, 졸리다, 갑자기 졸음이 온다' 또는 '두통, 머리가 무겁다'는 증상이 있는 경우에는 증상이 없는 경우에 비해 사고율이 유의미하게 높았다. 기타 증상은 사고 유무와 유의미한 차이가 보이지 않았다.

표 3. 과거 1년간의 사고 발생과 사고 원인

사고율(224건)	
인명사고	5건 (2%)
대물사고	15건 (7%)
합계	20건 (9%)
사고원인(20건)	
운전 실수	14건 (70%)
피충돌사고	4건 (20%)
컨디션 변화	1건 (5%)
불명	1건 (5%)

표 4. 환자 배경과 사고 유무 비교(224개의 예)

	사고 있음(20건)	사고 없음(204건)	p value
평균연령(세)	42.4 + 14.1	48.9 + 12.4	0.027
남성	11건 (8%)	127건 (92%)	0.52
여성	9건 (10%)	77건 (90%)	
평균 이환기간(년)	8.12 + 8.2	12.6 + 10.1	
정신질환			
기분장애 있음	12건 (13%)	77건 (87%)	0.052
기분장애 없음	8건 (6%)	127건 (94%)	
신경증성 장애 있음	4건 (6%)	60건 (94%)	0.374
신경증성 장애 없음	16건 (10%)	144건 (90%)	
조현병 있음	4건 (7%)	52건 (93%)	0.588
조현병 없음	16건 (10%)	152건 (90%)	

표 5. 운전 관련 사항과 사고 유무 비교(224개의 예)

		사고 있음(20건)	사고 없음(204건)	p value
운전 빈도	매일	15건 (9%)	144건 (91%)	0.678
	그 이하	5건 (8%)	60건 (92%)	
운전 부담	전혀 문제 없음	12건 (8%)	143건 (92%)	0.351
	문제 있음	8건 (12%)	61건 (88%)	
멍하다, 졸리다, 갑자기 졸음이 온다	있음	7건 (21%)	26건 (79%)	0.0074
	없음	13건(7%)	178건 (93%)	
권태감, 나른해진다	있음	2건 (15%)	11건 (85%)	0.400
	없음	18건 (9%)	193건 (91%)	
몸이 생각대로 움직이지 않는다	있음	1건 (11%)	8건 (89%)	0.815
	없음	19건 (9%)	196건 (91%)	
어지럽다, 휘청거린다	있음	1건 (13%)	7건 (87%)	0.718
	없음	19건 (9%)	197건 (91%)	
두통, 머리가 무겁다	있음	3건 (43%)	4건 (57%)	0.0014
	없음	17건 (8%)	200건 (92%)	
저리는 등 감각장애	있음	1건 (25%)	3건 (75%)	0.259
	없음	19건 (9%)	201건 (91%)	
갑작스런 의식 상실	있음	2건 (22%)	7건 (78%)	0.153
	없음	18건 (8%)	197건 (7%)	

4 조사 결과를 통해 밝혀진 사실

1 많은 정신질환 환자가 운전을 하고 있다

이번 조사는 남성 환자가 더 많다는 특징이 있었다. 질환별로는 기분장애가 40%, 조현병이 29%로, 조현병의 비율이 비교적 높은 것은 본 병원이 신경과 클리닉이 아니라 정신과 병원이라는 점에 기인한다. 따라서 이 책은 조현병 및 우울증 등과 같은 정신질환자의 자동차 운전에 대해서 당원의 데이터를 기반으로 기술한다.

운전 빈도는 거의 매일이 71%, 1~2일 간격이 15%, 모두 합치면 86%로, 정신질환 운전자도 꽤 높은 빈도로 운전을 하고 있다고 볼 수 있다. 그 이유는 당원은 도치기현 내에 있어서 쇼핑과 같은 일상생활에서 자동차의 필요성이 높아 운전이 일상화되어 있기 때문으로 보인다. 일본에서는 조현병 및 조울증환자 등의 정신질환 환자의 자동차 운전 실태는 파악되지 않았지만 미국에서는 중년 이후의 조현병 환자의 약 40%가 일상적으로 운전하고 있다는 보고(7)도 있어서 일본에서도 치료 중인 많은 환자가 일상적으로 자동차를 운전하고 있을 것으로 추측된다. 따라서 정신과 통원환자들이 일상적으로 자동차를 운전하는지 주치의가 파악할 필요가 있다.

2 운전에 임하는 주의에 대해서

운전이 부담되는지에 관한 질문에 '전혀 문제 없음'이라고 답한 환자는 69%이고 '부담이 되어서 운전을 하고 싶지 않다' 및 '운전을 그만 두고 싶다'고 답한 환자는 각각 39%와 1%로, 대부분의 운전자가 운전에 부담을 그다지 느끼지 않았다. 그러나 부담을 느끼지 않는 환자도 운전 중에 어떤 자각 증상을 느끼고 있는 환자가 많아 이러한 증상이 사고와 연관될 가능성도 있어서 주의가 필요하다.

운전 중에 어떤 자각증상을 인정하는 경우는 전체의 24%였다. 히토스기 등(8)의 보고에 따르면 택시 운전사 중 운전 중에 컨디션이 나빠진 적이 있는 사람은 32.6%로, 탱크로리 운전사의 33.3%가 운전 중에 컨디션이 좋지 않은 적이 있다는 보고(9)도 있다. 본 병원의 환자 중에서 운전 중에 자각 증상을 인정한 비율인 24%는 직업 운전자와 비교해서 적다는 결과였다. 증상을 더욱 자세하게 보면 '멍하다, 졸리다, 갑자기 졸음이 온다'(15%), '권태감, 나른해진다'(6%), '몸이 생각대로 움직이지 않는다'(4%), '어지럽다, 휘청거린다'(4%), '두통, 머리가 무겁다'(3%)이고 자각 증상 중 '졸리다', '권태감' 등의 증상이 많았다. 이러한 대부분의 증상은 일반운전자라면 누구나 경험했을 것이다. 정신질환 특유의 특징적인 증상으로 볼 수 없다. 그러므로 정신질환 환자만이 아니라 모든 환자에게 운전 중에 컨디션 변화가 발생했을 때 무리하게 운전을 계속하지 말라고 지도할 필요가 있다.

3 정신질환 환자가 사고를 잘 일으키는 것은 아니다

과거 1년간 사고는 인명사고 5건(2%), 대물사고 15건(7%)로 총 20건(9%)이 발생했다. 일본손해보험협회의 데이터(10)에 따르면 1년간 사고를 일으킨 일반운전자의 비율은 인명사고가 2%, 대물사고가 14%로 보고되고 있다. 우리의 이번 조사에서는 인명사고율은 일반운전자와 동등, 대물사고는 일반운전자보다 낮다는 결론이었다. 게다가 기분장애, 조현병, 신경증성 장애의 유무에서 사고율에 차이가 없었다.

사고 원인은 운전 실수(70%), 피충돌사고(20%), 컨디션 변화(5%)이고, 컨디션 변화가 원인일 가능성이 있는 사고는 5%였다. 게다가 사고 원인을 조사하기 위해 환자 배경과 사고 유무를 검토한 결과, 성별, 평균 이환기간은 사고 유무와 유의미한 차이가 없었다. 그러나 평균 연령은 사고 유무와 유의미한 차이가 나타났는데 '사고 있음' 쪽이 연령이 낮았다. 2015년의 교통사고 발생상황(경시청 발표)[11]에 따르면 사고는 20~40대에서 많고 10~40대에서 전체의 약 60%를 차지하고 있어 젊은 층에서 사고 건수가 많다. 당원의 결과는 '사고 있음' 쪽이 저연령이었으며 일반운전자와 비슷한 경향을 보였다.

운전관련사항과 사고 유무에 관해서는 운전 빈도('매일'과 '그 이하') 및 운전의 부담('전혀 문제 없음'과 '문제 있음')은 사고 유무와 유의미한 차이가 나타나지 않았다. 일반적으로 운전 빈도가 늘면 사고가 많아지는 것으로 판단된다. Edlund 등[12]은 사고보고서에 의거하여 정상인과 비교했는데 사고율에서 차이가 보이지는 않았지만 주행거리는 조현병 환자 쪽이 짧고 거리 등에서 조현병 사고율이 높다고 고찰하였다. 우리의 이번 결과는 운전 빈도와 사고에 유의미한 관련은 인정되지 않았지만 운전 빈도는 많아도 주행거리가 짧았던 점이 이유일지도 모른다. 다음으로 운전의 부담은 사고 유무와 유의미한 차이는 없었다. 일반적으로 운전 부담이 있는 쪽이 사고가 많아진다고 보았는데 이러한 결론은 아니었다. 실제로 운전에 부담을 느끼는 환자는 '장거리는 웬만하면 운전하지 않는다', '익숙하지 않은 길은 운전하지 않는다', '가족이 동반할 때만 운전한다', '컨디션이 나쁠 때는 운전하지 않는다' 등이라고 진찰 중에 말하는 환자가 많은 것으로 보아 신중하게 운전하고 있기 때문에 사고가 늘지 않은 것 같다.

평소에 정기적으로 통원을 하고 있고 자동차 운전의 위험성을 충분히 인식한 환자는 사고를 잘 일으키지 않는다고 할 수 있다.

4 졸음 등의 증상을 피하기 위해서

운전 중 증상과 사고 유무를 상세하게 검토하면 '멍하다, 졸리다, 갑자기 졸음이 온다' 또는 '두통, 머리가 무겁다'와 같은 증상이 있는 경우에는 증상이 없는 경우에 비해 사고율이 유의미하게 높아졌다. 졸음, 두통이라는 증상은 질환에 국한된 것이 아니라 누구에게나 일어날 수 있는 증상이다. 그리고 졸음은 집중력 저하를 유발하여 운전 행동에 영향을 미칠 가능성이 있다. 운전 중에 졸음을 자각하는 자동차 운전자는 40.4%나 이른다는 보고[13] 및 자동차 운전 중에 사고가 난 환자는 과도한 주의력 산만이 가장 위험성이 높고 수면 부족도 위험하다는 보고[14]도 있다. 일반운전자도 운전 중에 졸음을 자각하는 경우가 많은 만큼 흔히 주의력 저하는 사고의 위험을 높인다고 한다. 이처럼 졸음 등의 증상을 줄이는 것은 환자의 삶의 질(Quality of life, QOL)을 높이는데 중요하다. 질환의 증상을 경감시키기 위해 새로운 약물을 처방하거나 투여 중인 약물의 양을 늘릴 때에는 졸음 등의 증상이 나타나지 않는지 확인할 필요가 있을 것이다. 또한 이러한 증상 경감이 향후 과제가 될 것이라 판단된다.

5 자동차 운전을 고려한 요양지도

정신질환 환자에게도 먼저 일상적으로 자동차를 운전하는지 알아보아야 한다. 그리고 운전 시 심신의 변화가 없는지 확인하고 자동차 운전에 대한 요양지도를 할 필요가 있다.

안팎의 검토로 정신질환 환자가 자동차 사고를 잘 일으키는지, 실제로 어느 정도 사고를 일으키고 있는지 일치된 견해가 나오지 않고 있다. 우리 병원에서 실시한 조사에서는 정신과에 통원하며 증상이 안정적인 환자에게는 평소에 컨디션이 나쁠 때는 운전을 삼가도록 지도한다면 불필요하게 운전을 제한할 필요는 없다고 생각했다. 그러나 집중력을 지속할 수 없는 증상 '멍하다, 졸리다, 갑자기 졸음이 온다', '두통, 머리가 무겁다'를 나타내는 경우에는 사고의 위험이 높아질 가능성이 있기 때문에 이러한 증상을 보이면 운전을 삼가도록 지도할 필요가 있다.

또한 일본정신신경학회의 가이드라인[15]에서는 운전하는 환자에게 충고 차원에서 ① 운전 시간을 줄인다, ② 운전 빈도를 줄인다, ③ 혼잡한 시간은 피한다, ④ 야간에는 운전을 하지 않는다, ⑤ 악천후에는 운전을 하지 않는다, ⑥ 고속도로는 운전하지 않는다, ⑦ 익숙한 자택 근처만 운전한다, ⑧ 가족이 동승할 때만 운전을 하도록 추천하고 있다.

참고문헌

(1) Crancer A Jr, Quiring DL. The mentally ill as motor vehicle operators. Am J Psychiatry 1969;126(6):807–13.

(2) Cushman LA, et al. Psychiatric disorders and motor vehicle accidents. Psychol Rep 1990;67:483-9.

(3) 松井三枝・他. 精神疾患における運転行動の実態と運転特性—統合失調症を中心に—. 平成25年度 (本報告) タカタ財団助成研究論文集. 2013. pp1-45.

(4) Sagberg F. Driver health and crash involvement : a case-control study. Acid Anal Prev 2006;38:28-34.

(5) Vingilis E, at al. Medical conditions, medication use, and their relationship with subsequent motor vehicle injuries : examination of the Canadian National Population Health Survey. Traffic Inj Prev 2012;13:327-36.

(6) Wickens CM, et al. The impact of probable anxiety and mood disorder on self-reported collisions : a population study. J Affect Disord 2013;145:253-5.

(7) Palmer BW, et al. Heterogeneity in functional status among older outpatients with schizophrenia : employment history, living situation, and driving. Schizophr Res 2002;55:205-15.

(8) 一杉正仁・他. タクシー運転者における健康起因事故の背景調査. 効果的な事故予防対策の立案. 日本損害保険協会医研センター (編) : 交通事故医療に関する一般研究助成研究報告集2012年度.2014. pp373-381.

(9) 馬傷美年子・他. タンクローリー運転者に対する運転と体調変化に関する意識調査—体調変化に起因する事故を予防するために—. 日本職業・災害医学会雑誌 2015;63:120-5.

(10) 一般社団法人日本損害保険協会 : 自動車保険データ (2012年度). http://www,sonpo.or.jp/news/release/2012/1208_02.html

(11) 警視庁交通局 : 平成27年における交通事故の発生状況. www.e-stat.go.jp/SG1/estat/Pdfal.do?sinfid=000031559551

(12) Edlund M, et al. Accidents among schizophrenic outpatients. Compr Psychiatry 1989;30:522-6.

(13) 駒田陽子・他. 運転免許保有者の居眠り運転に関する要因についての検討. 日本公衆衛生雑誌 2010;57:1066.

(14) Galera C, et al. Mind wandering and driving : responsibility case control study. Br Med J 2012;345:e8105.

(15) 日本精神神経学会 : 患者の自動車運転に関する精神科医のためのガイドライン. 平成26年6月. https://www.jspn.or.jp/uploads/uploads/files/activity/20140625_guideline.pdf

3 뇌전증

1 자동차 운전에 관한 뇌전증의 기본적 지식

1 뇌전증의 역학과 분류

뇌전증(Epilepsy)은 신생아부터 고령자까지 모든 연령층에 분포하여 총인구의 0.5~1%가 앓는 유병률이 높은 질환이다. 발병 연령은 소아기와 고령기에 많은 U자형 분포를 나타낸다. 원인은 다양해서 유전성(소인성, 특발성), 증후성(속발성)으로 크게 나뉘는데 원인 불명도 많다. 뇌전증은 발병 연령, 발작증후, 예후가 명확하게 다른 여러 가지 뇌전증 증후군들로 나뉜다. 자동차 운전과의 연관성으로 본 대표적인 뇌전증 증후군을 표 1에 나타내었다.

또한 각 뇌전증 발작은 의식장애가 없는 단순 부분 발작(Simple partial seizure), 의식 장애를 동반하는 복잡 부분 발작(Complex partial seizure), 2차성 전신 발작(Secondary generalized seizure), 전신 발작[결신 발작(Absence seizure), 미오클로니 발작(Myoclonic seizure), 강직 간대성 발작(Tonic−clonic seizure) 등]으로 나뉜다. 자동차 운전에 미치는 뇌전증 발작의 영향도 발작 유형에 따라 다르다(표 2).

2 뇌전증의 정의와 진단

'뇌전증'은 자발적인 '발작(Seizure)'을 반복하는 만성 질환이다. 원칙적으로는 24시간 이상 간격으로 2회 이상의 비유발성 발작(Unprovoked seizure)을 일으키면 비로소 뇌전증으로 진단한다. 단, 1회 발작이라도 발작증상과 관련된 특이한 뇌파 소견(EEG)이나 자기공명영상검사(MRI) 소견, 특정 임상 양상이 있으면 뇌전증으로 진단할 수 있다.(1) 또한 연령 의존성 뇌전증 증후군이었지만 이미 그 호발 연령이 지난 사람이나 과거 10년 동안 발작이 없고, 과거 5년 이상 뇌전증 치료약을 복용하지 않은 사람은 뇌전증이 사라진 것으로 봐도 좋다.

발작은 뇌전증 환자의 주 증상이지만 비뇌전증 환자에게서도 전신성 또는 중추신경계의 급성 질환증후로 나타날 수 있다[비유발성 발작(Unprovoked seizure), 급성증후성 발작(Acute symptomatic seizure) 등].(2) 전신성 원인으로는 저혈당(Hypoglycemia), 전해질 이상(Electrolyte abnormality), 동맥혈 가스 이상(ABGA abnormality), 비타민 B1 결핍(Vitamin B1 deficiency), 마그네슘 결핍(Mg deficiency), 알코올 금단(Alcohol withdrawal), 약물 중독(Drug intoxication) 등이 있다. 중추신경성 급성증후성 발작은 두부외상(Head trauma), 뇌혈관장애(CVA), 수막염(Meningitis), 뇌염(Encephalitis) 등의 급성기에 발생한다.

그 밖에 뇌전증 발작(Epileptic seizure)과 식별해야 하는 비뇌전증성 발작(Non epileptic seizure)으로는 신경조절성 실신(Neurally mediated syncope), 기립성 실신(Orthostatic syncope), 심원성 실신(Cardiogenic syncope) 등 전뇌 허혈성 실신 발작(Ischemic absence seizure)이 있다. 실신 중에도 경련 및 미오크로누스(Myoclonus)는 발생할 수 있으니 쉽게 뇌전증으로 진단하지 않도록 주의해야 한다.[3] 또한 심인성 비뇌정증성 발작(Cardiogenic non epileptic syncope)도 감별할 때 주의한다. 판단이 어려운 경우에는 감별진단을 할 때 장시간 비디오 뇌파 동시기록이 유용하다.

자동차 운전 시에는 발작이 뇌전증성인지 비뇌전증성인지 즉, 뇌전증으로 진단을 받았는지 여부, 뇌전증 치료약을 복용하는지 여부에 따라 법적 처우가 다르다. 따라서 뇌전증으로 확정하지 않은 단계에서 진단적 투약 및 예방적 투약을 하는 경우에는 주의가 필요하다.

뇌전증을 진단하기 위한 검사를 표 3에 정리하였다. 뇌전증은 보통, 병력 및 발작 증후, 뇌파로 확정 진단된다. 실제로 뇌파로 뇌전증성 이상파를 진단하는 것은 쉽지 않기 때문에 판단이 어려운 경우에는 각 지역에 있는 뇌전증센터와 같은 전문시설에 의뢰하는 것이 좋다.

적절한 진단이 자동차 운전을 포함한 환자의 삶의 질(QOL)에 크게 영향을 미치는 대표적인 예는 측두엽 뇌전증의 복합 부분 발작(Complex partial seizure)이다(표 1, 2). 본인 및 주위 사람이 뇌전증 발작을 느끼지 못하고 있다가 운전 중에 발작이 나타나 자동차 사고를 일으켜 담당 경찰

표 1. 자동차 운전과의 연관성을 통해 본 대표적인 뇌전증

발병 연령	뇌전증 대분류	각 뇌전증 증후군	예후	자동차 운전과의 연관성, 운전 적성
소아기	특발성 뇌전증	롤란딕 뇌전증, 결신발작, 청소년근간대뇌전증 등	약물반응성 양호, 성인기에는 발작이 드묾, 인지기능장애는 경도	성인이 되면 대부분은 운전 가능, 드물지만 재발 발작에 주의(복약, 발작유발요인)
청·장년기	증후성 국소 관련성 뇌전증	각성 시 대발작 뇌전증 등	약물반응성은 비교적 양호, 인지기능장애는 경도	대부분은 운전 가능, 드물지만 재발 발작에 주의(복약, 발작유발요인)
	잠인성 국소 관련성 뇌전증	측두엽 뇌전증 등	약물저항성이 포함됨	발작 증상과 빈도에 따름 (2년간 무발작이면 가능)
	증후성 국소 관련성 뇌전증	레녹스-가스토 증후군 등	고도의 약물저항성 고도의 인지기능장애	운전은 불가능
고령기	증후성 국소 관련성 뇌전증	측두엽 뇌전증, 뇌졸중 후 뇌전증 등	대부분은 약물반응성 양호	발작 증상과 빈도에 따름 (2년간 무발작이면 가능)
		치매를 동반한 뇌전증	다양	치매로 인해 곤란

관이 병원 진료를 권하여 처음 진단되는 경우도 있다. 특히 고령(65세 이상)에서 나타나는 측두엽 뇌전증은 놓치기 쉽지만, 진단만 되면 소량의 뇌전증 치료약으로 치료가 가능하기 때문에 운전 적성 회복을 포함한 환자에게 이바지하는 바가 크다.

표 2. 자동차 운전에 미칠 수 있는 뇌전증의 영향

원인	장애 기능	대표적인 발작 분류, 뇌파 소견, 약제 등
뇌전증 발작으로 인한 직접 운전 조작 장애	인식, 인지기능	복잡 부분 발작, 2차성 전반화 발작, 결신발작, 강직간대 발작
	운동, 체성감각	운동성 단순 부분 발작, 감각성 단순 부분 발작, 2차성 전신 발작, 미오클로니 발작, 강직 간대성 발작
	시각	시각성 단순 부분 발작
비발작 시 뇌전증성 이상파로 인한 운전 조작 장애	인지기능	전두엽 뇌전증, 측두엽 뇌전증의 빈번한 뇌전증성 발사
항뇌전증약의 부작용	의식, 인지기능, 운동	용량의존적인 중추 억제 작용(약제에 따름)
수술치료의 후유증	부위에 따라 다양	측두엽 절제 후 시야협착

표 3. 뇌전증 검사

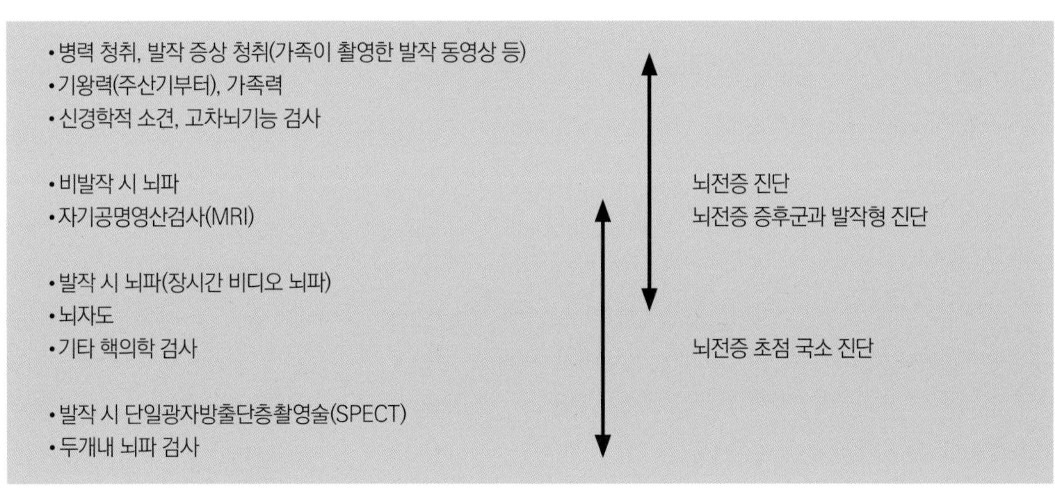

표 4. 뇌전증 치료약 치료 개시 시 설명해야 할 사항

1. 평생 복약이 필요한 점
2. 규칙적으로 복약이 필요한 점(혈중농도의 개념)
3. 발작을 쉽게 유발하는 인자(독단적인 복약 중단, 수면부족, 피로축적, 발열 시)
4. 자동차 운전(정확한 증상 보고, 2년간 무발작이면 면허 취득 가능 등)
5. 사회복지제도(자립지원제도, 정신장애국민연금, 수첩제도)
6. 뇌전증치료약의 부작용(중추억제, 최기형성, 알레르기증상)

*1 소아 롤란딕 뇌전증(rolandic seizure) 등 특발성 뇌전증은 제외.
*2 식후 복용을 고집하지 않는다. 정기 복용이 더 안정적인 환자도 많다.

3 뇌전증 치료

뇌전증 치료약은 뇌전증으로 진단한 후에 시작하는 것이 원칙이다. 적절한 뇌전증 치료약 복용으로 약 70%의 환자에게서 일상생활에 지장을 주는 발작이 사라진다.(4) 치료를 시작할 때는 표4에 열거한 내용을 환자가 이해할 수 있도록 지도한다.

자동차 운전이 문제가 되는 성인의 뇌전증(특히 성인에게 나타나는 뇌전증)은 대부분 초점성 뇌전증(Focal epilepsy)으로, 첫 번째 선택약은 카르바마제핀(Carbamazepine), 레비티라세탐(Levetiracetam), 라모트리진(Lamotrigine), 조니사미드(Zonisamide) 등이다. 또한 소아기에 발현된 뇌전증이 지속된 경우에는 발프로산(Valropic acid), 라모트리진(Lamotrigine), 레비티라세탐(Levetiracetam) 등이 제1선택이다.

뇌전증 치료약으로 발작을 억제할 수 없는 경우에 생각할 수 있는 원인을 표 5에 정리했다. 유사 약물저항성 뇌전증은 적절한 진단, 치료, 지도 등으로 발작을 줄일 수 있어 운전 적성 회복도 기대할 수 있다.

표 5. 뇌전증 치료에서 발생하는 약물저항성의 원인

유사 약물저항성 뇌전증	뇌전증 진단 실수	뇌전증 진단 실수 실신, 심인성 비뇌전증성 발작 등
	발작 분류, 뇌전증 분류 실수, 뇌전증치료약 선택 실수	복합 부분 발작에 대한 발프로 산(Valproic acid) 등
	본래 유효한 뇌전증 치료약의 효과를 발휘하지 않는다.	의사의 처방량이 부족 환자의 이행 불량 복용 시간이 불규칙하여 혈중 농도 저하 약물 상호 작용으로 혈중 농도 저하
약물저항성 뇌전증	외과 치료를 고려한다.	

뇌전증 치료약으로 발작이 사라지지 않는 경우에도 일부 초점성 뇌전증에는 개두술(Craniotomy)이 효과가 있다. 특히 측두엽 뇌전증 및 국한성 기질병변과 관련된 뇌전증은 외과 치료에 의한 발작 소실율이 높다.(5) 수술로 발작을 없애면 취직 및 자동차 운전 상황도 개선할 수 있어서(6) 치료 개시 초기부터 외과 치료를 고려한다. 적절한 뇌전증 치료약으로 두 가지를 복합하여 복용 후에도 효과가 없다면 적극적인 외과 치료를 권한다.

2 뇌전증이 자동차 운전에 미치는 영향

1 뇌전증의 자동차 사고 위험률

뇌전증은 다양한 측면에서 정상적인 운전을 저해하여 사고위험률을 높일 가능성이 있다(표 2). 뇌전증에 의한 사고위험률은 개별인자(치료에 의한 발작억제 한도, 최종발작으로부터의 경과년수, 운전시간, 운전환경 등)의 영향이 커서 일괄적으로 논하기는 어렵다.(8) 일반적으로는 발작이 완전히 억제되지 않는 뇌전증 환자의 사고위험률은 일반인보다 높지만 뇌전증 치료약으로 발작이 오래 전부터 사라진 뇌전증 환자의 사고위험률은 일반인과 큰 차이가 없다. 그러나 뇌전증이 있을 때 운전시간을 짧게 하고 운전 조작을 신중하게 하면 위험률은 줄어든다. 지난 보고에서도 상대적 위험이 큰 것(9~11)과 작은 것(12,13)으로 다양하다.

한편, 뇌전증 발작의 재발률은 기존의 무발작 기간에 영향을 받기 때문에(14~16) 대부분의 나라에서는 무발작 기간을 운전적성 지표 중의 하나로 본다. 일본 경찰의 운용기준은 운전에 필요한 무발작 기간을 2년으로 하고 있지만(17)(표 6), 미국에서는 주에 따라서 3개월부터 1년, 유럽 대부분의 나라는 1년으로 나라마다 기간이 다양하다. 유럽연합(EU)은 1년간의 발작재발률, 1일 운전 시간, 운전 중 발작이 교통사고를 일으킬 확률, 교통사고 중 사망사고의 비율 등으로 뇌전증의 사고위험률을 산출하고 이를 일반인 중 특정 연령군 및 성별에 따른 위험률과 비교해서 필요한 무발작 기간을 제안하였다.(15) 과거의 무발작 기간이 1년, 2년인 경우의 사고위험률은 각각 약 1.5와 2로 산출되는데 일반인의 사고위험률이 2가 되는 경우는 70세 이상, 17~19시간 잠을 자지 않거나 법률로 허용된 알코올 혈중농도의 상한상태인데, 유럽연합(EU)에서는 사고위험률 3 이하를 허용범위로 두고 무발작 기간을 1년으로 하였다.

일본의 데이터를 같은 방법으로 계산하면 무발작 기간 6개월, 1년, 2년의 발작재발률은 각각 34.1~36.9%, 21.5~22.8%, 11.5~15.7%로, 무발작 기간 6개월, 1년, 2년, 3년의 사고위험률은 각각 1.38%, 1.23%, 1.16%, 1.09%로 산출되었다.(18~20) 이에 비해 일반인 사고위험률은 20대 남성이 1.70%, 60세 이상이 1.32%, 65세 이상이 1.53%, 75세 이상이 2.78%이다.

2 뇌전증의 자동차 운전 적성

운전적성에 관한 판단의 실용적인 기준은 먼저, 면허 허가 여부 등에 관한 운용 기준(표 6)이다. 이 운용 기준은 경찰에서 면허 허가여부 기준을 정한 것으로, 면허 취득 및 갱신 절차 때나 사고 발생 시에 적용된다. 그러나 이 외의 경우 법적구속력은 애매해서 유발발작, 첫 발작, 약을 줄였을 때, 근치적 뇌전증 수술 후 등 특정 상황 속에서 적성 판단을 할 때는 도움이 되지 않는다. 한편, 유럽연합(EU) 보고는 특정 상황 속에서 운전적성을 꽤 자세하게 분류해서 기준을 지시하고 있기 때문에[15] 교통 환경은 일본과 다르지만 많은 참고가 된다(표 7). 일본에서도 일본뇌전증학회가 유럽연합(EU) 기준을 참고로 운용 기준을 검토해서 제안하였다.[21] 이것은 뇌전증의 다양성과 국제 기준을 대응한 규칙으로 개정해서 자발적인 신고를 촉구하여, 사고 위험이 적은 많은 환자의 생활을 지키면서 극히 일부의 고위험환자의 부적성 운전의 잠재화를 방지하려는 목적이 있다.

표 6. 특정 질병 등과 관련된 운전면허 관계 업무에 관한 운용상의 유의사항에 대해서(발췌)

일정한 질병 등과 관련된 면허 허가 여부 등의 운용 기준

2. 뇌전증(령 제33조의 2의 3 제2항 제1호 관계)

(1) 다음 중 어느 하나에 해당하는 경우에는 거부하지 않는다.

가. 발작이 과거 5년 이내에 일어난 적이 없고, 의사가 '향후, 발작이 일어날 가능성이 적다'고 진단한 경우

나. 발작이 과거 2년 이내에 일어난 적이 없고, 의사가 '향후, n년 정도 지나면 발작이 일어날 가능성이 적다'고 진단한 경우

다. 의사가 1년 동안 경과를 관찰한 후 '발작이 의식장애 및 운동장애를 동반하지 않는 단순 부분 발작에 한하여 향후, 증상이 악화될 우려가 없다'고 진단한 경우

라. 의사가 2년간 경과를 관찰한 후 '발작이 수면 중에 한하여 일어나며 향후, 증상이 악화될 우려가 없다'고 진단한 경우

(2) 의사가 '6개월 이내에 상기(1)에 해당한다고 진단할 수 있을 것이라 예상한다'는 내용의 진단을 한 경우에는 6개월 이내 보류 또는 정지한다.

보류 및 정지 기간 중에 적성검사를 받거나 진단서 제출 명령을 내서

① 적성검사결과 또는 진단결과가 상기(1)의 내용인 경우에는 거부하지 않는다.

② '결과적으로 아직 상기(1)에 해당한다고 진단할 수 없지만 이것은 기간 중에 ○○과 같은 특수한 사정이 있기 때문으로, 향후 6개월 이내에 상기(1)에 해당한다고 진단할 수 있을 것으로 예상된다'인 경우에는 추가로 6개월 이내에 보류 및 정지를 한다.

③ 그 밖의 경우에는 거부 또는 취소한다.

(3) 그 밖의 경우에는 거부 또는 취소한다.

(4) 상기(1)나에 해당하는 경우에는 일정 기간(n년) 후에 임시적성검사를 하도록 한다.

(5) 또한 일본뇌전증학회는 현시점에서는 뇌전증과 관련된 발작이 투약 없이 과거 5년 동안 없고 앞으로도 재발할 우려가 없는 경우를 제외하고 일반적으로는 중형 면허(중형면허(8t 한정) 제외), 대형면허 및 제2종 면허의 적성은 없다는 견해를 가지고 있어서 이에 해당하는 자가 이러한 면허 갱신 및 신청을 한 경우에는 상기(2)와 (3)의 처분 대상이 되지 않더라도 해당 견해를 설명한 후 당분간 면허 신청 및 갱신 신청과 관계된 재고를 진행하고 신청 취소 제도의 활용을 종용한다.

표 7. 운전적성에 관한 유럽연합(EU)의 권고

일반자동차: 5년간 무발작이면 운전 가능, 그렇지 않은 경우는 다음의 조건하에 허가한다. • 유발발작: 운전 중에 그 유발요인이 없으면 신경내과의의 의견을 참고로 개별적으로 허가 • 첫 발작, 산발 비유발 발작: 6개월 이내에 재발이 없으면 허가(적절한 검사를 시행) • 뇌전증: 1년간 무발작이면 가능 • 수면 중에만 발작: 1년간 수면 중 발작이면 가능. 각성 중에 발작이 일어난 경우, 1년간 운전하지 않고 경과 관찰 • 약을 줄이거나 치료를 종료하여 발작: 치료 변경 후 6개월 동안은 운전하지 않도록 권고한다. 발작이 발생한 경우에는 이전의 치료 내용으로 되돌아가고 3개월은 운전하지 않고 경과 관찰 • 근치적 뇌전증 수술 후: 1년간 무발작이면 허가 대형자동차 등: 일정한 기간 동안 복용 없이 무발작이고 뇌파에서 뇌전증 활동이 없어야 한다. • 유발발작: 일반자동차와 같은 조건을 주고 검사해서 정상이면 허가. 두개내 기질질환의 경우, 연간 발작 위험이 2% 이하이면 허가 • 첫 발작, 산발 비유발 발작: 항뇌전증약 없이 5년 동안 무발작이면 허가 • 뇌전증: 뇌전증 치료약 없이 10년간 무발작이면 가능 • 발작이 없지만 발작 발생 위험이 있는 경우(뇌동정맥기형, 뇌내출혈 등): 발작 위험이 연간 2% 이하이면 허가

3 환자 대응, 운전에 관한 설명과 지도

의사는 환자에게 운전에 관한 법규제의 개요를 다음과 같이 알기 쉽게 설명해야 한다. 뇌전증의 경우, 16세 이상은 초진 시나 신규 진단 시, 아동이라면 16세가 되기 전에 설명하는 등 최대한 빠른 시기에 설명하는 것이 바람직하다.

1 과로, 질병, 약물의 영향이 있을 때는 운전 금지

일본 도로교통법 제66조는 운전자에게 과로, 질병, 약물의 영향으로 정상적인 운전을 할 수 없는 가능성을 보이는 상황에서의 운전을 금한다. 이것은 운전자 자신의 의무로, 위반 시 벌칙 규정도 마련되어 있다. 그러나 면허 취득 후 나타난 뇌전증 등은 질병 및 치료약으로 인해 정상적인 운전이 불가능한 상황인지 여부는 운전자 본인은 판단할 수 없으므로 의사가 설명하고 지도해야 한다.

2 뇌전증이 있어도 일정 기준에 미치지 않으면 면허를 거부하지 않는다

일본 도로교통법 제90조와 제103조는 공안위원회에게 발작으로 인한 의식장애 또는 운동장애를 일으키는 질병, 기타 자동차 등의 안전한 운전에 지장을 줄 우려가 있는 질병에 걸린 사람에게는 면허를 주지 않거나 6개월 이하의 기간 동안 면허를 보류할 수 있다. 더불어 이러한 질병에 걸린 것으로 판단한 경우에는 면허 취소 또는 6개월 이하의 기간 동안 면허를 정지할 수 있도록 규정되어 있다. 이러한 질병으로는 '뇌전증(발작이 재발할 우려가 없는 자, 발작이 재발해도 의식장애 및 운동장애를 일으키지 않는 자, 발작이 수면 중에만 재발하는 자는 제외)'가 포함된다(I-3 '질병과 관련된 운전면허제도에 대해서', 표 1, 22쪽 참조). 구체적으로는 표 6에 기재한 운용 기준이 마련되었다. 표 6의 (1)의 가부터 라의 4개의 경우는 뇌전증이라도 면허 취득 및 갱신을 거부하지 않는다. 정리하면 뇌전증 발작이 있어도(뇌전증으로 진단 받아도) 눈을 뜨고 활동하는 동안 의식 및 운동을 방해하는 발작이 2년 이상 없는 경우는 면허를 취득할 수 있다(운전적성이 있다)는 의미이다. 또한 의학적으로 향후 발작 발생 확률을 0으로 예측하는 것은 불가능하기 때문에 이러한 조문에서 사용하는 '재발 우려가 없다', '발작이 일어날 우려가 없다'는 표현은 의료 현장에서는 '재발 위험이 상당히 낮다'고 해석해서 사용하고 있다.

3 질병 증상 문진표에는 정확하게 답변한다

면허신청서 뒷면에 있는 질병 증상 문진표에 허위로 기재하면 벌칙 대상이 된다(I-3 '질병과 관련된 운전면허제도에 대해서', 그림 1, 24쪽 참조). 또한 2014년 6월의 도로교통법 개정 전의 허위 응답은 벌칙의 대상이 아니다.

4 의사의 신고

운전적성검사를 받지 않고 의도적으로 운전을 계속하는 자가 일으키는 사고를 억제할 목적으로, 의사의 신고를 법제화하였다(I-3 '질병과 관련된 운전면허제도에 대해서', '2 특정 질병 등에 해당하는 자를 진단한 의사의 임의 신고', 25쪽 참조). 의사의 신고는 강제가 아닌 임의 조항이지만 형법 비밀누설죄 외 비밀유지의무에 관한 법률에 저촉되지 않는다. 모든 질병에 공통되는 신고 절차에 관한 가이드라인을 일본의사회가 공표하였고, 뇌전증 등에 특화된 가이드라인은 일본뇌전증학회가 공표하였다.

5 질병이 원인이 되어 취소된 운전면허를 재신청할 때는 학과시험 및 실기시험은 면제된다

뇌전증 발작이 원인이 되어 운전면허가 취소되었지만 그 후 치료 및 자연경과로 운전적성을 회복한 경우, 취소일로부터 3년 이내에 면허 재취득 신청을 하면 학과시험 및 실기시험은 면제된다(도로교통법 제97조의 2).

6 기타 중요사항

운전적성기준을 만족해서 정식으로 면허를 소지한 사람이라도 병의 증상 및 치료 상황에 따라서는 의사로서 운전을 금지시키거나 지도하는 것이 바람직한 경우도 있다. 장기간, 무발작으로 지낸 사람도 뇌전증 치료약의 복용을 잊거나 수면부족, 피로축적, 여성의 경우 월경 등은 일시적으로 발작 재발 위험을 높이는 것으로 알려져 있다. 특히 이러한 악조건이 겹친 때에는 운전하지 않도록 지도해야 한다. 또한 2년 이상 무발작으로 지냈어도 뇌전증 치료약을 변경하거나 줄인 후에는 당분간 발작 재발 위험이 기존과 동일하다고 볼 수 없기 때문에 일정기간(EU 기준으로는 3개월)은 운전을 중단하게 하고 발작이 재발하는지 확인하는 것이 좋다.

처음 경련 발작이 나타난 경우, 새롭게 뇌전증으로 진단된 경우, 사라졌던 발작이 재발한 경우 등은 면허를 가지고 있어도 '정상적으로 운전할 수 없을 우려가 있는 상태'에 해당하기 때문에 원칙적으로 2년 동안은 운전하지 않도록 지도해야 한다. 이 경우, 운전자에게 즉시 면허 반납 및 신고를 의무화하는 법률은 없지만 신속하게 공안위원회에 신고하고, 다음 면허 갱신 시 질병 증상 문진표에 바르게 답변하도록 지도하는 것이 바람직하다.

또한 뇌전증은 2회 이상의 발작이 있거나 1회 발작이라도 대응하는 뇌파 이상 및 사진에 이상이 있는 경우에 진단한다.[1] 뇌전증으로 진단할 수 없는 첫 발작(실신과 감별할 수 없는 발작 등)은 유럽연합(EU) 지침에 따라 6개월 이상 운전을 하지 않도록 지도하여 경과를 관찰하는 것이 타당하다.[15,16,21]

참고문헌

(1) Fisher RS, et al. ILAE official report: a practical clinical definition of epilepsy. Epilepsia 2014;55:475-82.

(2) Jallon P, et al. Seizure precipitants. In: Engel J Jr, et al. (eds) : Epilepsy A Comprehensive Textbook (2nd Ed). Philadelphia: Lippincott Williams & Wilkins; 2008.pp76-79.

(3) Lempert T, et al. Syncope : a videometric analysis of 56 episodes of transient cerebral hypoxia, Ann Neurol 1994;36:233-7.

(4) Kwan P, et al. Early identification of refractory epilepsy. N Engl J Med 2000;342:314-9.

(5) Tellez-Zenteno JF, et al. Surgical outcomes in lesional and non-lesional epilepsy : a systematic review and meta-analysis. Epilepsy Res 2010;89:310-8.

(6) Hamiwka L, et al. Social outcomes after temporal or extratemporal epilepsy surgery : a systematic review. Epilepsia 2011;52:870-9.

(7) Engel J Jr, et al. Early surgical therapy for drug-resistant temporal lobe epilepsy : a randomized trial. JAMA 2012;307:922-30.

(8) Naik PA, et al. Do drivers with epilepsy haver higher rates of motor vehicle accidents than those without epilepsy? Epilepsy Behavior 2015;47:111-4.

(9) Lings S. Increased driving accident frequency in Danish patients with epilepsy. Neurology 2001;57:435-9.

(10) Vernon DD, et al. Evaluating the crash and citation rates of Utah drivers licensed with medical conditions, 1992-1996. Accid Anal Prev 2002;34:237-6.

(11) Kwon C, et al. Motor vehicle accidents, suicides, and assaults in epilepsy : a population-based study. Neurology 2011;76:801-6.
(12) Taylor J, et al. Risk of accidents in drivers with epilepsy. J Neurol Neurosurg Psychiatry 1996;60:621-7.
(13) McLachlan RS, et al. Impact of mandatory physician reporting on accident risk in epilepsy. Epilepsia 2007;48:1500-05.
(14) Krauss GL, et al. Risk factors for seizure-related motor vehicle crashes in patients with epilepsy. Neurology 1999;52:1324-29.
(15) Driving SEWGoEa. Epilepsy and driving in Europe. A report of the second European Working Group on Epilepsy and Driving, an advisory board to the Driving Licence Committee of the European Union. Final report. http://eceuropaeu/transport/home/drivinglicence/fitnesstodrive/doc/epilepsy_and_driving_in_europe_final_report_v2_enpdf 2005.
(16) Brown JW, et al. When is it safe to return to driving following first_ever seizure? J Neurol Neurosurg Psychiatry 2015;86:60-4.
(17) 警察庁交通局長：道路交通法の一部を改正する法律の施行等に伴う交通警察の運営について. 警察庁丙交企発 第79号
(18) てんかんにかかっている者と運転免許に関する調査研究委員会：てんかんにかかっている者と運転免許に関する調査研究報告書. 有限会社自然文化創舎
(19) 日本てんかん学会法的問題検討委員会：「平成26年度警察庁調査研究報告書：てんかんにかかっている者と運転免許に関する調査研究」の解説と検討. てんかん研究
(20) 警察庁：てんかんにかかっている者と運転免許に関する調査研究 報告書2.
(21) 日本てんかん学会：てんかんと運転に関する提言. 平成24年10月11日. http://square.umin.ac.jp/jes/images/jes-image/driveteigen2.pdf
(22) 日本てんかん学会：てんかんに関する医師の届け出ガイドライン. 平成26年9月. http://square.umin.ac.jp/jese/images/jes-image/140910JES_GLpdf
(23) 日本医師会：道路交通法に基づく一定の症状を呈する病気等にある者を診断した医師から公安委員会への任意の届出ガイドライン. 平成26年9月. http://dlmedorjp/dl-med/teireikaiken/20140910_1pdf

4 뇌혈관질환

1 들어가며

뇌혈관질환(Cardiovascular disease, CVA) 환자는 편측 마비(Hemiplegia)나 운동실조(Ataxia)와 같이 눈에 보이는 신체기능장애는 물론 실인증(Agnosia), 실행증(Apraxia), 편측공간무시(Hemi-spatial neglect) 등과 같이 눈에 보이지 않는 장애인 고차뇌기능장애(High cortical function disorder)도 일으키기 때문에 자동차 운전 재개 판단이 어려운 경우도 적지 않다. 그 밖에도 뇌손상 부위에 따라서는 시야장애(Visual field defect), 복시(Diplopia)와 같은 눈기능 장애(Visual dysfunction), 뇌전증 증후군의 위험성 등 의료적 문제도 새롭게 발생한다.

뇌혈관질환 환자가 운전을 다시 시작하기를 희망하는 경우, 운전면허시험장에서 의사에게 진단서 기재를 요청한다. 이 때 의사는 증상의 안정은 물론, 신체기능, 고차뇌기능, 눈기능, 방사선사진 촬영 소견, 내복약 등 다양한 것을 감안할 필요가 있다.

이 책에서는 뇌혈관질환환자의 진단서를 기재할 때 확인해야 하는 사항 및 진단서 기재 시 주의해야 할 점에 대해서 대략적으로 설명하고자 한다.

2 의학적 관리 확인

뇌혈관질환을 가진 환자는 다양한 질환을 함께 앓고 있는 경우가 많다. 대표적으로 고혈압(Hypertension) 및 당뇨병(Diabetes)을 들 수 있다. 고혈압 및 고혈당은 뇌혈관질환의 재발 위험을 높이기 때문에 확실하게 관리해야 한다. 또한 심각한 저혈압 및 저혈당에서는 의식장애를 일으킬 수 있어서 적절한 관리가 필요하다.

비만증 환자는 수면 시 무호흡증후군을 앓고 있는 경우도 많아 지속적인 양압 호흡치료의 도입도 검토할 수 있다.

3 내복약 확인

뇌혈관질환 환자 중에는 내복약을 많이 복용하고 있는 경우가 있다. 그 중에는 뇌전증 치료약도 포함되는 경우도 있어서 반드시 내복약을 확인해야 한다. 그 밖에도 졸음을 유발할 가능성이 있는 중추성 근이완제(Central muscle relaxant)나 신경병성 통증완화제(Neuropathic pain relief agents) 등을 내복하고 있는 경우도 있어 졸음의 유무도 포함해서 문진해야 한다. 약물의 영향으로 안전운전에 지장을 초래할 가능성이 높은 경우는 운전을 허가할 수 없다.

4 뇌손상부위 확인

1 증후성 뇌전증(Symptomatic epilepsy)

뇌혈관질환 후에 뇌전증이 발생한 환자는 적지 않다. 현재 병력 및 기왕력 중에 뇌전증 기록이 있으면 그 상황을 확인한다. 최근 경련 발작을 일으킨 경우나 뇌전증 치료약을 시작한 경우는 당분간 운전을 재개할 수 없다는 내용을 설명한다. 뇌전증 환자는 일본 도로교통법상 최저 2년간 발작이 없었는지를 확인한 후 의사의 판단 하에 운전을 허가한다.

경련 발작을 잘 일으키는 뇌손상부위는 피질(Cortex)을 포함한 천막위 뇌출혈(Supratentorial cerebral hemorrhage), 지주막하출혈(Subarachnoid hemorrhage, SAH), 내경동맥계(Internal carotid artery)의 피질을 포함한 뇌경색(Cerebral infarction)이 있다. 중대뇌동맥(Middle cerebral artery) 영역의 피질을 포함한 광범위한 뇌경색은 경련 발작을 잘 일으키기 때문에 특히 주의해야 한다. 반대로 뇌실질 내 열공경색(Lacunar infarct) 및 작은 출혈(Micro−bleeding), 천막하 출혈(Infratentorial hemorrhage) 및 경색은 경련 발작을 일으킬 위험성이 적은 것으로 보인다. 진단서 작성 시에는 적어도 뇌 사진을 확인하고 증후성 뇌전증의 위험성을 검토한 후에 기재해야 한다.

필자는 뇌혈관질환 발병 후 1년 이상 경과하고 첫 경련 발작을 일으킨 경우를 많이 경험했기 때문에 경련의 첫 발작을 우려해 어느 시점에 운전 재개 허가를 해야 할지 판단할 때 망설이는 경우도 적지 않다. 또한 경련 발작은 발생하지 않지만 예방적으로 뇌전증 치료약을 투여한 경우, 역시 뇌혈관질환 발병 후 2년 동안은 자동차 운전을 재개하지 않도록 해야 한다. 그러나 실제로 환자 본인은 한 번도 경련 발작이 일어난 적이 없기 때문에 이에 대해서도 판단을 주저한다.

2 눈 기능 장애

눈 기능에 대해서는 시력이 양쪽이 0.7 이상이고, 한쪽이 각각 0.3 이상일 것, 한쪽 눈의 시력이 0.3에 미치지 않는 자 또는 한쪽 눈이 보이지 않는 자는 다른 눈의 시야가 좌우 150도 이상이고, 시력이 0.7 이상일 것만 규정되어 있다. 뇌혈관질환 환자 중 시방선(Optic radiation)에 병변이 발생하거나 후두엽 병변은 동측 반맹(Homonymous hemianopsia)이나 동측 1/4분맹(Homonymous quadrianopsia)을 일으킨다. 이 증상은 한쪽 눈이 전혀 보이지 않는 것이 아니어서 현행 법률상 기준에서 벗어난다. 그러나 시야장애와 교통사고와의 관련성은 높다고 보고되고 있다.(1) 그러나 어느 부분의 시야결손이 문제가 되는지 어느 정도까지 시야결손이 있으면 위험한지는 밝혀지지 않아서 시야결손이 존재하는 환자들을 어떻게 처리해야 하는지는 향후 큰 과제이다. 현재 필자는 동측 반맹 및 동측 1/4맹은 교통사고를 일으킬 위험성이 높다고 생각하고 운전 재개를 권하지 않고 있다.

또한 뇌간부(Brain stem)의 병변으로 복시(Diplopia)가 발생하는 경우가 있다. 복시의 경우는 한쪽 눈을 감으면 깊이 지각(Depth perception)에 문제가 발생하지만 사물이 이중으로 보이는 것은 사라진다. 한쪽 눈을 감기 때문에 한 눈이 보이지 않는 것과 같은 상태라고 생각하면, 다른 눈의 시야가 좌우 150도 이상이고 시력이 0.7 이상일 때 운전이 가능하다. 그러나 필자는 아주 약한 정도의 복시는 있지만 양쪽 눈으로 운전이 가능한 환자에게만 운전허가 진단서를 작성해준 경험은 있으나 한쪽 눈을 감은 상태에서 운전 가능으로 판단한 적은 없다. 한쪽 눈으로 운전하는 것은 위험성이 높다고 생각한다. 진단서 작성 시에는 안과에서 시력, 시야검사를 하는 것이 바람직하므로 필자는 눈 기능에 문제가 없는지 반드시 확인한다.

5 신체기능 확인

자동차를 운전하기 위해서는 하지기능은 액셀과 브레이크 페달을 조작하는 능력, 상지기능은 핸들 및 방향지시기, 라이트 등을 조작하는 능력이 필요하다.

일본 도로교통법에는 '몸통기능장애 등이 있어서 앉아있을 수 없는 경우, 팔/다리 전부를 잃은 경우 또는 팔/다리를 전혀 쓸 수 없는 경우, 기타 자동차의 안전한 운전에 필요한 인지 또는 조작 중 어느 하나의 능력이 결여되는 신체장애를 가진 자는 6개월 이내의 면허 효력 정지 또는 면허를 취소한다'고 기재되어 있다. 운전이 가능한 신체장애인은 면허 취득 및 갱신 시 장애 내용에 맞는 조건을 결정해서, 장애에 적합한 운전 보조장치를 설치하면 운전을 허가한다. 신체가 자유롭지 않아서 조건부 운전면허증을 가지고 운전하는 사람의 자동차 앞과 뒤에는 신체장애인 마크를 붙이도록 되어 있다.

뇌혈관질환 환자의 운동능력은 어느 정도 보고되고 있다. 편측 마비 환자의 상지기능은 손을 쓸 수 없어도 운전이 가능하다. 하지기능은 지팡이를 사용해서라도 스스로 실외 보행을 할 수 있는가 하는 것이 하나의 기준이라 할 수 있다.

마비된 쪽이 좌측이거나 우측일 때 모두 운전을 다시 재개하는 것이 가능하다. 단, 우측 편마비의 경우, 왼쪽 다리로 페달을 조작할 수 있도록 브레이크 페달의 왼쪽에 액셀 페달을 장착하고 방향지시등도 왼손으로 조작할 수 있도록 하는 등 자동차 개조가 필요하다. 어느 쪽 마비이든지 상지를 완전히 쓸 수 없는 경우는 건측 상지로만 핸들을 조작할 수 있도록 손잡이(Knob, 노브) 등을 장착해야 한다.

6 실어증 환자의 언어능력 확인

실어증(Aphasia)은 형태에 따라 언어이해 및 언어표현의 중증도가 다르기 때문에 간편하게 실어증 환자의 언어기능과 운전과의 연관성을 평가할 수 있는 방법은 없다. 실어증이 있어도 당연히 도로표식 및 교통규칙을 이해할 수 있기 때문이다. 그러나 교통사고 등과 같은 사고를 일으켰을 때 상황을 설명할 수 있을 정도의 언어 능력은 필요하다.

필자[2]의 보고에서는 운전을 재개한 뇌손상환자군 중 실어증이 있는 환자의 간이정신기능검사(Mini-mental state examination, MMSE)가 26.1±1.6점이어서 MMSE가 25점 이상이면 실어증 환자라도 운전 재개를 검토할 수 있을 것이다.

7 고차뇌기능 확인

고차뇌기능장애(Higher cortical dysfunction)는 신체기능장애와 달리 겉으로는 장애 유무를 판단할 수 없다. 또한 어느 영역의 고차뇌기능을 평가해야 할지, 어느 정도의 고차뇌기능장애가 있으면 안전 운전에 지장을 주지 않는지 등 구체적인 내용에 대한 법적 기록은 없다.

일본 도로교통법에서는 현재 면허의 거부 또는 보류의 사유가 되는 질병 중 '자동차 등의 안전한 운전에 필요한 인지(Recognition), 예측(Prediction), 판단(Judgement) 또는 조작(Manipulation) 중 어느 하나와 관련된 능력이 결여될 우려가 있는 증상을 나타내는 질병'으로만 기재되어 있을 뿐이다. 따라서 임상 현장에서는 뇌혈관장애 환자의 자동차 운전 재개 허가를 판단할 때 고민이 된다.

고차뇌기능장애와 자동차 운전에 대해서는 많은 연구 결과가 보고되고 있지만 아직 일정한 견해에는 이르지 못하였다. 자동차 운전에는 주의력(Attention), 기억력(Memory), 수행기능(Executive function) 등 많은 능력이 요구된다. 따라서 필기 검사뿐만 아니라 가상 운전(드라이빙 시뮬레이터)의 병용 및 실제 자동차를 이용한 운전면허학원 내 평가 등을 종합하는 것이 바람직하다. 필자는 고차뇌기능 필기 평가에 대해서 잠정기준치(표 1)를 작성하고 드라이빙 시뮬레이터 평가와 병용해서 안전하게 교통사회로 복귀할 수 있는 사실을 보고하였다.[3]

고차뇌기능장애 및 실어증은 장기간 훈련으로 서서히 개선되어 자동차 운전 재개가 가능해진다. 그러나 증상 개선보다 먼저 환자의 운전면허증 갱신 시기가 다시 돌아와 운전재개 가능 여부를 판단해야 하는 경우도 있다. 일본 도로교통법에서는 면허증 갱신기한으로부터 6개월 이상 운전을 쉬어야 하는 경우에는 일단 면허 취소가 된다. 따라서 이전에는 면허가 취소된 후 운전이 가능하다고 판단되면 학과시험 및 기능시험을 새로 치러야 했다.

그러나 2014년 6월 1일부터 시행된 도로교통법 개정으로 일정 증상을 보이는 질병에 걸려서 운전면허가 취소된 사람은 그 후 질병이 회복되어 운전면허를 취득할 수 있게 된 경우, 취소된 날로부터 3년이 지나지 않았다면 학과시험 및 기능기험이 면제되었다. 또한 일정 증상을 나타내는 질병에 걸려서 운전면허가 취소된 사람은 취소된 날로부터 3년 이내에 다음 운전면허를 취득한 경우, 취소된 해당 면허를 소지한 기간 및 다음 면허를 받은 기간이 계속된 것으로 간주하게 되었다. 즉, 운전면허 취소 전에 모범 운전사였으면 다음 운전면허도 모범 운전사로 보고 면허증의 유효기간도 3년이 아니다. 이렇게 법령상 우대조치를 받을 수 있게 되었다. 이러한 법률 체계를 알아두면 진단서 작성에 도움이 되고 환자도 안심하고 재활에 노력할 수 있다.

표 1. 잠정기준치

	잠정기준치
MMSE(점)	25 이상
Kohs-IQ	58 이상
TMT-A(초)	183 이상
TMT-B(초)	324 이상
PASAT 2초(%)	15 이상
PASAT 1초(%)	8 이상
BIT(점)	140 이상
WAIS-III 부호(조점) 평가점	23 이상 2 이상
WMS-R 도형 기억(점)	5 이상
WMS-R 시각성 대연합(점)	2 이상
WMS-R 시각성 재생(점)	27 이상
WMS-R 시각성 기억범위 같은 순서(점)	6 이상
WMS-R 시각성 기억범위 역순(점)	6 이상

MMSE: Mini-Mental State Examination, TMT: Trail Making Test, PASAT: Paced Auditory Serial Addition Test, BIT: Behavioral Inattention Test, WAIS-III; Wechsler Adult Intelligence Scale-Third Edition, WMS-R: Wechsler Memory Scale-Revised

모든 고차뇌기능검사 결과가 잠정기준치에 합당하면 고차뇌기능검사 필기 검사 결과를 통해 운전 재개 가능한 인지기능이 있다고 할 수도 있겠지만, 화상검사 및 드라이빙 시뮬레이션 등을 한 종합적 판단이 중요하다.

8 진단서 작성

운전재개 허가 결정은 운전면허센터에서 수행하는데 그 판단 근거의 하나로 진단서를 이용한다.

진단서를 작성할 때 상기 내용을 확인하고 운전 재개가 가능하다고 판단되면 필자는 드라이빙 시뮬레이터를 활용해서 운전능력을 판단한다. 운전능력은 자동차 운전면허학원을 이용해서 판단하는 방법도 있고, 실제로 운전면허학원과 연계해서 진단서를 작성하는 의료기관도 있다. 진단서 작성을 위한 기본적인 흐름을 그림 1에 표시하였다.(4)

진단서 작성 시기는 환자의 의식장애 및 뇌 방사선 사진 소견 등을 통해 판단하는 것이 바람직하다. 뇌손상부위가 작은 환자는 마비가 미약해서 비교적 단기간 입원 후 퇴원한다. 또한 머리 컴퓨터단층촬영검사(CT)로 뇌출혈의 여부에 따라 평가하지만, 분명한 마비가 없는 경우에는 조기에 퇴원하는 환자도 있다. 그러나 이러한 환자 중에는 고차뇌기능검사에서는 비교적 좋은 성적이

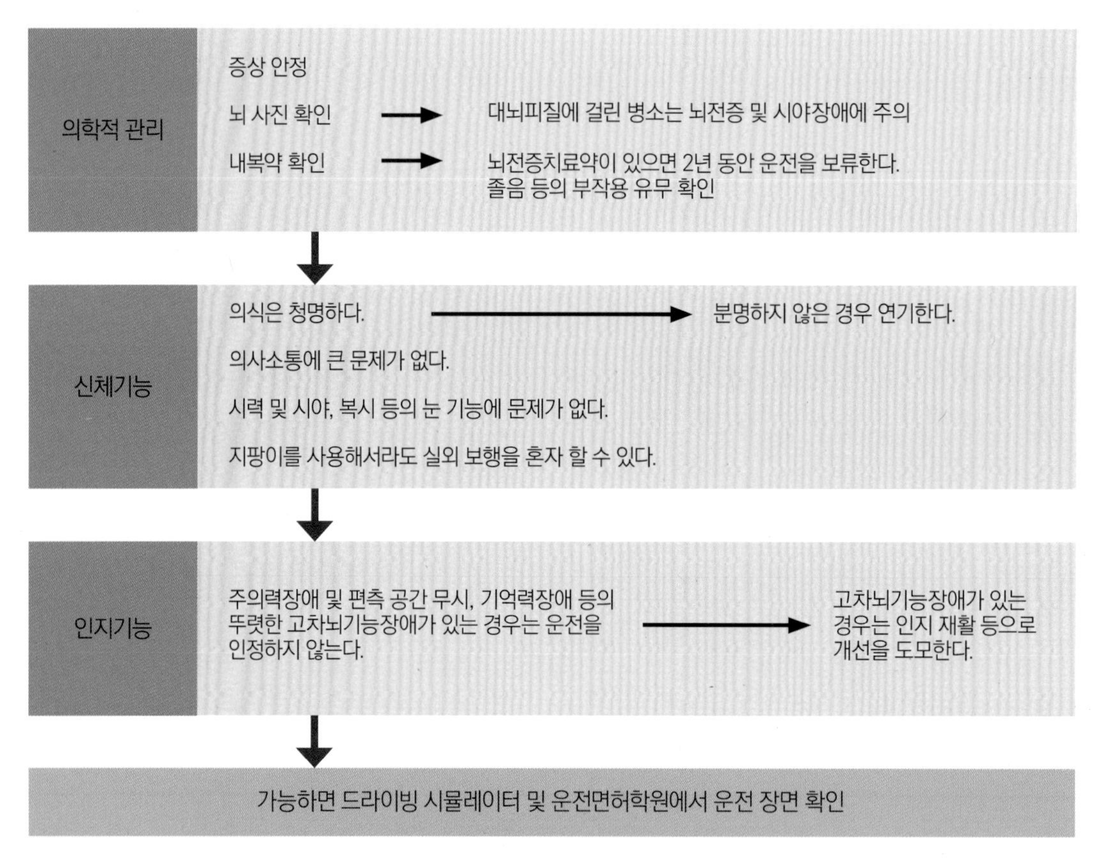

그림 1. 진단서 작성을 위한 기본적인 흐름(문헌4에서 인용. 일부 개정)

나오지만 어딘가 의식(Consciousness)이 뚜렷하지 않는 것처럼 보이는 환자가 있을 수 있다. 뇌혈관질환 발생 후 시간이 조금밖에 지나지 않았기 때문에 이러한 환자는 1~2개월 후에 다시 진찰을 해서 그 시점에서 운전 재개 가능 여부를 판단하고 있다. 그 이유는 몇 개월 후에 진찰할 때 의식이 또렷해져서 운전 재개를 허가할 수 있는 경우가 많기 때문이다. 또한 필자는 뇌출혈의 경우, 머리 컴퓨터단층촬영검사(CT)에서 적어도 뇌출혈이 소실될 때까지는 운전 재개를 권하지 않는다.

진단서 작성 시점에 경도의식장애(Minimally consciousness state, MCS)가 의심되는 경우에는 진단서 작성 시기를 연기하고 경과관찰을 해서 그 후 운전 재개 가능 여부를 판단하는 것도 중요하다.

9 진단서 작성 가이드라인의 주의점

진단서 작성 가이드라인을 진단서와 함께 의료기관에 제출하도록 하는 지역이 있다. 그 중에는 증상이 만성화된 '지남력장애, 기억력장애, 판단력장애, 주의력장애 등'은 본 진단서와는 다른 '치매 진단서'로 판단한다고 기재되어 있다. 따라서 고차뇌기능장애 및 실어증환자 등은 뇌졸중 관련 진단서를 사용하면 되는지 또는 치매 진단서에 기재해야 하는지 어찌할 바를 모른다. 그러나 고차뇌기능장애 및 실어증 등은 치매가 아니기 때문에 치매 진단서에 기재하는 것에 위화감을 느낀다. 그래서 필자는 경찰청 운전면허본부 임시적성담당자에게 전화로 이를 문의하였다. 그 결과, 고차뇌기능장애 및 실어증은 뇌졸중 관련 진단서에 기재하고, 혈관성 치매로 판단되는 경우는 치매 진단서에 기재하라는 답변을 받았다.[4] 그러나 이는 필자가 조사한 바에 따르면 명문화는 되어 있지는 않았다.

진단서와 함께 제출하는 진단서 작성 가이드라인 등의 서류는 진단서 작성에 도움이 되지만 한편으로는 위와 같은 기재는 반대로 혼란을 일으킬 우려가 있기 때문에 진단서 작성 시 주의가 필요하다.

10 마치며

질병에 기인하는 교통사고 보도가 많고 진단서 작성을 주저하는 의사도 적지 않다. 그러나 뇌혈관질환 환자는 많고 운전 재개를 희망하는 사람도 많아서 진단서 작성해 달라고 요구할 가능성이 높다고 생각한다. 적절한 판단 하에 진단서를 작성하기를 바란다.

(1) Rubin GS, et al. A prospective, population-based study of the role of visual impairment in motor vehicle crashes among older drivers : the SEE Study. Invest Ophthalmol Vis Sci 2007;48:1483-91.

(2) 武原 格・他. 自動車運転再開支援を行った脳損傷者の特徴と事故について. Jpn J Rehabil Med 2014;51:138-43.

(3) 武原 格・他. 脳損傷者の自動車運転再開に必要な高次脳機能評価値の検討. Jpn J Rehabil Med 2016;53:247-52.

(4) 武原 格・他. 臨床医の判断―医学的診断書の作成にあたって―. 脳卒中・脳外傷者のための 自動車運転 第2版. 三輪書店; 2000.pp128-136.

5 퇴행성신경질환

1 들어가며

일본 경찰청 운전면허(이하, 면허) 통계에 따르면 75세 이상의 면허소지자 수는 2004년에 2,158,212명, 2014년에는 4,474,463명으로 2.13배 증가하였고, 2017년 6월 최신 데이터에서는 과거 최다인 4,953,912명에 달하였다.(1) 고령자에게 많은 퇴행성신경질환(Neuro-degenerative disease, 일본어로는 신경변성질환)을 가진 고령자 운전도 늘고 있다는 의미이다. 퇴행성신경질환 환자는 임상경과와 함께 인지기능, 운전기능, 시각인지 저하로 운전에 지장을 준다는 사실은 이미 보고되었다. 퇴행성신경질환을 가진 환자의 운전면허 갱신에 관해서는 개인의 권리 존중 및 자동차가 가져다주는 편리함과 교통사고의 잠재적 위험 회피 사이에서 형평성이 중요하다. 2014년 6월 1일에 시행된 도로교통법 개정으로 특정 질병 등에 관한 운전면허 허가 여부를 판단할 때 의사의 진단서는 행정처분 시 매우 중요한 판단 재료가 되기 때문에 향후 의사가 담당해야 할 책임과 역할은 크다. 그러나 현재, 의료 현장에서 퇴행성신경질환에 의한 운전면허 취소를 판단할 수 있는 구체적이고 타당성 있는 평가방법은 없다. 이 책에서는 퇴행성신경질환과 운전면허의 현재 상황 및 과제에 대해서 퇴행성신경질환 중에서 흔한 질병이기도 한 파킨슨병(Parkinson disease, 이하 PD)과 알츠하이머(Alzheimer disease, 이하 AD) 및 치매와 고차뇌기능장애 외 퇴행성신경질환의 임상에서도 나타날 수 있는 비경련성 간질지속증(Non-convulsive status epilepticus, 이하 NCSE)을 중심으로 기술하고자 한다.

2 퇴행성신경질환과 운전면허의 현상과 과제

1 현행 도로교통법에서의 신경변성질환

일본 도로교통법 개정에 따라 75세 이상의 자가 면허증을 갱신하려는 경우에는 인지기능검사를 받고 그 결과에 따라 적절하게 임시 고령자강습을 받게 되어있다. 인지기능검사를 받은 사람은 매년 증가해서 2016년에는 160만 명으로, 앞으로도 수검자는 증가할 것으로 예상된다. 더불어 75세 이상의 고령운전자에 의한 교통사고 사망사고 건수가 증가하고 있다는 것을 고려하여 2017년 3월 12일에 시행한 도로교통법 개정법을 통해 75세 이상의 고령운전자에 대한 검사 및 강습을 강화하였다.

2014년 6월 1일에 시행된 개정도로교통법에서 '특정 질병 등'을 가진 자가 면허 취득 및 갱신을 할 때의 질문 제도, 의사의 임의제출제도 등이 신설되었다. '특정 질병 등'이란, 면허의 취소, 거부, 보류 등의 사유가 되는 것으로, '특정 질병 등'에는 '조현병, 뇌전증, 재발성 실신, 무자각 저혈당, 조울증, 중도의 졸음 증상을 보이는 수면장애, 기타 자동차 등의 안전한 운전에 필요한 인지, 예측, 판단 및 조작 중 어느 하나와 연관된 능력이 결여될 우려가 있는 증상을 보이는 질병, 알코올, 마약, 대마, 아편 및 각성제 중독'으로 규정되어 있다.

퇴행성신경질환에 대해서는 2014년 6월 1일에 시행된 개정도로교통법의 '특정 질병 등'에는 명기되어 있지 않다. AD/PD의 일부는 '특정 질병 등'의 '기타 자동차 등의 안전한 운전에 필요한 인지, 예측, 판단 또는 조작 중 어느 하나와 연관된 능력이 결여될 우려가 있는 증상을 보이는 질병' 또는 '치매' 항목에 해당한다. 특히 PD의 경우는 '중도의 졸음 증상을 보이는 질환'에도 해당한다.

2 퇴행성신경질환 환자의 운전 실태

퇴행성신경질환을 앓는 환자는 인지, 운전, 행동장애 때문에 운전에 곤란을 겪는다. AD/PD/헌팅턴 무도병(Huntington chorea) 환자의 운동능력 변화에 관한 70개의 연구를 정리한 Jacobs 등[2]의 보고에서는 모든 단계에서 운전능력저하를 보인다고 하였다. 가장 많은 운전 실수는 차선 유지 및 차선 변경이며, 수행능력, 주의, 시각인지 저하가 운전능력 예후와 관련되어 있었다. 70세 이상의 148명(AD 32명/PD 39명, 정상인 77명)을 대상으로 AD/PD와 정상인의 도로주행, 인지기능, 처리속도, 기억, 수행능력을 비교한 결과, AD/PD는 두 번째 과제 수행(Secondary task performance) ($p<0.001$), 기본적 안정성(Baseline safety) ($p=0.028$), 안정적으로 과제 수행하기(On task safety) ($p=0.011$), 모든 예후 평가 항목에서 정상인에 비해 뒤떨어져 있었다.[3]

3 퇴행성신경질환 환자의 운전능력에 대한 적절한 판단기준 구축

퇴행성신경질환 자체의 진행과 합병증으로 생긴 치매는 운전 위험을 유발하고 사고 증가를 초래한다. 미국에서는 신경심리검사, 드라이빙 시뮬레이터, 실제 차량 운전 평가, 상시 기록 블랙박스 등이 평가방법으로 사용되며 여러 평가에서 종합적으로 판단하고 있다. 일본에서는 현재 퇴행성신경질환 환자의 운전 가능 여부를 판단할 수 있는 표준 평가방법이 없어, 각각의 운전능력평가에 대해 포괄적이고 적정한 판단기준을 구축해야 한다. 생활의 질을 보증하면서 사회의 안전이 중요하다는 점을 세심하게 설명해서 최대한 행정처분이 아닌, 운전면허증의 자발적인 반납을 촉진하는 것도 필요하다.

3 파킨슨병(PD)과 운전면허

1 파킨슨병 환자의 운전 실태

12,000명의 PD 환자의 운전에 관한 보고에서는 82%가 운전면허를 소지하고 60%가 운전을 계속하고 있다. 운전면허를 소지하고 있는 PD 환자의 15%가 사고에 휘말렸고, 11%가 과거 5년간에 최소 1건의 교통사고를 일으켰다.(4) PD의 중증도에 따른 사고 위험이 Hoehn과 Yahr 분류(PD 장애정도 평가 척도)로 3단계에서는 정상인에 비해 5배, 1단계에서는 정상인의 2배였다.(5)

2 파킨슨병 환자의 자동차 운전 적성 예측

PD 환자 160명을 대상(Hoehn과 Yahr 분류의 1단계 12명, 2단계 13명, 3단계 6명, 4단계 12명)으로 하여 자동차 운전에 관한 선택 방식에 대해 설문조사를 실시한 결과, 자동차의 이용 빈도는 43명이 '거의 매일 운전한다'와 '가끔 운전한다'이다. 자동차 운전의 용도는 '쇼핑 등 사소한 용건'이 86%, 운전 중단 판단은 '본인 또는 가족의 판단'이 91.7%였다. 운전 중단으로 인한 불이익으로는 '외출 기회 감소 및 행동 범위 극소화'가 78.1%였다. 사고 경험자의 절반은 2단계이며 사고 후에도 운전을 계속했다.(6)

PD 환자 101명과 정상인 138명을 대상으로 검토한 도로주행시험에서는 PD 환자가 정상인에 비해 도로주행에서 불합격이 많았다(41% vs. 9%).(7) PD 환자의 도로주행시험 불합격의 원인에 대한 구체적인 운전기능저하 및 임상적 특징에 관한 검토를 하기 위해 운전면허를 소지하고 있는 현역 운전자인 PD 환자 104명을 대상으로 도로주행, 피험자의 배경인자, 질환의 특징, 운동기능, 시각, 인지기능을 평가하였다. 도로주행평가 결과에서는 86명(65%)이 합격, 36명(35%)이 불합격이었다. 불합격군은 운동기능, 시각, 인지기능에 관한 모든 검사에서 성적이 나빴다. 시각적 조작, 운동장애의 중증도, PD 종류(Subtype), 시력, 수행기능, 분리 주의 검사(Divided attention test) 항목이 다변량 모델에서의 합격/불합격 판정의 독립예측인자였다(R^2=0.60). PD 환자의 도로주행시험 불합격은 운동기능, 시각, 수행기능, 시공간기능 저하와 관련된 것으로 밝혀졌다.(8)

PD 운전자의 자동차 운전에 관한 결과발생률(Outcome incidence)과 위험 인자(Risk factor)의 규명에 대한 연구에서, PD 환자는 대조군에 비해 조기에 운전을 중단했다(Hazard ratio 7.09, $p<0.001$). 기준점(Baseline)에서 2년째 운전 중단 누적발생률(Cumulative incidence rate)은 PD 환자군에서 17.6%, 대조군에서는 3.1%였다. 사고 및 위반이 처음 발생할 때까지의 시간은 양쪽 군 모두 유의미한 차이는 발견되지 않았지만, PD 환자군에서 교통사고 건수는 적었다. PD 환자의 운전 중단에 관한 기준점에서의 유의미한 위험 인자는 고령, 누군가 타인이 운전해주길 바람, 사고

경력이 있다, 다른 이동수단이 있다, 운전 경력이 짧다, 시각인지장애, 인지기능, 도로주행시험에서 실점이 많았다는 특징이 나타났다. PD 환자의 경우는 조사를 시작할 때의 불안정한 자세와 교통 위반 이력이 사고와 관련이 있는 것으로 보였고, 연령이 어린 것과 도로주행시험 시 받은 실점이 교통 법규 위반과 관련이 있는 것으로 보였다. PD 운전자는 대조군의 고령 운전자에 비해 운전 중단을 하는 경우가 많다. PD 환자의 운동증상(Motor symptom)과 비운동 증상(Non motor symptom), 운전 경력 및 운전능력에 대한 검사가 PD 환자의 자동차 운전에 관한 결과 예측(Outcome prediction)에 도움이 될 가능성이 있었다.[9]

한편, PD 환자의 운전능력을 향상시키는 대책도 필요하다. PD 환자의 도로주행능력과 인지기능을 향상시키기 위한 드라이빙 시뮬레이터 훈련의 효과에 관한 검토로는 Hoehn과 Yahr 분류 1단계와 3단계 12명 중 9명은 훈련 전후에 합격하였고, 훈련 전에 불합격한 남은 3명은 훈련 후 전원 합격했다. 12명 모두가 훈련 전후에 운전능력과 인지기능이 향상되었다고 보고하였다.[10] 그 밖에도 시상하핵(Subthalamic nucleus)의 뇌심부자극치료법(Deep brain stimulation, 이하 DBS)을 받은 PD 환자는 약만 복용한 PD 운전자에 비해 운전을 안전하게 수행할 수 있었고, DBS는 운전 능력향상에 도움이 될 가능성을 보여주고 있었다.[11]

3 파킨슨병 환자의 운전능력에 대한 적절한 판단기준 구축

PD 환자의 운전능력에 대한 적절한 판단기준 및 가이드라인은 없다. 상기의 보고에 따르면 PD는 운동장애, 자세장애와 더불어 비운동 증상(Non motor symptoms)으로는 수면장애(Sleep dysfunction), 자율신경장애(Autonomic dysfunction) 등도 있다. 따라서 이것들이 운동기능에 악영향을 미칠 것이 충분히 예측되는 질환이지만 운전에도 악영향을 미치는 위험인자 인지를 잘 파악하여 조기에 운전을 중단하는 것은 사회적으로도 중요한 일이라 판단된다. 하지만 쉽게 결론을 내면 환자의 권리 박탈, 사회생활의 폭을 좁히게 되어 더욱 검토가 필요하다.

알츠하이머병(AD)과 운전면허

1 알츠하이머병의 역학

치매의 주요 원인질환은 AD이며 전 세계의 치매환자의 50~60%가 AD이다. 일본의 최신 전국 조사는 전국 6개 지역(니가타현 조에츠시, 이바라기현 도네마치, 아이치현 오부시, 시마네현 아마초, 오이타현 기츠키시, 사가현 이마리시)에서 65세 이상의 주민 약 5,000명을 대상으로 실시하였다. 치매 유병률은 평균 15.75%(12.4~22.2%)였다. 치매 유병률은 2010년 10% 정도로 예측되었을 때에 비해 명확하게 높다.(12) 치매의 유형은 AD가 가장 많은 65.8%, 다음으로 뇌혈관성 치매가 17.9%, 루이소체형 치매(일본에서는 레비소체형 치매)가 4.1%, 전두측두형 치매가 0.9%였다.(12)

2 알츠하이머 환자의 운전 실태

AD는 공간의 위치관계에 관한 이해가 저하되기 때문에 운전 중에 자동차의 위치를 알 수 없어 도로의 중앙선 밖으로 나가는 일도 있다. 면허를 가지고 있는 치매환자 83명(치매 종류로 분류하면 알츠하이머 치매 41명, 뇌혈관성 치매 20명, 전두측두엽 치매 22명)였다. 이중 AD군에서 16/41명(39%)이 교통사고를 일으켰고, 운전행동과 사고의 특징으로는 '목적지를 잊었다', '내 맘대로 운전(My way driving)', '주차장에서 주차선을 지키지 못함' 등이 있었다. 의학적 관리상의 문제로는 AD군의 63.4%가 면허갱신을 하였고 전원 갱신에 성공했다.(13)

유력 알츠하이머 치매(Probable AD)/가능 알츠하이머 치매(Possible AD)와 정상인을 대상으로 한 도로주행시험 행위에 관한 검토에서는 유력 알츠하이머 치매[Probable AD(임상적치매척도 Clinical dementia rating, CDR: 1)]와 가능 알츠하이머 치매[Possible AD (CDR 0.5)]는 정상인에 비해 운전능력이 현저하게 낮았다. 운전 실수의 특징으로는 부주의, 자동차 제어 곤란, 판단 에러, 낮은 속도였다.(14)

3 알츠하이머 환자의 운전능력에 대한 적절한 판단기준 구축

AD 환자의 운전능력에 대한 적절한 판단 기준 및 가이드라인은 없다. AD 환자가 경과 중에 운전능력이 떨어져서 사고 위험이 증가하는 일은 이미 보고되었다. AD 환자에 대해서 치매 진단은 물론 각각의 운전능력을 평가하는 것이 중요하다. 그러나 실제 임상현장에서 실시하는 인지기능평가 및 전신 중증도 평가만으로는 한계가 있어 최종적으로는 실기운전기능평가에서 판단해야 한다. 그러나 현재는 AD로 진단을 받으면 일본에서는 운전을 허가하지 않는다.

5 비경련성 간질지속증(NCSE)

2012년에 공표된 중증신경질환치료협회(Neurocritical Care Society)에서의 비경련성 간질지속증(Non−convulsive status epilepsy, NCSE)의 가이드라인은 기존의 30분 이상 지속으로 규정되었던 뇌전증 지속상태의 정의를 개정해서 '임상적 또는 전기적 뇌전증 활동이 최소 5분 이상 지속되는 경우, 또는 뇌전증 활동이 회복되지 않고 반복되면서 5분 이상 지속되는 경우'로 정의하였다. 이 가이드라인은 뇌전증 지속상태를 전신발작 간질지속증(Generalized convulsive status epilepticus,

GCSE)과 NCSE로 분류하고, NCSE를 복합 부분 발작형 NCSE와 결신 발작형 NCSE로 분류하였다.

따라서 NCSE는 경련이 없는 뇌전증 발작이 5분 이상 지속되는 상태이고 급성 또는 만성적으로 새로운 표현형을 보이는 뇌전증의 한 상태이다.[15] 뇌전증 연구에서는 이전부터 NCSE의 명칭이 사용되어왔지만, 그 개념과 임상상은 과거 약 20년 동안 크게 변화하였다. NCSE의 빈도는 높고 어느 정도 약물치료가 가능함에도 불구하고 일반적으로 치료에 대해 간과해 왔다. NCSE를 놓치면 사망률은 높고 지연성 혼수를 포함한 위독한 상태, 각종 장기부전, 치매 등이 될 수 있기 때문에 조기진단이 매우 중요하다.

또는 이미 교통사고 및 절도 등과 같은 사회적 문제를 일으킨 사례도 발생하고 있다. 예를 들면 2012년의 교토의 기온에서 경승합차에 치여 8명이 사망한 사고, 2013년 도쿄 이케부쿠로에서 의사의 폭주 운전 차량에 의해 5명이 사상한 사고가 있었다. 이러한 사례는 뇌전증발작, 특히 NCSE가 관여한 것으로 지적되고 있다. NCSE는 뇌혈관장애, 순환기질환과 함께 교통사고의 중요한 원인 병태 중 하나로 인식되어야 한다.

NCSE에는 고전적인 임상 양상과 함께 주로 2000년 이후에 인지된 새로운 임상 증상이 있다. 고전적인 임상 증상으로는 응시(Staring), 순목 반복(Repetitive blinking), 저작(Chewing), 삼키기(Swallowning), 자동증(Automatism), 의식혼탁(Clouding of consciousness) 등이 있다. 새로운 임상 양상으로는 필자가 처음 보고하고 개념화한 지연성 혼수상태(Protracted coma), 과환기 후 지연성 무호흡(Post−hyperventilation apnea), Kluver−Bucy 증후군, 팬터마임 형태의 안면운동(Facial pantomine), 뇌전증 관련 장기기능장애(Epilepsy−related organ dysfunction, Epi−ROD), 호흡부전(Acute apnea), 급성심정지(Acute cardiac arrest), 급성의식장애(Acute change of consciousness), 고차뇌기능장애(High cortical dysfunction) 등 다채로운 임상상이 보인다. 미국에서는 NCSE는 중환자실(ICU)에서 혼수 감별 대상으로 인식되고 있지만, 일본에서는 주로 신경학을 바탕으로 한 필자의 평가가 계속되고 있다. 미국 Johns Hopkins 대학 신경학 교수들과의 공동연구 성과를 바탕으로 NCSE의 임상 양상을 표 1에 나타내었다.[16]

NCSE의 진단에서 중요한 점은 임상 증상을 설명할 수 있는 이상 뇌파(Abnormal EEG)의 확인이다. 뇌파 검사는 신속하게 실시해야 하며 적절하게 지속적으로 뇌파 모니터링을 해야하며, 가능하면 비디오 뇌파 동시 모니터링 또는 진폭 연계 뇌파검사(Amplitude−integrated EEG, aEEG)를 실시하는 것이 바람직하다. 그러나 아무리 대학병원 및 고도의료기관이라고 해도 필요한 때(특히 야간)에 뇌파검사를 실시할 수 없는 경우가 많다. 그래서 신속 뇌파 모니터링을 가능하게 하기 위해 관계학회위원회에서 새로운 최신 뇌파전극과 헤드셋을 개발하였다.[17] 그 결과, 뇌파검사, 지속 뇌파 모니터링 검사의 활용이 대폭적으로 확대되었다. 이에 따라 급성혼수상태는 물론이고 다양한 신경증후, 비신경증후(급성심정지, 무호흡 외)에 대해 시간과 장소를 불문하고 신속하고 쉽게 응급실(ER), 외래(OPD), 일반병동(General ward), 일반 중환자실(General ICU), 신경계 중환자실(Neuro−ICU)까지 지속적인 실시간 뇌파 모니터링 시행, 순환, 호흡, 뇌기능 동시 신속 모니터링 시행이 가능해졌다.

우리는 1994년 단계에서 이미 뇌 검진으로 치매 및 뇌전증 발작과 같은 뇌혈관장애 이외의 질환 및 병태에 관한 판별검사(Screening test)의 필요성을 강조하였지만 아직 실현되고 있지 않다.[18] 현재, 운전자의 컨디션 불량에 기인한 교통사고의 원인 질환 및 병태는 뇌혈관장애, 치매, 뇌전증 발작이 가장 많고 건강진단, 건강검진, 뇌 검진에서 치매 및 뇌전증 발작 스크리닝은 중요한 과제이다. 우리는 이미 인지장애 판별검사와 더불어 상기에서 언급한 헤드셋과 신속 뇌파 모니터링을 사용한 뇌전증 발작 판별검사에 시작하였다.[17]

표 1. 비경련성간질지속증(NCSE)의 임상증상(문헌16에서 인용, 일부 개정)

고전적 임상 양상
복잡 부분 발작형: 응시, 순목 반복, 저작, 삼키기, 자동증, 의식변용
단순 부분 발작형: 명치부 불쾌감(Epigastric discomfort), 갈고리이랑발작(Uncinate fits), 환청(Auditory hallucination), 운동발작(Motor seizure), 감각이상(Somatosensory abnormality), 시각발작(Visual seizure) 등
새로운 임상 양상
의식장애 급성의식장애: 혼수, 의식혼탁, 의식 수준 변동 지연성 의식장애: 혼수, 의식 수준 변동 반복성 의식소실발작
일과성 신경발작(Transient neurological attack, TNA): 현기증, 휘청거림, 두통 포함
고차뇌기능장애: Wernicke 실어증, Broca 실어증, Kluver-Bucy 증후군, 건망증, 무관심, 작화, 환각성 망상, 섬망, 신체도식장애(Body schema disturbance)
인지장애 및 정신증상 치매(급성치매 포함), 이상행동 및 언동(지속적인 웃음 포함)
자동증: 쩝쩝거림, 훌쩍거림, 팬터마임 형태의 안면운동
안구운동: 공동편위(Conjugate deviation of eyes), 안구진탕(Nystagmus)
간대성 근경련(안면, 사지; Myoclonus of face and extremities): 발작 간헐기의 작은 간대성 근경련
자율신경장애(Automatic dysfunction): 소화기계, 심혈관계 외 급성 장기기능장애(뇌전증 관련 장기기능장애(=Epi-ROD) 급성 무호흡 및 호흡 정지: 과환기 후 지연성 무호흡 포함 급성 심정지, 다른 장기의 급성기능장애 및 기능부전 돌연사: 뇌전증 환자의 돌연사(Sudden unexpected death in epilepsy, SUDEP)

참고: 원인불명, 삽화적, 변동성, 반복성 신경증후 감별에 NCSE를 포함한다.
원인불명의 급성 장기기능장애로는 분명한 경련발작이 없어도 뇌전증 지속상태(경련성, 비경련성)을 감별한다.

6 의사의 책임과 역할

퇴행성 신경질환의 '증상'을 나타내는 진단서 작성에는 정확성과 신뢰성이 담보되어야 한다. 자동차 운전은 편리한 이동수단이면서 삶의 질(QOL)을 향상시키는 수단이기도 하다. 진단에 의해 생활의 질과 직결되는 권리를 박탈하게 된다. 그러나 퇴행성신경질환을 앓는 환자의 운전면허 취득 및 갱신 시에 적성을 평가하기 위한 가이드라인이 존재하지 않아, 신경과 전문의는 물론 가정의 등이 '병의 증상'을 진단하는 데 주저하는 경우도 적지 않을 것이다. 의사는 운전면허와 관련된 행정처분의 책임은 도로교통법상 공안위원회에 있다고 명시되어 있는 점을 잘 인식하고 적극적으로 진단해야 한다.

7 마치며

향후, 운전면허를 가진 퇴행성 신경질환 환자는 증가할 것으로 예상된다. 각 전문영역, 행정, 의료, 보건복지의 장벽을 넘는 연계 및 대책 구축이 중요하며 더불어 퇴행성 신경질환 환자의 운전적성을 판단하기 위한 포괄적인 운전평가 방법 강구가 시급한 과제이다.

참고문헌

(1) 警視庁ホームページ：運転免許統計 運転免許保有者数の年別推移.
(2) Jacobs M, et al. Driving with a neurodegenerative disorder：an overview of the current literature. J Neurol 2017;264:1678-96.
(3) Aksan N, et al. Cognitive functioning differentially predicts different dimensions of older drivers' on-road safety. Accid Anal Prev 2015;75:236-44.
(4) Meindorfner C, et al. Driving in Parkinson's disease：mobility, accidents, and sudden onset of sleep at the wheel. Mov Disord 2005;20:832-42.
(5) Dubinsky RM, et al. Driving in Parkinson's disease. Neurology 1991;41:517-20.
(7) Classen S, et al. Driving errors in Parkinson's disease：moving closer to predicting on-road outcomes. Am J Occup Ther 2014;68:77-85.
(8) Devos H, et al. Driving and of-road impairments underlying failure on road testing in Parkinson's disease. Mov Disord 2013;28:1949-56.
(9) Uc EY, et al. Real-life driving outcomes in Parkinson disease. Neurology 2011;76:1894-902.
(10) Devos H, et al. Use of a driving simulator to improve on-road driving performance and cognition in persons with Parkinson's disease:：a pilot study. Aust Occup Ther J 2016;63:408-14.
(11) Buhmann C, Gerloff C. Could deep brain stimulation help with driving for patients with Parkinson's? Expert Rev Med Devices. 2014;11(5):427–9. 20146) 高島千敬・他：パーキンソン病患者における自動車運転の実態調査. 総合リハ

(12) 朝田 隆. 厚生労働科学研究費補助金 認知症対策総合研究事業 認知症の実態把握に向けた総合的研究. 平成21年度～平成22年度総合研究報告書. 2011
(13) 上村直人・他. 認知症患者の自動車運転の実態と医師の役割. 精神科 11:43-49, 2007
(14) Stein AC, et al. Driving simulator performance in patients with possible and probable Alzhereimer's disease. Ann Adv Automot Med 55:325-334, 2011
(15) 井上有史・他. 鼎談 215;67:545-52.
(16) Nagayama M, et al. Novel clinical features of nonconvulsive status epilepticus. F1000Res. 2017;6:1690.
(17) 永山正雄. 神経集中治療における脳波モニタリング. 神経内科 2016;85:356-64.
(18) 永山正雄・他. 脳ドックにおける問診と一般臨床検査. 臨床成人病 1994;24:1329-32.

6 고차뇌기능장애

 '고차뇌기능장애'는 행정용어

후생노동성이 정의하는 진료수가상의 '고차뇌기능장애(Higher cortical function disorder)'는 표 1과 같이 'MRI, CT, 뇌파 등으로 확인되는 뇌의 기질적 병변'에 의한 '기억력장애, 주의력장애, 수행기능장애, 사회적 행동장애'를 말하고, '선천성 질환, 주산기의 뇌손상, 발달장애, 진행성 질환을 원인으로 하는 사람은 제외'한다고 되어 있다. 즉, 원인질환이 주로 뇌졸중, 외상성뇌손상, 저산소성 뇌질환, 뇌종양, 뇌염 등의 기질적 병변을 나타내는 경우만을 말한다.

1) 기억력장애(Memory disorder)는 작년에 있던 일을 기억하지 못하는 에피소드 기억장애를 말한다. 고차뇌기능장애 중에서도 빈도가 높은 장애이다.

2) 주의력장애(Attention disorder)는 쉽게 질리고 일을 오래하면 실수를 하는 등의 일정 시간 일에 집중할 수 없는 지속성 주의력 장애, 잡담 속에서 특정인과 대화하지 못하는 등 여러 일 중에서 하나를 추출해서 집중하는 것이 곤란한 선택성 주의력 장애, 화제가 바뀌면 따라가지 못하는 등 다른 일에 대한 주의를 전환하는 것이 곤란한 전환성 주의력 장애 등이 있다.

3) 수행기능장애(Executive function disorder)란, 목적을 가진 일련의 활동, 예를 들면 요리와 같은 가사동작을 스스로 효과적으로 수행하지 못하는 인지기능이 곤란한 장애이다. 즉, ① 마음속으로 목표를 정하고, ② 순서를 생각하고(계획=진행 절차), ③ 이를 위한 여러 방법 중에서 취사선택을 하고 ④ 이를 수행하고(결단), ⑤ 그 결과를 확인하는(피드백) 능력 전부를 말한다.

4) 사회적 행동장애(Socio-behavior disorder)로 후생노동성은 ① 의욕 및 발동성 저하, ② 감정 컨트롤 장애, ③ 대인 관계 장애, ④ 의존적 행동, ⑤ 고집을 예로 들었다.[1] 이러한 사회적 행동장애는 뇌손상이 없어도 충분히 일어날 수 있는 증상이다. 질환 및 외상에 의해 사회적 환경이 바뀌고 신체장애까지 발생하면 당연히 의욕은 저하하고 감정을 조절하기 어려울 수 있으나 이러한 환경 변화 및 심인성 요인에 기인하는 경우는 고차뇌기능장애의 범주에 들어가지 않는다.

건강보험 수가체계에서 뇌졸중 및 외상성 뇌손상 등 후천성 뇌손상에 의해 이러한 증상을 보일 때 '고차뇌기능장애'로 산정할 수 있다.

뇌손상 후 다양한 고차뇌기능장애가 표출

표 1의 4개 증상 중 주의력장애, 수행기능장애, 사회적 행동장애는 좌우 전두엽 손상으로 발생하기 쉬우며 임상 양상으로는 전두엽 후방영역[측두엽(Temporal lobe), 두정엽(Parietal lobe), 후두엽(Occipital lobe)] 손상 사례에서 많이 나타나며, 좌우별로 다음과 같은 인지장애가 나타난다. 행정용어가 아닌 학술적인 '고차뇌기능장애'이다. 그림 1에 좌우의 대뇌반구별로 임상현장에서 발현하기 쉬운 고차뇌기능장애를 간략하게 정리하였다.

표 1. 고차뇌기능장애의 진단기준(후생노동성) (문헌1에서 인용, 필자 수정)

Ⅰ. 주요 증상	1. 뇌의 기질적 병변의 원인이 되는 사고에 의한 손상 및 질병의 발병 사실이 확인되었다. 2. 현재, 일상생활 또는 사회생활에 제약이 있고 그 주요 원인이 기억력장애, 주의력장애, 수행기능장애, 사회적 행동장애 등의 인지장애이다.
Ⅱ. 검사소견	MRI, CT, 뇌파 등으로 인지장애의 원인으로 보이는 뇌의 기질적 병변의 존재가 확인되었거나 진단서로 뇌의 기질적 병변이 존재하는지 확인할 수 있다.
Ⅲ. 제외항목	1. 뇌의 기질적 병변에 의거한 인지장애 중 신체장애로 인정할 수 있는 증상을 보이지만 상기의 주요증상(Ⅰ-2)이 없는 사람은 제외한다. 2. 진단 시 손상 또는 발병 이전에 있던 증상과 검사소견은 제외한다. 3. 선천성 질환, 주산기의 뇌손상, 발달장애, 진행성 질환을 원인으로 하는 사람은 제외한다.
Ⅳ. 진단	1. Ⅰ~Ⅲ을 모두 만족한 경우에 고차뇌기능장애로 진단한다. 2. 고차뇌기능장애 진단은 뇌의 기질적 병변의 원인이 되는 외상 및 질환의 급성기 증상에서 벗어난 후에 실시한다. 3. 신경심리학적 검사 소견을 참고할 수 있다.

1 주로 좌측 측두엽과 두정엽의 손상에서 나타나기 쉬운 고차뇌기능장애

① 실어증(Aphasia): '말하기, 듣기, 읽기, 쓰기'의 장애. 각 실어증 환자는 이러한 증상이 다양한 난이도를 가지고 나타나며 여러 형태로 분류된다. 운동성 실어증(브로카 실어증)은 뇌의 운동영역에 근접한 하전두회(Inferior frontal gyrus)의 손상으로 발생하기 때문에 편측 마비가 합병되기 쉽다. 한편, 감각성 실어증은 상측두회 후방부(Posterior superior frontal gyrus)가 주로 손상을 받기 때문에 마비를 보이지 않는 경우도 많다. 후자는 전자에 비해 자신의 장애를 인식하지 못한다.

② 실행증(Apraxia): 양치하는 순서를 모른다. 머리를 빗을 줄 모른다 등 하나의 행동 방법을 잊는 장애. 행위 순서 자체가 소실된 병태를 관념-실행, 순서가 기억되지 않는 의도적인 행위(모방 및 언어명령에 의한 행위)가 곤란한 병태를 관념운동 행위상실(Ideomotor apraxia)이라 한다.

③ 실산증(Acalculia): 숫자 개념 소실 또는 계산 등 숫자의 조작능력 소실을 가리킨다. '3'의 의

미, 병실 호수의 의미를 모른다, 숫자의 의미는 알지만 계산이 어려운 예 등이 있다.

2 주로 우측 측두엽과 두정엽의 손상에서 나타나기 쉬운 고차뇌기능장애

① 왼쪽 편측 공간무시(Left hemi−spatial neglect): 좌측에 주의를 기울이지 못하는 장애. 휠체어를 움직이고 있어도 좌측에 있는 사람을 알아차리지 못한다. 그러나 시각로(Visual pathway)가 손상된 좌측 동측 반맹(Left homonymous hemianopsia)은 좌측 시야가 보이지 않지만 시야결손(Visual field defect)을 자각하고 있어서 머리를 왼쪽으로 돌려서 보려는 행동이 나타난다. 중증의 왼쪽 편측 공간무시를 보이는 환자는 중증의 좌측 편측 마비, 감각장애를 동반하기 쉽다.

② 지형학적 장애(Ageographia): 자신의 지리적 위치를 모르는 장애. 지형학적 장애는 잘 알고 있는 거리를 봐도 모르는 거리실인증(Scene agnosia)과 잘 알고 있는 길은 알지만 위치 관계를 모르는 경로장애(Defective route finding)로 구별한다.

③ 착의 실행증(Dressing apraxia): 옷의 좌우, 안팎의 위치 감각을 모르는 장애

④ 좌편측 신체실인증(Left hemi−anosognosia): 마비된 좌측 상하지에 주의를 기울이지 못하는 장애. 마비되어도 마비를 인식하지 못하고 마비된 상지를 아래에 깔고 자는 등의 증상을 나타내는 경우가 있다.

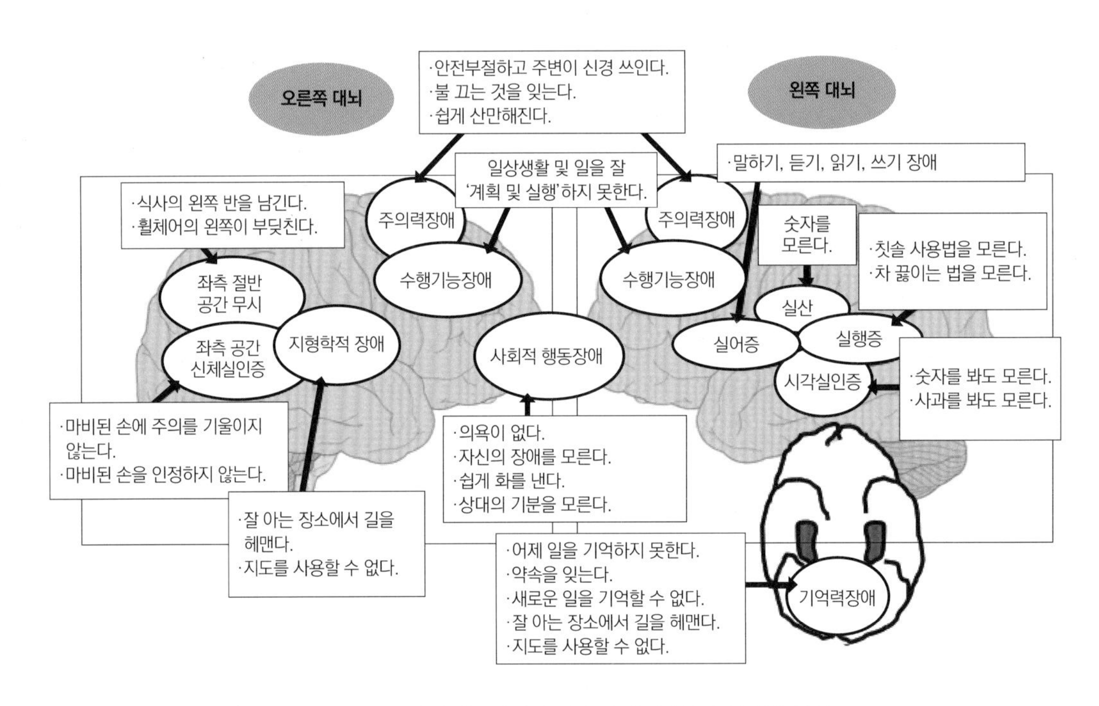

그림 1. 주요 고차뇌기능장애와 좌우의 대뇌반구상의 대응 부위

3 해마 손상으로 나타나기 쉬운 고차뇌기능장애

해마(Hippocampus)는 좌우의 측두엽 안쪽에 의지하는 취약성이 높은 조직 중의 하나이다. 따라서 앞서 언급하였듯이 기억력 장애의 발생 빈도는 높다.

① 에피소드 기억장애(Episodic memory disorder): 아침에 먹은 음식을 기억하지 못하는 등 과거의 일 기억장애

② 선행성 기억장애(Anterograde memory disorder): 정해진 시각에 약속을 할 수 없는 등 예정된 미래가 기억나지 않는 장애. 전두엽 손상으로도 나타난다.

4 후두엽과 두정엽의 손상에서 나타나기 쉬운 고차뇌기능장애

① 시각실인증(Visual agnosia): 시각정보는 후두엽에서 두정엽으로 정보를 전달하여 인지된다. 이 과정에서 물체의 '형태(Shape)'를 지각하지 못하는 수준의 장애를 시공간실인증(Visuo-spatial agnosia)이라고 한다. 이 경우, 문자 및 모양을 따라 그리지 못한다. 양쪽의 후두엽 또는 오른쪽 우위의 후두엽 손상으로 발현한다는 보고가 많다. 한편, 형태를 인지하는 것은 가능하고 묘사도 가능하지만 그 '의미'를 이해하지 못하는 장애를 연합형 시공간실인증(Association visuo-spatial agnosia)이라고 한다. 이 경우, 제시된 사물의 명칭도 용도도 말할 수 없다. 손상부위로는 양측 후두측두엽으로 보는 보고가 많다.

② 발린트 증후군(Balint syndrome): 발린트 증후군은 정신성 주시마비(Simultanagnosia), 시각성 주의력장애(Oculomotor apraxia), 시각성 실조(Optic ataxia)로 이루어진다. 정신성 주시마비는 정신적으로 어느 대상에 흥미가 있어도 주시할 수 없는 증후를 말한다. 한편, 시각성 주의력장애는 시각적으로 여러 대상이 입력되어도 하나의 대상만 인지할 수 있다. 시각성 실조는 시각 대상에 손을 뻗을 수 없는 증후를 말한다.

3 자동차 운전에 필수인 주요 고차뇌기능인 주의력기능, 수행기능, 시공간인지기능

Michon[(2)]은 운전 관련 인지기능에 대해서 3개의 계층구조를 제안했다(그림 2, 표 2). 즉, 운전 전체를 통괄하는 인지 단계[(어디에, 어떤 순서로, 언제 출발하고 언제쯤 도착할지, 날씨 및 정체의 영향을 고려한 경우의 운전 계획 및 변경 등 = 전략 단계(Strategical level)], 이어서 운전 중에 안전성에 배려하는 인지 수준[(주행 장소 및 장애물에 맞춘 스피드와 차간 거리 조정 등 = 전술 단계(Tactical level)], 그리고 기본적인 운전기술에 관한 인지 수준[(액셀, 브레이크, 핸들링 등의 조작 = 조작 단계(Operational level)]다.

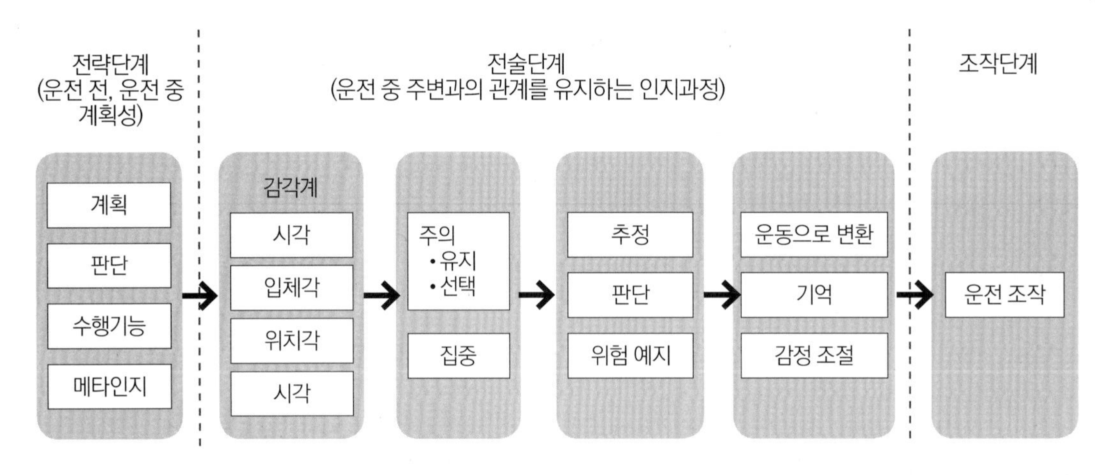

그림 2. 운전에 관한 개념적 모델(문헌2에서 인용, 필자 개정)

표 2. 자동차 운전의 개념적 모델과 대응하는 인지기능(문헌2에서 인용, 필자 수정)

	개념	구체적 행위	대응하는 인지기능
전략단계	운전 전 운전행위 전체의 계획을 세우고 운전 중에 계획을 변경하는 인지과정	목적지와 최선의 경로, 시간 선정, 위험 예측과 회피	수행기능(계획과 실행), 자기 능력 인식
전술단계	운전 중에 차량과 주변 관계를 조절하는 인지 과정	다른 자동차와의 차간 거리 유지, 속도 조절, 사람과 장애물 회피	주의기능, 수행기능, 시각주사능력, 시간추정능력, 시공간 인지기능, 시각 및 운동변환능력, 정보처리속도, 감정 조절
조작단계	운전 중에 자동차를 조작하는 인지과정	브레이크, 액셀, 핸들을 조작하고 일정 속도를 유지하고 주행 레인을 운전 조작	주의기능, 운동감각기능, 조작지식, 시각 및 운동변환능력

상기의 자동차 운전에 관한 인지기능을 그림 1에 비추어보면 먼저, 양측 전두엽(Bilateral frontal lobe)은 주의력 기능, 수행기능, 전망성 기억(예정을 기억하고 적절한 시기에 기억해내는 능력), 감정 조절을 주로 관장할 수 있다. 게다가 우측 두정엽(Right parietal lobe)은 시공간 인지기능을 주로 관장한다. 또한 좌측 두정엽(Left parietal lobe)에서는 액셀 및 브레이크 등의 조작순서를 관장하는 기능이 있다.

미국의학회의 가이드라인(3)은 안전한 자동차 운전을 실현하기 위해 ① 시각(시력 및 시야), ② 인지, ③ 운동 및 감각의 3가지 요소가 필요하다고 기술하였으며 인지에 관해서 표 3의 항목으로 설명하였다. 저자들(4)은 드라이빙 시뮬레이터 운전 중 뇌혈류 동태를 기능적 적외선 분광법(Functional infrared spectroscopy)으로 측정하여 운전 중에는 양측 전두엽(특히 우측 전두엽)을 중심으로 관찰하면서 양측 두정엽(특히 우측 두정엽)이 활동하는 사실을 확인하였다. 즉, 자동차를 안전하게 운전하려면 좌우 대뇌반구의 광범위한 고차뇌기능이 필요하다.

표 3. 운전능력에 관한 고차뇌기능의 스크리닝 항목(문헌3에서 인용, 필자 수정)

1	시각정보처리(시각성 인지 및 처리, 시각 탐색)
2	시공간 인지
3	단기기억, 장기기억, 작업기억
4	선택성 및 전환성 주의
5	수행기능(계획성, 판단)
6	언어
7	주의지속성

자동차 운전 재개를 위한 지원 순서(당원의 예)

본 병원에서는 뇌손상 후 운동능력을 평가하는 경우, 그림 3의 순서로 실시한다. 즉, 먼저 안전운전을 위한 필요조건(의학적으로 안정, 일상생활 자립, 장애 이해, 장애에 대한 운전보조장비 활용방법의 습득, 감정의 안정)이 갖추어져 있는지 확인한다. 이어서 뇌 MRI 소견을 통해 좌우 대뇌반구, 특히 양측 전두엽, 우측 두정엽에 손상으로 국한되어 있는 국소적 병변인지 확인한다. 대뇌피질이 넓게 손상된 경우에는 운전을 할 수 없다. 다음으로는 신경심리학적 검사를 하고 평가 결과가 기준치 이하로 떨어져 있지 않는지 확인한다. 그리고 이러한 조건을 만족한 경우에 운전면허학원에 실제 차량으로 운전 능력을 평가하도록 의뢰한다. 이를 통해 운전능력 적합도를 평가한다.

운전을 희망

↓

안전운전을 위한 필요조건

① 의학적으로 안정
② 일상생활 자립
③ 장애 이해
④ 장애에 대한 운전보조장치 활용에 대한 습득
⑤ 감정의 안정

↓

영상 검사	신경심리학적 검사
① 뇌 MRI (CT) ② 뇌혈류검사	① 지능검사 ② 기억력검사 ③ 시공간인지검사 ④ 주의력검사 ⑤ 언어기능검사

↓

본 병원 내 드라이빙 시뮬레이터

• 운전반응, 시가지 주행, 위험 예측 등을 평가

• 정상인 자료에 의거하여 운전능력 판정이 가능

↓

운전면허학원 내 실제 차량 운전평가

그림 3. 당원에서의 운전 재개까지의 흐름

5 운전이 가능한 고차뇌기능장애인의 안전운전을 위한 배려

일반적으로 고차뇌기능장애인이 새롭게 취업, 취학 등의 활동에 들어가는 경우, 개개인의 장애에 맞춘 환경조정(조용한 환경에서의 작업, 단순작업, 작업시간 단축 등) 등을 고려해야 한다. 자동차 운전을 다시 시작할 때도 마찬가지로 배려해야 할 주의사항을 열거하겠다.

●사전에 운전할 도로를 확인한다. 도로는 간단한 것으로 한다. 운전의 모든 과정은 망설이지

않고 명확하고 단순하게 하고, 교통정체와 같은 방해 자극이 적은 도로와 시간대를 미리 선정해 둔다.

- 운전하기 전에 컨디션이 좋은지 확인한다. 수면부족 및 피로감이 있으면 중단한다. 운전시간을 짧게 한다. 자주 휴식을 취한다. 고차뇌기능장애인 중에는 정신적 작업에 대해 인내력이 적어 쉽게 피로해하는 경우가 있다. 전날의 피로가 남아있는 경우에는 주의력장애, 수행기능장애가 나타나기 쉬우므로 중단한다.
- 야간 및 악천후에는 운전하지 않는다.
- 운전 중에는 말을 하지 않는다. 라디오 등을 듣지 않는다. 동시에 여러 과제를 하는 이중 과제는 주의를 배분해야 하므로 전두엽 앞쪽 피질(Prefrontal cortex)을 포함한 대뇌에 부하를 거는 결과가 된다. Just 등(5)은 기능적 MRI를 이용해서 운전을 하면서 말을 하는 내용이 올바른지 잘못인지를 판단하는 과제를 실시한 결과, 공간인지에 관한 두정엽의 활동이 37% 감소하는 것을 보고하였다.
- 속도를 높이지 않는다. 일반적으로 작업 부하(Workload)에는 난이도를 올리는 경우(질적 부하)와 속도를 높이는 경우(양적 부하)가 있다. 두가지 모두 주의집중력 및 더 많은 작업능력을 필요로 하기 때문에 전두엽 앞쪽 피질을 비롯해 대뇌에 부담이 된다. 따라서 뇌손상을 가진 환자의 경우, 속도를 올리는 것은 사고로 이어지기 쉽다. 일반적으로 동체시력(Dynamic visual acuity)은 정지시력(Static visual acuity)보다 떨어지기 때문에 운전속도를 지나치게 올리지 않는 것이 좋다.
- 운전시간을 짧게 한다. 자주 휴식을 취한다.
- 조수석에 동승자를 둔다. 운전능력 및 피로를 객관적으로 감지하고 수시로 조언한다.

참고문헌

(1) 厚生労働省社会・援護局障害保健福祉部・他：高次脳機能障害者支援の手引き 改訂第2版.

(2) Michon JA. A critical view of driver behavior models：What do we know, what should we do? In：Evans L, et al. (eds) Human behavior and traffic safety. Plenum Press 1985;pp485-520.

(3) The American Medical Association：Physician's Guide to Assessing and Counseling Older Drivers. https://www.nhtsa.gov/people/injury/olddrive/OlderDriversBook/pages/contents.html

(4) 渡邊 修・他. 脳損傷者の自動車運転中の脳血流動態—機能的近赤外分光法による計測—. 日本職業・災害医学会誌 2011;59:238-43.

(5) Just MA, et al. A decrease in brain activation associated with driving when listening to someone speak. Brain Res 2008;1205:70-80.

7 절단 · 운동기능장애

1 들어가며

절단이나 운동기능장애 발생 후 자동차 운전을 다시 시작하는 것(재개)은 생활자립, 사회, 직장 복귀를 가능하게 하는 중요한 과제이다. 퇴행성 슬관절병증이나 퇴행성 고관절병증 등의 운동기능 질환 수술 후에 일상생활에 커다란 장애가 없다면 운전을 재개하는 경우가 많다. 다만, 일본에서는 운전 재개시기에 관한 통일된 보고가 없고, 임상현장에서는 환자가 의사에게 의견을 물어 곤란한 경우가 있다. 하지 절단 환자의 경우, 통상적으로 좌하지 절단 환자는 오토매틱 자동차를 운전하는데 어려움이 없다. 그러나 우하지 절단 환자는 운전능력에 영향을 미치는 것을 쉽게 상상할 수 있다. 또한, 절단 환자나 운동장애 환자는 야간의 통증에 의한 수면장애로 운전 중 졸음, 그리고 진통제와 근이완제로 인한 졸음도 안전운전에 지장을 초래할 수 있다는 점도 고려해야 한다.

절단 환자나 운동장애 환자의 운전능력에 대해서 일본에서는 총론적인 보고가 없으며, 전문적으로 운전을 허가하거나 중단을 권고할 수 있는 증거도 없다. 해외 보고서에서도 언제 운전을 재개하는 게 좋은지, 어떤 개선이 필요한지, 어느 쪽 하지로 페달을 조작해야 하는지, 어떤 기능이 있으면 안전하게 운전할 수 있는지에 대한 통일된 보고가 없다. 따라서 이 책에서는 증거로서 확립된 바는 없지만, 일본의 보고서나 해외의 최근 연구고찰을 바탕으로 절단 환자, 운동장애 환자의 자동차 운전 재개에 관해 참고가 될 사항을 중심으로 소개하고자 한다.

2 절단

절단(Amputation) 환자의 운전에 대한 법률 규정은 일본 도로교통법 시행령 제33조의 2, 3에 면허 '거부 또는 보류 사유가 되는 질병 등'이 기재되어 있어, '자동차 등의 안전한 운전에 필요한 인지, 예측, 판단 또는 조작 중 어느 능력이라도 결여될 우려가 있는 증상'에 해당할 가능성이 있다. 다시 말하면, 절단 환자의 인지기능이 정상이라면 '조작(Manipulation)' 능력이 유지되고 있는가가 중요해진다. 또한, 대전제가 되는 사항은 면허취득 및 갱신 시에 공안위원회에서 실시하는 자동차 운전에 필요한 적성에 대한 면허시험(적성시험)의 기준을 충족시킬 수 있는가이다.

일본 도로교통법 시행규칙 제23조에 의하면 보통면허는 시력, 색채식별능력, 청력, 운동능력으로 규정된다(I-2「진단서 작성에 대해서」, 표 1, 10쪽 참조). 절단 환자는 운동능력이 기준을 충족하는지 확인이 필요하지만, 사지기능을 전부 사용하지 못하는 게 아니라 좌석에 앉을 수 있고, 운전보조 장치를 사용해서라도 조작능력이 있다면 운전이 가능하다. 예를 들면, 양쪽 하지절단이나 양쪽 고관절 이단(Bilateral hip disarticulation)으로 좌석밸런스 저하가 있어도 몸통 패드나 좌석유지 장치 사용, 안전밸트를 추가해서 운전좌석에 앉을 수 있다면 운전 재개는 가능하다. 또한 사지가 전부 결손되지 않았다면 일본 내에서도 삼지 절단 환자(양쪽 대퇴절단, 오른쪽 전완절단)[1]와 선천성 삼지 결손자(양쪽 대퇴절단, 왼쪽 상완절단)[2]의 운전에 관한 보고가 있다. 한쪽 팔이 남아 있는 사람이라면 중증 장애이기는 하지만 특수 운전장비 조작(Joystick level manipulation)으로 운전할 수 있는 자동차도 검토할 수 있다.

1 상지 절단

Fernandez[3]의 보고에서는 236명의 한쪽 상지 또는 하지 절단 환자 중 운전 재개는 하지보다 상지 절단 환자에게 유의미하고, 자동차 개조는 상지 절단이 빈도가 높았다. 또한 절단의 원인, 절단면, 의수 사용 유무에 따라 운전 재개에 미치는 영향과 상지절단 부위(Level)에 따라 운전능력에 미치는 영향은 없었다. 슬로베니아의 한 시설에서 조사한 바에 따르면 과거 5년 동안의 상지 절단 환자 중 30명이 운전평가를 받는데, 평균 2개(0~4개)의 운전보조 장치가 필요했다.[4] 보조 장치의 수와 절단할 때의 연령, 절단 부위, 교육력, 환지통(Phantom pain)의 중증도와는 상관이 없었다. 게다가, 의수의 종류도 보조 장치의 수에 영향을 미치지 않고, 대부분의 환자는 적어도 1개의 보조 장치가 안전운전에는 필요하다고 보고했다.

일본에서 양쪽 상지 절단에 대해 몇 편 보고[5~7]되었지만, 절단 가장자리 부분에 직접 또는 운전용 의수를 장착해서 스테어링 조작(Steering: 자동차의 핸들조작)이나 수동 액셀 및 브레이크를 조작할 필요가 있기 때문에 시판되는 스테어링(조타) 보조장치를 개량하거나 의수의 이음매 등의 개조, 부속장치 제작 등으로 고정성·조작성을 높일 필요가 있다(그림 1, 2). 운전 보조장치는 안전성을 충분히 고려해서 선택해야 한다.

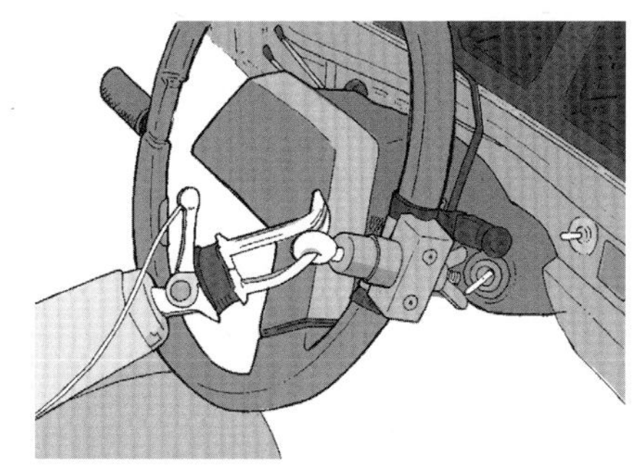
그림 1. 링식 조타 보조장치의 사용 예

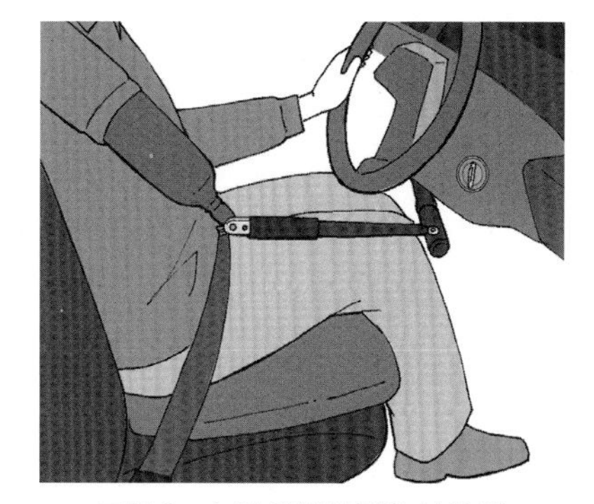
그림 2. 수동 운전장치의 사용 예
앞쪽 끝에 의수를 넣는 구멍이 있음

2 하지 절단

하지 절단 환자의 70~80%가 운전을 재개한다는 보고가 있다.[8~9] 여성의 경우는 60세 이상이거나 오른쪽 하지가 절단되었거나, 또는 하지가 절단되기 전에 운전을 많이 하지 않았던 경우에는 운전을 다시 시작하지 않는 경향이 많았고[9], 절단부위의 위치이나 절단 원인과는 관련이 없다는 보고가 있다.[10] 해외에서는 의족으로 페달을 조작하는 경우도 있고, 개조 없이 운전을 재개하는 사람도 많아 개조에 관한 명확한 기준은 없다.[8~9] 말레시아에서 절단 6개월 전에 운전했던 90명의 하지 절단 환자를 대상으로 한 조사[10]에서는 45.6%가 운전을 재개하고, 운전 재개자는 남성, 그리고 의족 장착자에게 유의미하게 많았으며, 절단부위의 위치에서는 차이가 없었다. 또한, 양쪽 하지 절단 환자 3명을 포함한 오른쪽 하지 절단 환자 18명 중 오른쪽 하지(의족)로 페달을 조작하는 액셀 페달 9명, 브레이크 페달 6명으로, 의족을 사용한 조작은 결코 적지 않았다. 자동차와 바이크에 관해서는 절단면의 차이로 운전 재개율에 차이가 없었다.

Meikle[11]은 오른쪽 하퇴 절단 환자 10명을 대상으로 우측 액셀 페달차를 운전할 때 ① 액셀·브레이크 둘 다 의족으로 조작, ② 액셀은 의족, 브레이크는 왼쪽 하지로 조작, ③ 액셀·브레이크 둘 다 왼쪽 하지로 조작하고, 좌측 액셀 페달차에서 ④ 액셀·브레이크 둘 다 왼쪽 하지로 조작한다는 4가지 조건으로 브레이크 반응시간을 검토했다. 그 결과, 조건 ②는 다른 3가지 조건에 비해 반응시간이 늦고, 조건 ③이 다른 3가지 조건에 비해 빨랐다. 어디까지나 오른쪽 하퇴 절단이지만 반드시 좌측 액셀 페달로 개조할 필요가 없고, 양쪽 하지로 조작하는 것은 권장하지 않으며 의족이어도 익숙한 오른쪽 하지로 조작하는 편이 큰 문제가 되지 않을 것이다. 다만, 일본에서는 보고서의 내용이 반드시 현 상황과 일치하지 않을 수 있으며 향후 조사가 필요하다.

3 운동기능장애

상지와 하지 정형외과 수술 후나 외상 후 운전 재개 시기에 관한 최근의 체계적 문헌고찰(Systemic review) 결과를 소개하겠다.[12] 브레이크 반응시간, 드라이빙 시뮬레이터, 표준 운전 코스 등의 측정결과로 검토한 연구가 34편이고, 환자 조사 데이터 검토가 14편이었다. 드라이빙 시뮬레이터와 환자 조사 데이터에서, 상지 움직임 고정(Upper limb fixation)보다 근위 및 원위 석고고정(Proximal and distal casting), 어깨 보조기 고정(Shoulder sling fixation)으로 인한 운전능력 장애가 있었다. 상지수술 후의 운전평가에서는 환자 조사 데이터가 유용하고, 건판 재건술 수술(Tendon reconstruction surgery) 후에는 수술 후 0~4개월(평균 2개월), 내시경으로 견봉하 제압술 수술(Endoscopic subacromial decompression surgery)의 경우는 수술 후 평균 1개월에 운전을 재개하였다. 좌우 견관절 전치환술(Shoulder arthroplasty)은 39%가 수술 후 1개월 이내, 94%가 약 1~3개월 후에 운전을 재개하였다. 수근관(Carpal tunnel) 수술은 수술 후 평균 9일로 운전을 재개하였다. 하지에 관해서는 브레이크 반응시간과 같은 운전 측정치는 오른쪽 인공 고관절 전치환술(Total hip arthroplasty, 이하 THA)과 오른쪽 인공 슬관절 전치환술(Total knee arthroplasty, 이하 TKA) 후, 무릎 전방십자인대(Anterior cruciate ligament, 이하 ACL) 수술 후에는 4주 후, 왼쪽 하지는 약 1주일 후에 수술 전 상태에 도달했다. 또한 오른쪽 중족골 뼈 절단 수술 후에는 6주, 족관절 골절 수술 후에는 9주, 오른쪽 경골고원골절 수술 등은 18주 후에 수술 전 상태로 돌아왔다는 보고가 있지만, 움직이지 않아서 변형이 생긴 환자는 운전 재개가 안전하지 않을 가능성이 있다. 보행검사(Step test)나 기립검사(Standing test)는 TKA나 ACL 재건술, 또는 다른 슬관절 내시경 수술 후의 브레이크 반응시간과 상관관계를 보였지만, 이러한 검사는 단순하고 비용이 저렴하며 운전에 대해 조언을 할 때 유용하므로, 앞으로 다른 수술 후에도 응용할 수 있는지 연구할 필요가 있다. 환자 조사 데이터에서는 좌·우 TKA 후에는 50%는 1개월, THA 후에는 6일~3개월 사이에 운전을

표 1. 하지 정형외과 수술 후의 운전 재개 시기(문헌12에서 인용, 필자 일부 변경)

	브레이크 반응시간 등 규정항목 정상화	환자 조사 데이터에서의 운전 재개 시기
우 족관절골절 수술	수술 후 9주 캐스트 제거 후 1~2주	
우 중족골뼈절단술	수술 후 6주	
제5 중족골 박리골절		보행화 치료 후 6주 단하지 캐스트 치료 후 12주
우 대퇴골·경골골간부골절수술	수술 후 12주 하중 개시 후 6주	
우 관절내골절수술 (경골고원골절·필론골절, 종골골절, 관골구골절)	수술 후 18주 하중 개시 후 6주	
ACL 재건술	우: 수술 후 4~6주 좌: 수술 후 2주 → 보행검사나 기립검사가 운전 능력 측정치와 상관있음	
슬관절경수술 우반월판부분절제술 연골형성술 진단적관절경검사	수술 후 1주 → 보행검사나 기립검사가 브레이크 반응시간과 상관있음	수술 후 1일~3주
TKA	우: 보통 수술 후 4주(수술 후 2~8주) → 보행검사가 모든 브레이크 시간의 최대 예측인자 좌: 수술 후 0~3주	우: 48%의 환자가 수술 후 1개월 이내 좌: 57%의 환자가 수술 후 1개월 이내 좌우 차이가 없는 보고: 수술 후 1개월 이내에 25%, 1~3개월에서 71% 추가
THA	우: 보통 수술 후 4주(수술 후 2~8주) 좌: 수술 후 1주 이후(~8주)	가장 빠른 보고에서 수술 후 6일 늦은 보고에서 수술 후 3개월
아킬레스건 봉합술		수술 후 평균 49일 → 모든 하중 시기와 상관있음

재개하였다. 표 1에 하지 정형외과 수술 후의 운전 재개 시기 등의 보고에 관하여, 기타 수술도 포함해서 나타내었다.

1 상지

해외에서는 건강한 사람이 부목(스프린트)이나 석고고정(캐스트)을 장착하고 운전능력을 평가한 보고서가 있다. Chong[13]은 30명의 경찰관에게 운전훈련 차원에서 상완(Upper arm)과 전완(Forearm) 부목을 좌우 어느 쪽에 장착하고 코스를 운전하게 한 결과, 부목을 장착한 사람 모두 운전능력이 저하되었다. 그 중 왼쪽 상완 부목이 다른 것과 비교해서 유의미하게 능력이 저하되었다. 상지 부동과 운전에 관한 고찰[14]에서도 다른 2편의 논문은 왼쪽 상완 부목을 사용했을 때 운전능력이 낮아져서 왼쪽 상완 부목 상태로 운전을 재개하는 것은 권장하지 않았다. Jones[15]는 20명의 건강한 사람에게 전완의 4종류의 다른 부목(엄지손가락 고정 있음 혹은 엄지손가락 고정 없음)이나 석고고정(엄지손가락 고정 있음 혹은 엄지손가락 고정 없음)을 각 전완에 장착하고 운전코스를 돌아 운전능력을 측정했다. 오른쪽과 왼쪽 모두 각 엄지손가락을 고정한 석고고정 때문에 제어가 부족해서 실패하는 경우가 많고, 어려움도 자각하고 있었다. 엄지손가락이 자유로운 왼쪽 전완 부목만이 어려움을 느끼는 정도가 대조군과 큰 차이가 없었다. 전완의 석고고정이나 부목을 사용하는 운전은 신중하게 해야 하지만, 엄지손가락을 고정하는 석고고정을 착용하고 운전하는 것은 권장하지 않았다.

Cholson[16]은 건판 재건 수술(Tendon reconstruction surgery) 후의 운전 재개에 관해서 수술 후 같은 날로부터 4개월 범위, 대략 1~3개월 후에 재개했다고 서술했다. 또한 자각적인 근력저하와 통증이 안전한 운전이나 조작 어려움과 상관관계를 나타낸다고 보고하고 있으며 자각 여부도 운전 재개에 대한 하나의 지표가 될 가능성을 나타냈다. 일본에서는 대형자동차 운전종사자에게 건판손상(Tendon injury)이라는 특징적인 보고가 있는데[17], 운전석 위치가 높기 때문에 차에 타고 내릴 때 견관절 외전(Shoulder abduction) 및 거상자세(Elevation position)를 무리하게 사용해서 부상을 입기 쉬운 것으로 보인다. 회복하는데 걸리는 평균기간은 67.2일이었고, 왼쪽 어깨의 경우는 시프트 레버 조작(Shift level)이 필요하기 때문에 오른쪽 어깨에 비해 회복이 늦는 경향이 보였다. 또한, 통증이 가벼운 정도라 해도 승차 때 어깨를 올릴 필요가 있고, 짐을 싣고 내릴 필요가 있기 때문에 노동업무에 종사하기가 곤란해지는 경우가 많아 작업의 재검토 등도 중요하다.

2 하지

인공 고관절 전치환술(THA)과 인공 슬관절 전치환술(TKA) 후의 운전 재개 시기는 언제부터 운전을 재개하는 것이 안전한가에 대한 합의는 얻지 못하고 있다. 최근 체계적인 문헌고찰[18]에서는 19편의 연구를 채용해서 전 브레이크 반응시간(Total break rating time, TBRT)은 수술 전과 비교해 보았다. 이때 THA는 수술 후 2주, TKA는 수술 후 4주에 수술 전 상태로 돌아온다고 보고하였으며, 운전 재개 시 조언할 수 있는 가능성이 보였다. 또한, 실제 환자 조사 데이터 결과에서는 수술 4주 후 운전을 다시 시작한 환자는 25% 이하이고, 6~8주 미만은 80% 정도였으며, 3개월 후에는 대부분의 환자가 운전을 재개하여 이런 데이터도 참고할 수 있다. 일본의 보고에서는 THA 수술 2주 후 브레이크 반응시간은 수술 전 상태와 동등하거나 그 이상으로 개선되었다. 다만, 실제 THA 수술 후의 활동조사에서는 수술 후에 자동차를 운전한 21명 중 수술 후 20명이 운전을 재개하였으며, 1개월 이내가 13명, 3개월 이내가 3명, 6개월 이내가 3명, 1년 이상이 1명이었다. 이는 해외보다 늦는 편이었고, 실제 운전 재개 시기는 신중하게 결정하는 사람이 많은 것 같다. 개개인의 증상에 따라 운전 재개 시기를 결정할 필요가 있을 것이다.

4 마치며

절단 환자·운동장애 환자의 운전 재개에 관해서 해외 문헌고찰 등을 중심으로 설명하였다. 이 분야의 운전 재개는 증거가 부족하여 이 책이 일본에서 운전 재개 시기에 관련해서 도움이 되길 기대한다.

참고문헌

(1) 中村春基・他. 三肢切断者のための自動車運転用操舵補助装置の開発. 日本義肢装具研究会 会報 1981;19:33-40.
(2) 飯島 浩・他. 自動車運転自立への運転システムの工夫—先天性形成不全（三肢欠損）の方と 先天性多発性関節拘縮症の方に対する支援. リハビリテーション研究紀要 2007;17:47-9.
(3) Fernandez A, et al. Performance of persons with juvenile-onset amputation in driving motor vehicles. Arch Phys Med Rehabil 2000;81:288-91.
(4) Burger H, et al. Driving ability following upper limb amputation. Prosth Orthot Int 2013;37:391-5.
(5) 松村豊子・他. 両上腕切断の義手による自動車運転. 作業療法 1989;8:121-5.
(6) 松尾彰久・他. 両上腕切断者の自動車運転. 義装会誌 1999;15:321-3.
(7) 吉村 理・他. 両上腕切断の車運転. 義装会誌 1996;12:350-1.
(8) Kegel B, et al. Functional capabilities of lower extremity amputees. Arch Phys Med Rehabil 1978;59:109-20.
(9) Boulias C, et al. Return to driving after lower-extremity amputation. Arch Phys Med Rehabil 2006;87:1183-88.
(10) Engkasan JP, et al. Ability to return to driving after major lower limb amputation. J Rehab Med 2012;44:19-23.
(11) Meikle B, et al. Driving pedal reaction times after right transtibial amputations. Arch Phys Med Rehabil 2006;87:390-4.
(12) DiSilvestro KJ, et al. When can I drive after orthopaedic surgery? a systematic review. Clin Orthop 2016;474:2557-70.
(13) Chong PY, et al. Driving with an arm immobilized in a splint：a randomized higher-order crossover trial. J Bone Joint Surg Am 2010;92:2263-69.

(14) Sandvall BK, et al. Driving with upper extremity immobilization：a comprehensive review. J Hand Surg Am 2015;40:1042-47.
(15) Jones EM, et al. The effects of below-elbow immobilization on driving performance. Injury 2017;48:327-31.
(16) Gholson JJ, et al. Return to driving after arthroscopic rotator cuff repair：patient-reported safety and maneuverability. F Surg Orthop Adv 2015;24:125-9.
(17) 山川 潤・他. 大型自動車運転従業者における腱板損傷の特徴と治療法の検討. 日職災医誌 2014;62:101-3.
(18) van der Velden CA, et al. When is it safe to resume driving after total hip and total knee arthroplasty? a meta-analysis of literature on post-operative brake reaction times. Bone Joint J 2017;99-B:566-76.
(19) 渡邊逸平・他. 人工股関節全置換術後の自動車の運転について ブレーキ動作からの検討. みんなの理学療法 2015;27:36-8.
(20) 梶原 健・他. 人工股関節全置換術後の活動調査. 東北理学療法学 2005;17:22-6.

8 퇴행성 경수증

1 퇴행성 경수증에 대한 기초지식

1 퇴행성 경추증, 퇴행성 경수증이란?

나이가 들거나 체중이 늘어나면서 경추 추간판(Cervical disc)이 변성되거나 협소화, 추체 내 골극 형성, 추간관절 변성, 경추기둥의 이상배열, 전·후종인대 또는 황색인대의 비후로 인한 어깨 결림, 경부~배부통, 어깨~상지통이 생긴 상태를 퇴행성 경추증(Degenerative cervical spondylosis)이라고 한다. 오랫동안 퇴행성 경추증이 진행되면 경수 신경근과 경수가 압박되고 경수영양혈관의 혈류가 막혀 사지에 통증 및 저림, 감각장애, 근력저하, 건반사 이상 등이 생기는데 이를 퇴행성 경수증(Degenerative myelopathy)이라고 한다. 퇴행성 경수증의 주 병변이 신경근 압박이면 경추성 신경근병증(Cervical radiculopathy)이라 하고, 경수 압박이면 경추성 척수증 또는 경수증이라고 한다. 이는 중·노년층의 연령대에 중위~하위 경추(제5~7경추)에 자주 나타나고, 여성에 비해 남성에게 2배 더 많이 발생한다.

퇴행성 경추증의 발병 빈도는 일반 인구의 10% 이상이지만, 2012년에 일본정형외과학회가 정형외과 외래에 초진환자로 내원한 약 86,000명을 조사한 결과, 환자의 약 4.7%가 변형성 경추증으로 그 수가 적었다. 그러나 뼈, 관절, 근육질환이 원인이 되어 고령자의 신체기능이 저하되는 운동기능저하 증후군(Locomotive syndrome)이 원인인 퇴행성 경추증의 발병빈도는 퇴행성 요추증, 퇴행성 슬관절증에 이어 3번째를 차지하고 있었다.

요추 추간판 탈출증과 퇴행성 슬관절병증은 환자의 약 10%가 수술치료를 받고 있지만, 퇴행성 경추증은 수술을 받은 환자가 2012년 조사에서 4.5%로 적었다.(1) 이러한 경향은 재활환자에게서도 나타나고, 2016년 하라주쿠(原宿) 재활병원에 입원한 환자 중에서 약 35%인 골관절질환 환자 114명 중 퇴행성 경수증 수술 후의 환자는 5명(4.4%)인 것으로 보아 퇴행성 경수증은 수술치료가 필요한 환자가 적다고 추정할 수 있다. 그러나 5명의 평균연령은 80.8세로 나이가 많고, 대부분 혼자서 걷지 못했다. 수술 후에 지팡이를 짚고 혼자서 밖을 다닐 수 없는 중증 퇴행성 경수증 환자에게는 자동차의 구조를 개량해도 운전 재개를 기대할 수 없는 경우가 많으므로 신경증상의 악화 상황에 따라 수술하는 것이 바람직하다.(2)

퇴행성 경수증은 운전 재개를 기대할 수 없을 정도로 중증인 사례가 적지만, 경증 사례에서도 상하지의 감각이상, 근력저하, 자율신경증상, 추체로장애(Pyramidal tract disorder), 손가락의 운동기능저하 등 운전과 관련된 위험성을 상세하게 조사해서, 치료와 자동차의 구조를 개량해서 운전을 기대할 수 있을지에 대한 검토를 필요로 하는 사례가 많다.

2 퇴행성 경추증, 퇴행성 경수증의 임상증상

중·노년층에서 계속되는 어깨 결림, 경부~배부통, 어깨~상지통을 피하려고 자연스런 경추 전만 커브(Cervical lordotic curve)를 변화시키면 상하지에 신경증상이 없는 것과 영상 소견에 맞춰서 퇴행성 경추증이라 진단한다. 또한 퇴행성 경추증의 약 50% 정도의 사례에서는 추간관절의 이상한 움직임, 척추배열 이상 등에 따른 경·항부근의 과긴장, 과긴장에 동반하는 근육의 허혈(Ischemia)에 의한 어깨 결림과 통증을 보인다.

퇴행성 경추증이 오랜 시일에 걸쳐 서서히 진행되어 경수 신경근과 경수를 압박하여 '경부통(Neck pain)', '상지에 방사하는 저림·통증(Radiating pain)', '보행장애(Gait disturbance)·휘청거림(Ataxia)'이라는 3대 주된 증상이 생긴 경우에는 퇴행성 경수증을 의심한다.

퇴행성 경수증은 경부~배부~어깨~상지로의 방사통, 상하지의 감각 운동장애, 추체로장애, 자율신경증상을 나타내기 때문에 이런 것들을 ① 신경근증상, ② 척수증상, ③ 자율신경증상(Barré–Liéou syndrome or Cervicocranial syndrome)이라는 3가지 유형의 임상신경증상으로 나누어서 설명하겠다.

(1) 신경근증상

경추신경근병증(Cervical radiculopathy)은 신경근이 퇴행성 추간공(Degenerative intervertebral foramen)에서 압박되어 강한 후두부 통증, 목 측면 통증, 어깨 안쪽부 통증, 환측 어깨~상지의 저림 및 방사통(Radiating pain)이 생긴다. 그림 1에 나타낸 머리 압박 검사(Head compression test; 머리 정수리 부위에서 몸통을 향해 양손으로 압박), 스퍼링 검사(Spurling test; 경추를 가볍게 신전시킨 후 병변측으로 구부림), 잭슨 어깨 누름 검사(Jackson shoulder depression test; 목을 건강한 쪽 옆으로 구부리고, 병변쪽 어깨를 아래쪽으로 당김) 등 신경근의 압박증상 유발 테스트로 통증이나 신경증상이 발현되거나 심해지면 경추증성 신경근병증으로 임상적으로 진단할 수 있다.

경수에서의 신경섬유(Nerve fiber)는 그림 2에 나타낸 것처럼 상완 신경총(Brachial plexus)을 거쳐 근피신경(Musculocutaneous nerve), 정중신경(Median nerve), 요골신경(Radial nerve), 척골신경(Ulnar nerve) 등으로 갈라져서 근육과 피부를 지배하기 때문에 하나의 경수 고위의 신경근병증이라도 상지의 피부감각 이상(Cutaneous sensory abnormality), 근력저하(Muscle weakness), 건반사 이상(Tendon reflex abnormality)의 분포는 복잡하다. 예를 들면, 제5경수 신경근(Cervical root)에서의 신경근 압박으로는 삼각근(Deltoid muscle)·상완 이두근(Biceps brachii muscle)의 근력저하와 상완 외측의 피부감각이상(Cutaneous sensory abnormality), 제6경수 신경근(Cervical root)에서는 상완 이

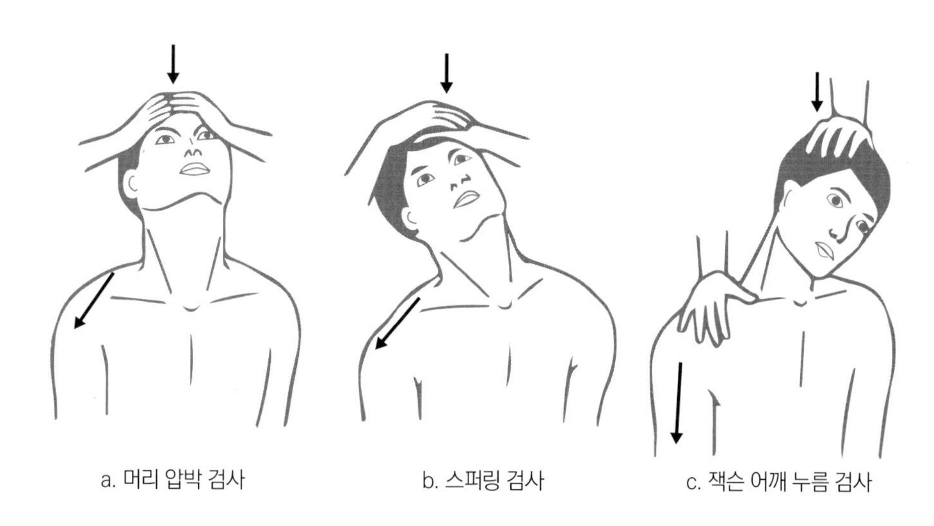

그림 1. 경추성 신경근병증에서의 신경근증상 유발 테스트

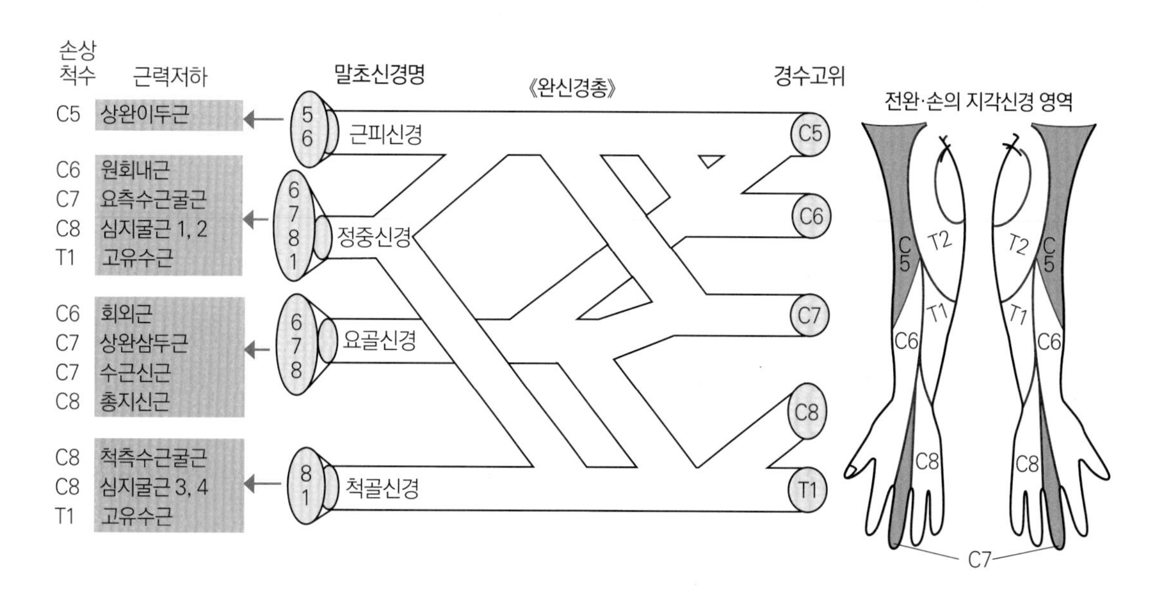

그림 2. 경수신경근에서 손가락으로 향하는 신경선유의 주행경로

두근(Biceps brachii muscle)·회내근(Pronator muscle)·회외근(Supinator muscle)의 근력저하와 요측 전완(Radial forearm)·엄지손가락(Thumb)의 피부감각이상, 제7경수 신경근(Cervical root)에서는 상완 삼두근(Triceps brachii muscle)·손목 신전근(Wrist extensor muscle)·손가락 신전근(Finger extensor muscle)의 근력저하와 가운데 손가락(3rd finger)의 감각이상, 제8경수 신경근(Cervical root)에서는 손가락 굴곡근(Finger flexor muscle)·손 내재근(Hand intrinsic muscle)의 근력저하와 요측 전완

(Radial forearm) 및 새끼손가락의 피부감각이상(Little finger sensory abnormality), 제1흉수 신경근(Thoracic root)에서는 손 내재근(Hand intrinsic muscle)의 근력저하와 척측 전완(Ulnar forearm)의 감각이상을 초래하는 경우가 많다. 도수근력 검사(Manual muscle test)에서 근력저하를 나타내는 근육이름을 확인하고 피부감각이상 부위를 조사해서 압박되는 경수 고위의 신경근을 임상적으로 진단한다.

(2) 척수증상

경추를 가볍게 굽히는 경수압박 테스트는 척추증상을 높이기 때문에 진단에 유용하다. 장기간에 걸쳐 척수가 압박되어 운동 및 피부감각신경세포가 손상되면 어깨~상지에 저림 및 통증, 말초신경장애와 같은 상지의 건반사, 근력, 피부감각 저하가 생긴다. 이 때문에 심신장애가 없는 사람은 10초간 손가락을 20~25회 이상 쥐었다 폈다 할 수 있는 검사(10 seconds grip and release test)에서 20회 이하로 감소하고, 셔츠의 가장 윗 단추를 끼울 수 없다거나 젓가락질을 잘할 수 없다거나 물건을 떨어뜨리거나 돈 계산을 할 수 없는 등 손가락의 치밀한 운동능력이 저하된다.[3]

압박 및 혈액순환장애로 인해 손상된 경수 신경은 척수고위를 통과하는 운동신경로, 심부감각(Proprioception and position sense, 고유감각과 위치감각) 신경로, 해당 추체로(Pyramidal tract)와 연결된 근육의 근력저하와 피부 및 심부감각장애(Cutaneous and deep sensory abnormality)가 생기고, 새끼손가락을 안으로 돌리기 어려워지는 경우가 많다. 일반적으로는 하지의 건반사는 항진하지만, 제5·6경수가 압박되면 제7경수신경섬유가 분포하고 있는 상완삼두근(Triceps brachii muscle)의 건반사가 항진해지는 것처럼 상지의 건반사도 심해진다. 근력저하로 10초간 제자리걸음이 20회 이하가 되면 불안정한 보행양상을 보이며, 위치감각장애는 술 취한 사람처럼 양하지를 벌리고 걷는 실조보행(Ataxic gait)이 된다. 추체로 장애는 심부건반사항진과 병적인 바빈스키 반사(Babinski reflex)에 기인하여 뛰는 듯이 걷는 경직성 보행(Spastic gait)이 나타난다. 방광직장반사장애(Vesico−rectal reflex abnormality)로서는 잔뇨감(Residual urine sensation)이나 빈뇨(Frequency urination), 요실금(Uninary incontinence) 등이 생긴다.

(3) 경수 압박에 의한 자율신경증상(바레리우 증후군)

퇴행성 경수증에 의한 추골동맥(Vertebral artery)의 혈류저하 및 골극형성(Osteophyte formation)에 따라 교감신경(Sympathetic nerve)이 자극되어 안면통증, 안면홍조, 이명, 두통 등 바레리우 증후군(Barré−Liéou syndrome)이라고 하는 자율신경증상이 생긴다.

퇴행성 경추병증(Degenerative cervical spondylosis)에서는 경추병변에 의한 어깨 결림·통증 등의 임상증상이 나타나고 경추성 신경근병증(Cervical radiculopathy)에서는 압박 신경근(Compression nerve root)에 일치한 통증 및 저림, 감각장애, 근력저하, 근위축을 보인다. 경추성 척수병증(Cervical myelopathy)에서는 압박척수 고위에 일치한 지각·운동장애와 압박척수 고위 이하의 운동장애 및 심부감각장애, 추체로장애, 자율신경증상이 섞인 복잡한 임상증상 및 소견을 나타낸다. 이처럼 오랜 시간이 지나서 나타나는 복잡한 병변·소견·증상은 경수의 급성압박에 기인하는 경수부 탈출에 의한 신경증상·소견보다도 복잡하다. 한편, 신경증상·소견의 특징 및 근전도 검사(EMG test)에서 중증 근무력증(Myasthenia gravis) 및 다발성경화증(Multiple sclerosis) 등의 신경내과질환, 수근관증후군(Carpal tunnel syndrome) 등의 정형외과 질환 등을 감별하는 것도 중요하다.

3 퇴행성 경수증의 영상 진단

퇴행성 경추증 및 경수증 진단을 확정할 때 임상증상과 함께 방사선(X선) 영상소견이 중요하다. 특히 그림 3–a에 나타난 것과 같이 경추측면 X선상에서 경추 전만(Cervical lordosis) 증강 등의 경추주 이상, 추간판 협소화, 추체전연·후연의 골극 돌출을 영상 판독할 수 있으며, 이러한 소견은 진단확정에 크게 기여한다. 경추의 정면 X선상에서는 추간판 협소화와 그 양쪽 끝에서 비스듬하게 위쪽으로 늘어나는 루시카 관절(Luschka joint)의 협소화·경화를 영상 판독해서 퇴행성 경추증으로 진단한다.

사위(Oblique)방향 방사선 영상검사에서 추간 관절 변성으로 추간공의 크기가 1/4~1/5까지 좁아지면 경추성 신경근병증으로 영상 진단을 할 수 있다.

경수가 팽대해진 제5경추 신경근에서 척추관(Vertebral canal)에 돌출한 골극(Osteophyte)에 의

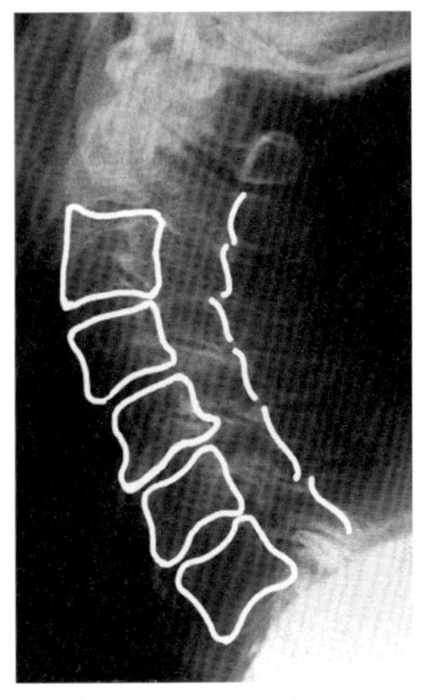

a. 경추측면 X선상: 경추전만이 증강하고, 제5·6경추 추체간 고위의 추간판이 협소화. 이러한 2추체 전방에 커다란, 후방에 작은 골극을 영상판독할 수 있다.

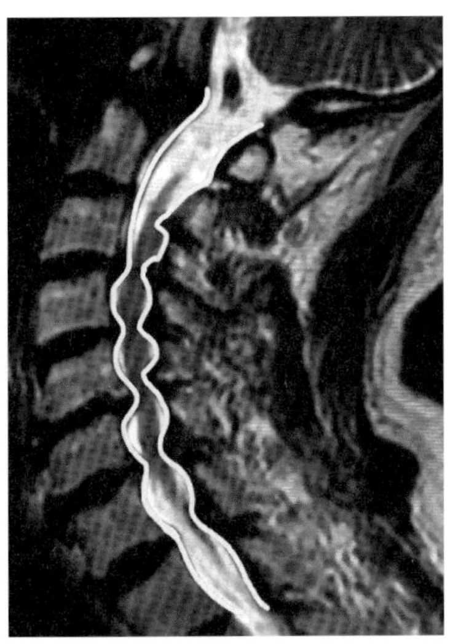

b. MR 영상: T2 강조시상 영상. 제3-4경추간 고위 ~ 제6-7경추간 고위에서 경수는 전방에서 추간판·골극, 후방에서 황색인대로 압박. 경수는 가늘어지고 주위의 지방조직이 소실되어 있다.

그림 3. 경추성 척수증으로 보이는 단순 X선 검사(a)와 MRI 검사(b)의 도식
a, b 둘 다 경추성 척수증을 갖고 있는 78세 남성 영상 검사 결과

해 척주관 전후 직경이 남성에서는 14mm 이하, 여성에서는 12mm 이하로 좁아지면 경추증성 척수증으로 영상 진단을 할 수 있다. 경추의 경미한 후방 굴전으로 경추체(Cervical vertebral body)가 3mm 이상 경사지거나 경추체가 후방으로 경사져서 위쪽 경추의 척추체후연과 아래쪽 척추체의 추궁·비후 황색인대 사이에서 척수가 압박되는 핀서 메커니즘(Pincer mechanism)이 생기면 경추성 척수증으로 영상 진단을 할 수 있다.

그림 3-b의 경추 MRI의 T2 강조시상 절단면 영상 화면에서 나타내는 것과 같이 제3,4-제6,7경추 간 신경근에서 척수와 척수 주위의 하얀 지방조직이 앞뒤에서 압박되어 있으면 경추성 척수증으로 진단할 수 있다.

그림 4의 MRI 횡단면 영상에 나타난 것과 같이 척수와 척수 주위의 하얀 지방조직이 전방에서 후종인대 및 골극의 연골로 인해 후방에서 비후한 황색인대가 압박해서 본래 타원형의 척수 횡단면이 흑백색 반점의 3각형으로 변형되면 경추성 척수증으로 진단할 수 있다. 척수가 더욱 강한 압박을 받아 중증인 경추성 척수증이 되면 초승달 횡단면으로 변형되어 부종 및 신경탈락으로 하얀 고 신호 영역의 척수 병상을 보인다. MRI 검사 영상에서 추간공 부위에서 신경근이 압박되면 경추성 척수증으로 영상 진단할 수 있다. 진단에 가장 도움이 되는 것은 경추 MRI 검사 결과이지만, 임상증상과 소견, 경추 단순 방사선검사(X선)로 경추 병변의 정도와 범위를 종합적으로 진단할 필요가 있다.

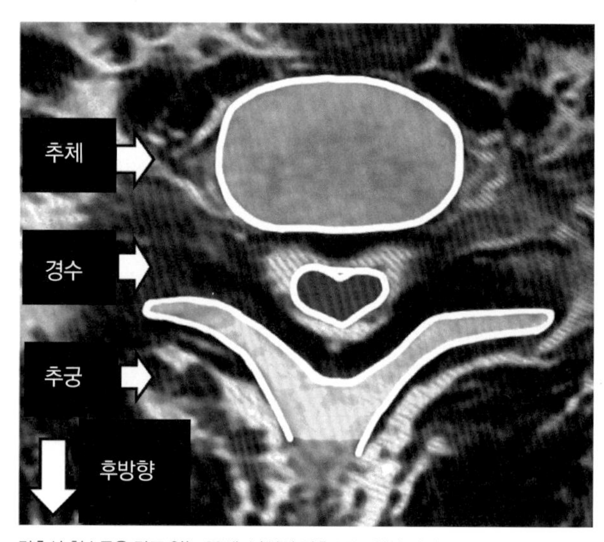

경추성 척수증을 갖고 있는 83세. 남성의 경추 MRI 영상 단면.
상방에 커다란 타원형의 경추체, 그 아래에 하얀 지방조직에 둘러싸여 있는 3각형의 경수, 더욱이 하방에 하얀 술잔모양의 경추궁을 영상 판독할 수 있다. 경추체의 후방, 경수와의 사이의 검은 띠 모양의 상은 추체에서의 골연골 돌기(골극). 추체의 후방, 추궁과 경수와의 사이의 검은 띠 모양의 상은 황색인대의 비후. 이러한 경수 주위 조직의 압박으로 본래 타원형이었던 경수가 3각형으로 변형되어 있다.

그림 4. 경추성 척수증의 MRI 횡단 영상 화면

4 퇴행성 경수증의 치료와 예후

퇴행성 경수증에는 우선 소염진통제, 근이완제, 정신안정제 투여 및 국소온열요법, 단기간의 보조기 고정치료 등의 보존적 치료를 시행하며, 오랜 시간 보존적 치료를 받은 120 사례의 퇴행성 경추증 환자의 75%는 병상이 진행됐다는 보고가 있다. 그래서 경추의 반복후굴에 의한 아주 작은 외상이 축적되지 않도록 환자에게 경추후굴을 초래하는 수영, 체조, 수면 시 높은 베개 사용, 양치할 때 입 헹굼, 세탁물 건조, 컴퓨터 조작, 이발소에서의 면도질 등을 피하도록 지도한다.[4]

퇴행성 경수증의 심각한 증상이나 사지마비 등은 난폭한 자동차 운전 시 빈번한 경추의 앞뒤 움직임이나 음주 후 가볍게 넘어질 때 나타나기 쉽고, 예후에도 영향을 미친다.

퇴행성 경수증도 퇴행성 경추증과 같은 보존적 치료를 시행해서 자율신경증상이 심해지면 성상신경(Stellate ganglion)을 차단하고, 신경근증상이 심해지면 신경근(Nerve root)을 차단한다. 경추성 신경근증으로 인한 뚜렷한 상지통증 및 손가락 운동기능 저하 또는 경추증성 척수증으로 인한 불안정보행, 실조보행 및 경직성 보행, 방광직장장애로 인해 일상생활에 지장이 있는 경우에는 신경근 또는 경수의 압박을 제거(Decompression)하지만, 일상생활에 지장을 줄 정도의 중증이 되기 전에 적절한 시기에 수술할 것을 권장한다. 신경근증상을 개선하기 위해서는 추간공 확대술로 신경근 압박을 제거하고, 경수압박증상에 대해서는 척주관을 확대하는 추궁성형술로 경추후방에서 경추극의 돌기를 분할하고 척주관을 싸고 있는 추궁을 절제한다. 경추전만 소실 등 현저한 경추부 이상에 대해서는 경추부 교정술로, 경추전방에서 척주관내 및 추간공에 돌출되어 있는 골극과 추간판을 적출한다. 이 수술을 해도 경추전방에서 견고하게 추체를 고정할 수 없을 때는 수술 후에 복잡한 외부 고정장치(Halovest, 할로베스트)를 장착하지만, 최근에는 추궁근 스크류(Scew fixation)로 견고하게 안쪽을 고정할 수 있어서 환자에게 도움이 된다.[5] 경추부 고정 후에 생기기 쉬운 제5경수 신경마비는 대부분 자연스럽게 개선된다.

퇴행성 경수증 환자의 자동차 운전

1 퇴행성 경수증 위험이 자동차 운전에 어떻게 관련되는가?

자동차 운전 위험에 관해서는 임상연구가 진행되고 있는 뇌졸중 및 두부외상 환자의 위험도를 참고하여 퇴행성 경수증 환자에 대해서 서술하겠다. 다케하라(竹原)[6]의 보고에서는 운전 재개를 한 뇌졸중 환자 42명의 절반은 운전에 불안감을 느끼고, 그 1/3의 환자는 몸을 움직이기 어려워하거나 같은 수의 환자는 집중력 지속 곤란 및 판단력 저하에 대한 불안감을 느끼며 운전하고 있었다. 이런 일로 퇴행성 경수증 환자의 운전 위험성을 묵살하거나 너무 경계하여 운전을 금지하지 않도록 6항목의 뇌졸중 환자의 자동차 운전 허가 여부 판단을 참고로 해서 퇴행성 척수증 환자의 운전 위험을 서술하고자 한다.

(1) 상지가 편마비라도 자동차 레버(Lever) 개량으로 운전 가능

(2) 하지가 편마비 및 양쪽 마비라도 지팡이나 장비를 사용하여 혼자 걸을 수 있다면 자동차 페달(액셀 브레이크)을 개량해서 운전 가능

(3) 편측 상지의 피부·심부감각이 완전히 사라져도 자동차를 개량해서 운전 가능

(4) 오른쪽 하지의 심부감각이 완전히 사라져서 페달을 확인하기 위해 전방을 부주의하기 쉽고, 페달 밟는 정도를 알 수 없다고 해도 자동차를 개량해서 운전 가능

(5) 오른쪽 족관절의 바닥쪽 굽힘근력(Plantar flexion)이 약하고 장거리 운전으로 피로하거나 추체로장애로 오른쪽 하지에 간헐성 경련이 생겨서 페달 조작에 지장이 생겨도 자동차를 개량해서 운전 가능

(6) 바레리우 증후군으로서 안면통증, 안면홍조, 이명, 두통 등이 생기는 경우, 심한 정도에 따라 운전 허가 여부는 신중히 판단

2 퇴행성 경수증 환자로 운전 재개가 기대할 수 있는 경우와 기대할 수 없는 경우

편측 상지에 현저한 근력저하 및 피부감각 소실을 보이는 경추성 신경근병증 환자는 핸들 옆 레버 변환이 곤란하다거나 위치 및 방향 변환을 눈으로 직접 확인해야 하지만, 건측 상지로 조작할 수 있도록 자동차를 개조하면 운전 재개는 기대할 수 있다. 경추성 척수증으로 오른쪽 하지에 현저한 피부감각 및 심부감각장애, 근력저하, 간헐성 경련이 나타나면 페달에 정확히 발바닥을 닿게 할 수 없다. 또한 페달 위치와 밟는 정도를 알 수 없고, 신속하고 강하게 페달을 밟을 수 없다. 장시간 운전 중에는 근육 피로로 페달에서 발을 뗄 수 없다는 등의 상황이 될 수 있지만, 왼쪽 하지로 페달을 조작할 수 있도록 자동차를 개조하면 운전 재개를 기대할 수 있다.

어깨, 팔꿈치, 손가락 움직임이 제한될 정도의 강한 어깨~상지통증, 냉정함을 결여한 것 같은 격한 바레리우 증후군, 실금에 대한 불안감이 지속되는 방광직장장애 등에서는 판단능력이 저하되기 때문에 안전운전을 기대할 수 없다. 그러나 약물요법, 온열요법 및 실금 케어로 정신증상 및 심리상태가 개선되면 운전 재개는 기대할 수 있다.

지팡이나 장비를 사용해도 혼자서 걸을 수 없는 고령의 퇴행성 경수증 환자는 지병에 기인한 현저한 양하지 감각 및 운동마비과 더불어 다양한 노년증후군이 운전 재개에 필요한 판단능력과 조작능력을 저하했을 가능성이 있다. 이러한 환자는 자동차의 구조를 개량해도 운전 재개를 기대할 수 없는 경우가 많다.

(1) 中村耕三. ロコモティブシンドロームの概念と疫学 概要(特集 ロコモティブシンドロームの すべて) 日医雑誌 2015;144:S30-S33.
(2) 松本守雄・他. 自然経過から見た頚髄症の治療方針,脊椎脊髄 2005;18:853-7.
(3) 小野啓朗 : Myelopathy hand と頚髄症の可逆性,別冊整形外科 1982;2:10-7.
(4) 日本整形外科学会診療ガイドライン委員会頚椎症性脊髄症ガイドライン策定委員会(編) : 頚椎症性脊髄症ガイドライン南江堂. 2005;pp53-55.
(5) Yukawa Y, et al. Anterior cervical pedicle screw and plate fixation using fluoroscope-assisted pedicle axis view imaging : a preliminary report of a new cervical reconstruction technique. Eur Spine J 2009;18:911-6.
(6) 武原 格・他. 臨床医の判断一医学的診断書の作成に当たって、林 泰史・他(監) : 脳卒中・脳外傷者のための自動車運転 第2版,三輪書店;2016. pp128-136.

9 심장질환

들어가며

현대 시대에 자동차는 반드시 필요한 이동 수단이다. 산업과 경제활동을 지탱하고 일상생활을 영위할 수 있게 한다. 특히 지방에서는 인구감소, 저출산 및 고령화, 대중교통의 쇠퇴로 이동 시 자동차에 의존하고 있으며 운전자도 고령화되고 있다. 해외에서는 질병을 이유로 운전이 제한되어도 많은 사람이 명령에 따르지 않았다는 보고가 있다. 자동차의 필요성을 생각하면 수긍되는 부분도 있지만 결코 긍정할 수만은 없다.

자동차 운전을 고려한 진찰에서는 일반적으로 예후가 양호한 질환이어도 운전 중에 발작이 일어난 경우, 막대한 손해를 끼치고 타인에게 피해를 주는 상황을 충분히 고려하지 않으면 안 된다. 한편으로는 운전자의 삶의 질에 영향을 미치기 때문에 고민해야 한다.

표 1. 실신환자의 자동차 운전에 관한 지침(ESC 가이드라인 2009에서 인용)

진단	자가용 운전사	직업 운전사
● **부정맥**		
약물치료	치료의 유효성이 확인될 때까지 금지	치료의 유효성이 확인될 때까지 금지
페이스 메이커 이식	1주일은 금지	심장 박동조율기(Pacemaker)의 적절한 작동이 확인될 때까지 금지
심도자 소작술	치료의 유효성이 확인될 때까지 금지	장기간의 유효성이 확인될 때까지 금지
이식형 제세동기	1차 예방으로 1개월, 2차 예방으로 6개월 금지	영구적 금지
● **반사성(신경조절증) 실신**		
단발, 경증	제한 없음	위험(고속운전 등)을 수반하지 않는 경우에는 제한 없음
재발성, 중증	증상이 조절될 때까지 금지	치료의 유효성이 확인되지 않으면 금지
● **원인불명의 실신**		
	중증의 기질적 심장질환이나 운전 중의 실신이 없고, 안정된 전구증상이 있는 경우에는 제한 없음	진단과 적절한 치료의 유효성이 확인될 때까지 금지

일본순환기학회. 실신 진단·치료 가이드라인(2012년 개정판)
·http://www.j-circ.or.jp/guideline/pdf/JCS2012_inoue_h.pdf(2017년8월 관람)

심장질환은 돌연사(Sudden death)를 초래하는 경우가 많고, 그 예측이 어렵다. 반대로 돌연사의 원인질환으로는 심혈관계 이상에 의한 것이 많은 것도 사실이다. 또한, 생명에 대한 예후가 양호하다고 해도 실신을 초래하는 경우도 많다.

심장질환에 의한 실신(Syncope)환자의 자동차 운전 제한에 관해서는 가이드라인이 정비되어 있다(표 1).[(1)] 그러나 다른 심장질환이 직접적으로 자동차 운전에 지장을 초래하는 현상을 파악한 과학적 근거가 충분하지 않아 간접적으로밖에 판단할 수 없는 부분도 많다. 일상적인 임상에서 실신 사례는 자주 접하지만, 철저하게 원인을 분석하고 자동차 운전에 관한 허가 여부도 분명히 판단해야 한다. 또한 갑자기 의식장애가 생길 우려가 있는 질환을 간과하지 않도록 항상 주의를 기울여야 한다.

2 총론

심장질환은 돌연사 및 실신을 초래하는 사례가 많다. 치명적인 부정맥 발현, 심장의 벽운동 장애, 대혈관 폐색, 순환혈액량 감소나 혈액분포 이상으로 혈압저하 및 유효 심박출량이 감소하여 의식을 잃게 된다. 전구증상 전혀 없이 발병하는 경우도 있고, 2차성 외상으로 원인을 규명할 수 없는 경우도 있다. 한편으로 예후는 비교적 양호해도 재발성 실신(Recurrent syncope)을 초래하는 질환도 많다. 경동맥 협착(Carotid artery stenosis)이나 뇌혈관 병변의 합병으로, 심각하지 않은 부정맥에 의한 경도의 혈압 저하에서도 운전에 장애가 되는 의식장애가 일어날 수도 있어 전신의 상태를 파악하는 것도 중요하다.

일본부정맥심전학회, 일본순환기학회, 일본흉부외과학회는 재발성 실신환자의 자동차 운전에 관해서 가이드라인을 작성하였고, 일본 도로교통법은 의식장애 또는 운동장애를 초래하는 질병에 대한 견해를 발표했다.[(1)] 한편, 2016년 2월 25일 오사카 우메다 사고는 급성대동맥해리가 중대사고에 이르게 한 원인질환이었다. 이 책에서는 실신과 부정맥뿐만 아니라 심장질환에 의한 돌연사를 바탕으로 대표적인 질환에 대해 설명하겠다.

자동차 운전 제한에 관해서는 캐나다심장혈관협회(Canadian Cardiovascular Society)의 전문가회의에서 상해위험 리스크(Risk of harm, RH)를 평가하는 계산식을 발표했다.[(2)]

RH= TD(운전시간 또는 거리/년) × V(자동차 크기) × SCI(실신 재발율/년) × AC(사고 발생율/년)

이 공식으로 산출되는 상해위험 계산식(RH)으로 사회적 수용이 가능한 수치는 연간 0.005%이다. 이 수치는 일반적인 직업 운전사의 상해위험 계산식(RH)을

RH= 0.25(TD) × 1(V) × 0.01(SCI) × 0.02(AC) = 0.00005 = 0.005%

로 계산하는 데에서 비롯되었다.

또한 자동차 운전(승용차 및 경트럭)의 운동 강도는 열량 소비 관점에서 볼 때 2.5METs, 즉 경도로 분류된다. 느긋한 보행, 가벼운 집안 청소와 정리정돈 및 굴신운동 등과 비슷한 정도의 운동 강도에 해당된다.(3)

혈압은 심박출량과 말초혈관 저항으로 규정되고, 1분간의 심박출량은 맥박과 1회 박출량의 곱이며, 급속한 혈행 동태의 변화를 초래하는 병태는 다음과 같이 분류된다.

(1) 순환동태 혈액분포 이상

신경조절의 불안정으로 혈관 내 혈액분포의 불균형에 의한 병리적 상태이다.

① 정맥계 확장에 의한 전부하가 발생하고, 심박출량이 감소하는 병리적 상태

② 체혈관 저항 감소에 의한 혈압저하가 생기는 병리적 상태

③ 혈관 투과성이 비정상적으로 항진하는 병리적 상태

(2) 혈액 순환 감소

혈관 내에 존재해야 하는 혈액이 감소하여 순환에 문제가 생기는 병리적 상태, 심장의 전부하가 떨어지고 심실 충만이 불충분해져 심박출량이 저하하는 상태이다. 대동맥류 파열, 해리성 급성대동맥 파열에 의한다.

(3) 심원성(Cardiogenic)

① 저수축 및 확장장애

허혈성 심장질환, 심근증 등으로 심근 수축이 장애가 되어 1회 박출량이 떨어지고 순환에 문제가 생기는 병리적 상태이다. 그리고 수축은 유지되더라도 확장 기능이 저하되어 심박출량의 증가 수요를 따라갈 수 없는 병리적 상태이다.

② 기계성(Mechanical)

정상적인 심장의 형태가 손상되어 단락로 형성과 판막기능 상실로 원활한 혈액 순환이 불가능한 병리적 상태이다. 심실중격 결손, 유두근 단열 등을 들 수 있다. 효율적인 혈액 순환을 위해 진화하고 발달한 2심방 2심실의 구조가 갑자기 손실되어 혈액순환에 문제가 생긴다.

③ 부정맥(Arrhythmia)

빈맥성 및 서맥성 부정맥으로 유효 심박출량을 유지할 수 없는 병리적 상태이다.

1) 빈맥(Tachycardia)에 의한 확장말기 용량의 감소로 1회 박출량이 저하하는 병리적 상태

2) 서맥(Bradycardia)으로 단위 시간당 박출량이 저하하는 병리적 상태

④ 우심부전(Right heart failure)

우심부전으로 전부하가 감소하고 1회 박출량이 저하하는 병리적 상태

(4) 혈관폐쇄성(Arterial obstruction)

대혈관의 물리적인 폐색으로 순환에 문제가 생기는 병리적 상태이다. 폐동맥 주간부(Pulmonary artery main trunk)나 좌우 폐동맥의 중추부 및 심장 탐포네이드(Cardiac tamponade) 등이 원인질환이다. 심장질환 외에도 긴장성 기흉(Tension pneumothorax) 및 임신 말기에 용적이 확대된 임신자궁이 하대정맥(Inferior vena cava)을 압박해서 와위 저혈압증후군(Supine hypotension syndrome) 등에 의해 폐색이 발생할 수 있다.

다시 정리하면, 심장이 박출할 수 없는 상태, 박출하는 혈액이 부족한 상태, 혈액순환 경로 및 순서에 문제가 생기는 상태로 분류되어, 질환에 대한 이해와 자동차 운전 허가 여부를 판단하는 단서가 될 수 있다.

3 각 질환론

1 허혈성 심장질환(Ischemic heart disease)

심장근육으로 공급되는 혈액이 절대적 혹은 상대적으로 감소하여 심장기능장애를 초래하는 병리적 상태이다. 심근허혈을 유발하는 요인은 심장근육으로 공급되는 산소가 감소하는 것과 심장근육 산소 소비량이 증가해서 나타나는 병리적 상태로 크게 구별된다. 빈도는 압도적으로 전자가 많고 관상동맥에 생기는 기질적 병변에 따라 생기는 것과 기능적 변화에 의한 것 그리고 관상동맥 환류압 저하에 의한 것으로 세분화된다. 허혈성 심장질환에 의한 실신은 심실의 저수축, 부정맥에 의한 것과 신경조절의 불안정으로 혈류역학적 혈액분포 이상에 의한 것이 있다.(4) 병리적 상태 여하를 불문하고 급성 관상동맥 증후군(Acute coronary syndrome)으로 급변할 가능성이 높고, 의심스러운 사례도 있으므로 자동차 운전은 위험하다. 또한 협심증(Angina)이어도 캐나다 심장혈관협회분류(Canadian Cardiovascular Society Criteria)상 3–4단계에 해당하는 증상이 있는 사람은 운동 강도를 감안할 때 자동차 운전이 불가하다.

최적의 약물 치료(Optimal medical therapy), 경피적 관상동맥 중재술(Percutaneous coronary intervention, PCI) 및 관상동맥 우회로술(Coronary artery bypass graft, CABG)을 통한 허혈 치료를 위한 혈관 재건수술을 시행한 후에 심각한 부정맥 등의 합병 없이 안정된 상태가 확인된 경우에는 운전을 제한하지 않는다. 약물 저항성의 심각한 부정맥 합병이 있는 경우에는 최적 의학 치료와 삽입형 제세동기(Implantable cardioverter defibrillator, 이하 ICD) 이식수술을 한다.

2 심장판막증

후천성 심장판막증은 류머티스성 판막증과 동맥경화증 등의 의한 퇴행 및 허혈성심질환에 수반하는 것으로 크게 구별되고, 최근에는 후자가 주로 많다. 대표적으로 대동맥판막 협착증, 승모판막 폐쇄부전증, 승모판막 협착증, 감염성 심내막염을 들 수 있다.

대동맥판막협착증(Aortic valve stenosis)은 판막협착(판막경화)으로 인해 좌심실에서 대동맥으로 혈액 유출이 크게 제한된다. 좌심실이 강하게 수축해도 유효한 심박출로 이어지지 않고, 말초혈관 저항의 저하가 수반되면 혈압이 떨어지고 실신한다. 또한, 부정맥 및 경동맥동 압력수용체의 기능장애로 저혈압이 생기는 경우도 있다.

승모판막 폐쇄부전증(Mitral valve insufficiency)에 의한 실신이나 돌연사의 병태 생리는 불분명한 점이 많고 충분히 규명되지 않았다. 특히 설명이 필요한 점은 승모판막 폐쇄부전의 중증도와 실신의 발현 빈도가 관련이 없기 때문에 판단에 어려움이 있다는 점이다.

승모판막 협착증(Mitral valve stenosis)은 좌심방 내의 혈류의 울혈(Congestion)로 좌심방 내에 혈전(blood clot)을 형성하는 경우가 많고, 뇌색전증(Cerebral embolism)의 커다란 원인이 된다. 뇌색전증이 발병하여 사지가 마비되면서 운전에 지장을 초래할 수 있는 것 외에 빈맥성 심방세동으로 심박출량이 저하하여 실신을 초래할 수 있다. 또한, 좌심방 내에 큰 혈전이 생겨 이것이 승모판막에 걸려 판막이 막히게되면 갑작스럽게 심정지에 이를 수 있다.

감염성 심장내막염(Infectious endocarditis)은 원인불명의 발열(Fever)이 원인질환이 되는 것을 경험하게 된다. 판막 파괴에 의한 혈류 장애가 생기거나 돌기가 뇌혈관을 막아서 뇌경색증이 생긴다. 원인불명의 열을 진단했을 때에는 감염성 심장내막염의 존재를 확실하게 점검하는 것이 임상에서 중요하다고 생각한다.

중등도 이하의 증상이 없고 심각한 부정맥 합병이 없는 심장판막증은 운전 제한이 없다고 판단된다. 가벼운 노동에도 증상이 나타나거나 비록 증상이 없더라도 중증 대동맥판막 협착증에 필요한 외과 치료와 약물치료가 이루어지지 않는 경우 운전을 제한해야 한다. 심장판막치환수술로 치료하고 인공심장판막 유지에 필요한 약물치료를 준수하며 합병증이 있을 때 합병증에 대한 대처가 이루어진다면 자동차 운전은 제한이 없다고 생각한다.

3 부정맥

(1) 서맥성 부정맥

동기능부전증후군(Sick sinus syndrome) 및 방실차단(Heart block)으로 서맥(Bradycardia)을 초래한다. 항상 서맥을 보이는 경우와 발작성으로 서맥이 나타나는 경우가 있다. 항상 서맥을 보일 때는 심부전 징후가 보이는 경우가 많지만 발작성 서맥은 실신이나 실신 전 증상을 보이는 경우가 많다. 치료는 영구적인 심장박동기 이식수술이 필수적이다. 적응에 관해서는 부정맥 비약물 치료 가이드라인에 따른다.(5)

서맥성 부정맥은 심장 인공박동기 이식수술 후, 정상적인 작동 상태가 확인되고 실신이 없으면 자동차 운전을 제한하지 않는다.

(2) 빈맥성 부정맥

상심실성 부정맥(Supraventricular arrhythmia)과 심실성 부정맥(Ventricular arrhthymia)으로 분류된다. 상심실성 부정맥은 일반적으로 예후는 양호하다고 한다. 그러나 경동맥이나 뇌혈관 협착 등의 합병증이 있으면 가벼운 혈압저하로 의식장애를 초래하는 경우도 있어 전신 상태에 주의가 필요하다. 심실성 부정맥은 치명적인 부정맥으로 생명에 해를 끼칠 우려가 크다. 당연히 실신을 동반하는 빈도가 높아 종합적인 치료가 필요하다. 약물에 의한 부정맥 재발을 예방하고 부정맥 발현 시에 필요한 전기적 제세동을 하기 위해 ICD 이식수술이 필요하다. 수술 후에는 가이드라인에 따라 자동차 운전 허가 여부를 판단한다.

4 선천성 심장질환

자동차 운전에 관해서 논하는 것이므로 성인에게 나타나는 선천성 심장질환에 관해서 다루겠다. 최근 유소년기에 진단과 치료가 이루어져서 수술 적응증이 있는 아동이 수술을 받지 않고 성인이 된 경우는 드물다. 효율적인 혈액순환을 위해 2심방 2심실의 구조가 매우 손상된 병적 상태로 진행하여, 용량 부하, 압 부하, 단락에 의한 산소와 이산화탄소 교환의 효율 저하, 폐혈관 저항 상승 시 아이젠멩거 증후군(Eisenmenger's syndrome)으로 부정맥, 혈압변동 및 저산소혈증이나 객혈이 야기되어 경련발작 및 실신을 초래한다. 또한, 비수술적 혹은 수술을 받은 사례에서도 인위적인 치료에 의해 유발되기도 하는 자극전도계(Conduction system) 이상으로 각종 부정맥이 생길 수 있다. 수술 후 남아 있는 증상이나 심장기능으로 인해 생활에 제한은 필요하지만, 운동 내구력이 양호하고 실신 발작이 없으면 운전을 제한할 필요가 없다.

5 심장근육질환·심장막질환

심장근육질환(Cardiomyopathy)으로 분류된 비대형 심근병증, 확장형 심근병증 및 부정맥유발성 우측심실 심근병증은 실신을 초래하는 빈도가 높고 실신 기왕력은 돌연사로 이어질 수 있다. 심근염은 바이러스 감염을 비롯한 심근염증으로 감기증상이 주요 호소증상이기 때문에 일반 외래로 진료 받는 경우를 볼 수 있다.

비대형 심근병증(Hypertrophic cardiomyopahy)은 폐쇄형과 비폐쇄형으로 분류되어 있으며, 폐쇄형은 좌실 유출로의 협착 때문에 심실내압교차가 생긴다. 어느 유형이든 실신을 초래하며, 심실성 및 상실성 빈맥성 부정맥 및 서맥성 부정맥, 고도의 좌실유출로 협착으로 혈행 동태에 지장을 초래하는 상태, 심근허혈과 확장장애 및 자율신경 조절이 불안정한 상태가 원인이다.

확장형 심근병증(Dilated cardiomyopathy)은 유출로 협착을 수반하지 않지만, 비대형 심근병증과 마찬가지로 부정맥 및 자율신경 조절의 불안정으로 실신을 일으킨다.

부정맥원성 우심실 심근병증(Arrhythmogenic right ventricular cardiomyopathy)은 이름 그대로 부정맥 합병으로 실신을 일으킨다.

심근염(Myocarditis)은 감염에 의한 심근의 염증으로 인해 수축저하 및 각종 부정맥과 같은 합병증이 나타난다. 일상적인 진료를 하면서 감기와 같은 증상을 호소하는 사례 중에 심근염 합병증이 포함되는 점에 주의가 필요하다.

최적의 약물치료와 인공심장박동기, 심장재동기화치료(Cardiac resynchronization therapy, CRT), 심장재동기화치료 제세동기(Cardiac resynchronization therapy defibrillator, CRT-D), ICD 및 중격소작술 등에 의한 치료가 이루어져 상태가 안정된 경우에는 운전을 제한하지 않는다. 가이드라인에 따라 대응한다.

6 심부전

심부전(Congestive heart failure, CHF)은 허혈성심장질환, 부정맥, 심장판막증, 선천성심장질환, 심근병증 등 모든 기질적 심장질환이 극히 악화되어 있는 상태이다. 심부전에 이르면 원인 질환의 증상뿐만 아니라 심부전으로 인한 자각증상도 추가되어 지구력 운동(Endurance exercise)이 저하되고, 갑자기 치명적인 부정맥이 발현하여 돌연사를 초래하는 빈도가 높으며, 예후도 극히 악화된다. 원인질환을 적절하게 치료하고, 부정맥과 지구력 운동을 평가하여야 한다.

심부전의 지표로 뉴욕심장협회(New York Heart Assosication)의 NYHA 심기능 분류가 널리 이용되는데, 자동차 운전의 운동 강도가 2.5 METs 정도인 것에서 NYHA Ⅲ, Ⅳ에 해당하는 운전은 제한해야 한다.

7 동맥질환

대동맥(Aorta)과 총장골동맥(Common iliac artery)의 직경(Diameter)이 굵고 체간 내를 주행하는 동맥벽의 조직 이상으로 혹이 생기거나 해리를 초래하는 병적 상태이다. 대동맥류가 확대되어 일정한 지름에 달하면 갑자기 파열한다. 진성 대동맥류(True aortic aneurysm)에서는 파열 위험이 높은 혈관직경에 이르렀어도 대부분 자각증상이 없기 때문에 예방적인 치료가 이루어지지 않은 채 갑작스러운 파열을 맞이하게 된다. 또한, 대동맥 해리(Aortic dissecting)도 갑자기 발병하고 현저한 통증에 의한 미주신경반사, 분지 폐쇄 및 협착에 의한 뇌혈류 저하, 대동맥 기부의 해리에 의한 대동맥판막 폐쇄부전이나, 관상동맥 폐색 및 심장 탐포네이드, 더 나아가 파열에 의한 출혈로 마비나 의식장애가 일어난다. 급성기의 자동차 운전은 당연히 엄하게 금지한다. 증상이 안정된 만성기의 사례나 무증상인 듯 보이더라도 파열 위험이 높은 형상이나 대동맥 직경이 확대된 경우에는 운전을 제한해야 한다.

8 정맥질환

심부정맥(Deep vein)이나 하지정맥(Leg vein) 등에 생긴 혈전(Thrombus)이 대동맥에서 우심방, 우심실을 경유해서 폐동맥에 도달하여 폐혈전색전증(Pulmonary embolism)을 초래한다. 색전 부위가 폐동맥 주간부나 그 근방 혹은 다발성인 경우에 갑자기 심정지(Cardiac arrest)에 이른다.

장시간 같은 자세를 유지하거나 탈수로 인해 혈액응고기능이 항진하여 혈전이 형성되는 질환으로, 이른바 이코노미 클래스 증후군(Economic Class Syndrome, Long Flight syndrome)으로도 알려져 있다.

원인이나 배경으로 인해 재발 가능성이 높은 사례가 있다. 재발 가능성이 낮은 사례는 원인 제거와 최적의 의학적 치료로 안정된 상태가 확인되면 운전 제한은 필요 없다고 생각한다.

유전적 요인으로 재발 위험이 높은 증상의 경우에는 최적의 항응고 약물치료법(Anti-coagulant therapy)을 실시하거나 필요에 따라 하대정맥 필터 삽입수술로 폐혈전색전증을 확실하게 예방하지 않는다면 자동차 운전은 제한되어야 한다고 생각한다.

기왕력이 있는 병증의 환자가 자동차를 운전할 때는 재발 위험이 낮은 경우를 포함해 장시간의 연속운전은 피하고, 적절한 수분 섭취하며, 정기적으로 휴식을 취하고, 손발을 움직이며 가볍게 운동해야 한다.

9 실신

실신(Syncope)은 기질적 심장질환에 의한 것과 기질적 심장질환에 의해 발생하지 않는 것으로 크게 구별된다. 기질적 심장질환이 없는 경우에는 보통 예후가 양호하다. 기립성 저혈압에 의한 실신과 반사성 실신(신경조절성 실신)으로 분류된다. 자동차 운전 중에 실신 발작을 초래한 원인 질환으로서 반사성 실신이 가장 빈도가 높고, 그 다음이 부정맥이라는 보고가 있다.[(6)]

기립성 저혈압(Postural hypotension)은 기립했을 때 정맥환류가 30% 감소하여 심박출이 저하하고, 보상조절기구(Compensatory control system)가 충분히 기능하지 않으면 뇌혈류가 저하하여 실신을 초래한다. 생활지도를 철저히 하고 일정한 기간에 재발하지 않으면 운전은 가능하다.

미주신경성 실신(Neurocardiogenic syncope)은 혈관 미주신경성 실신, 상황 실신(Situation syncope), 경동맥동증후군, 명료한 원인이 없는 비정형형 실신으로 분류된다.

혈관 미주신경성 실신(Vasovagal syncope)은 신경조절 불안정으로 교감신경 억제에 의한 혈관 확장과 미주신경 긴장에 의한 서맥으로 실신을 초래한다. 상황 실신은 특정한 상황이나 동작에 의해, 미주신경 긴장과 교감신경 억제가 일어나서 실신에 이른다. 배뇨, 배변, 해소, 연하(삼킴), 호흡 중단이나 구토 등의 행위에 의해 발생한다.

경동맥동증후군(Carotid sinus syndrome)은 압력 수용체의 경동맥동 압박에 의해 미주신경이 긴장하고 서맥이 생겨 실신을 초래한다.

운전 중에 실신을 유발하는 행위와 행동을 엄중하게 금지하고, 전구증상(Prodromal symptom)을 동반하는 질환은 전구증상이 발현한 경우에 곧 바로 안전한 장소에 자동차를 정차하고 운전을 중단한다. 실신 중에 음식을 토하는 사례에서는 운전 중 음식을 엄금하고, 기침을 동반하는 실신은 진해제로 기침을 억제해야 한다. 경동맥동증후군에서는 넥타이 등 경부를 꽉 조이는 의류 착용을 금지한다. 운전 중에 실신을 일으킨 사례, 앉은 자세에서 실신을 초래한 사례, 안정된 조짐이 수반되지 않는 사례는 중증이며 운전 제한을 고려한다.[7]

10 심장박동기 이식술 후

기질적 심장질환 치료 목적으로 심장박동기 이식치료가 이루어진 사례에서는 원인질환의 병리적 상태도 고려해서 대처한다. 2017년 9월 1일부터 시행된 운용지침은 다음과 같다(표 2).[8]

표 2. 이식술 후의 운용지침

이식 목적 및 수술 후 상태 등	운전 제한 기간
2차 예방 목적 신규 이식	6개월
1차 예방 목적 신규 이식	7일
ICD 적절 작동 후(쇼크·항빈맥 페이싱 포함)	3개월
ICD 부적절 작동 후※	실신이 없으면 제한 없음
전지 교환 후	7일
리드 추가·교환 후	7일

※ 실신을 동반할 때는 ICD 적절 작동과 같은 제한

인공심장박동기(CRT–P 포함) 이식술 후에는 원칙적으로 허가한다.

이에 대하여 ICD, 심장재동기화치료 제세동기(CRT–D) 이식술 후에는 이식술을 받은 시점부터 원칙적으로 운전을 금지한다. 운전 허가를 받거나 면허를 유지하려면 일본부정맥심전학회 혹은 일본심전학회가 주최하는 ICD 시술에 대한 연수를 이수한 의사가 작성한 진단서를 각 지방자치단체 공안위원회에 제출해야 하며, 그 후 운전 허가 여부는 공안위원회가 판단한다.

ICD 첫 번째 이식에 관해서는 2차 예방 목적인 경우 수술 후 6개월간 실신이나 이식한 장치의 작동이 없으면 운전을 허가한다. 1차 예방 목적에서는 수술 후 7일간 실신과 작동이 없으면 운전을 허가한다. 작동에는 전기쇼크를 동반하는 제세동 작동(치명적인 부정맥에 대한 적절 작동)뿐만 아니라, 자각증상을 수반하지 않는 항빈맥 페이싱도 포함된다. 한편으로는 빈맥성 심방세동의 상실성 빈맥증에 대해서 이식한 장치에 부적절한 작동이 일어난 경우에는 실신이 없으면 작동에 포함하지 않고 운전은 제한되지 않는다. 그러나 실신을 동반하면 이식한 장치의 적절 작동과 마찬가지로 운전이 제한된다. 전지 소모에 대한 전지(제너레이터) 교환 및 전선(리드)을 교환하거나 추가한 경우에는 이식술 전에 운전이 허가되었다면 이식술 후 7일간 경과를 관찰하고 작동이 없으면 운전을 허가한다. 실신이나 이식한 장치의 적절한 작동이 있었던 경우에는 그 시점부터 3개월간 운전이 제한되고, 3개월 이내에 재차 실신이나 적절한 작동이 있으면 최종 작동 시점부터 3개월 더 제한된다. 제2종 면허 등의 직업 운전은 허가되지 않는다.

4 가이드라인에 관하여

일본의 가이드라인(표 1)[1] [ESC (European Society of Cardiology) 2009에 준한다]과 2017 ACC (American College of Cardiology)/AHA (American Heart Association)/HRS (Heart Rhythm Society)의 가이드라인에 나타낸 표를 제시한다(표 3).[9] 미국의 가이드라인은 직업운전에 관한 표기가 없다.

5 마치며

1. 심장질환에 의한 실신발작이 인정되는 사례, 인공심장박동기, ICD, 심장재동기화치료(CRT), 심장재동기화치료 제세동기(CRT-D)를 받은 환자의 자동차 운전제한에 관해서는 일본부정맥심전학회, 일본순환기학회, 일본흉부외과학회의 '부정맥에 기인하는 실신 사례의 운전면허 취득에 관한 진단서 작성과 적성검사 시행에 대한 합동검토위원회 성명'에 따라 일본순환기학회가 인정하는 전문의 또는 심장혈관외과 전문의의 진찰 진단에 위임해야 한다.
2. 급성관상동맥 증후군을 비롯하여 심질환 급성기에 운전은 불가하다.
3. 급성기를 벗어나 필요한 처치와 치료가 이루어져 상태가 안정된 경우에는 실신이나 돌연사 가능성을 평가하고 검토한다.

표 3. 실신발작 진단 및 병태에 의한 자가용 자동차 운전제한 기간(문헌8에서, 필자작성)

진단 및 상태	실신 후 운전 재개까지의 관찰 기간 등*
기립성 저혈압	1개월
혈관미주신경성 실신으로 과거 1년간 발작 없음	제한 없음
혈관미주신경성 실신으로 과거 1년간 발작이 1~6회	1개월
혈관미주신경성 실신으로 과거 1년간 발작이 7회 이상	증상이 컨트롤될 때까지 금지
상황실신 중 해소실신을 제외한다.	1개월
해소실신으로 미치료인 것	금지
해소실신으로 기침이 억제된 것	1개월
경동맥동증후군으로 미치료인 것	금지
경동맥동증후군으로 페이스 메이커 치료가 이루어진 것	1주일
반사성이 아닌 서맥에 의한 실신으로 미치료인 것	금지
반사성이 아닌 서맥에 의한 실신으로 페이스 메이커 치료가 이루어진 것	1주일
상실성 빈맥에 의한 실신으로 미치료인 것	금지
상실성 빈맥에 의한 실신으로 약물치료가 이루어진 것	1개월
상실성 빈맥에 의한 실신으로 카테터 소작술에 의해 치료한 것	1주일
좌실구출율이 35% 미만으로, 부정맥에 의한 실신이 추정되어 ICD의 이식이 없는 것	금지
좌실구출율이 35% 미만으로, 부정맥에 의한 실신이 추정되어 ICD가 이식된 것	3개월
구출율이 35% 이상인 기질적 심질환에 동반한 심실빈맥/심실세동에 의한 실신이 추정되어 미치료인 것	금지
구출율이 35% 이상인 기질적 심질환에 동반한 심실빈맥/심실세동에 의한 실신이 추정되어 ICD 및 가이드라인에 의한 약물치료가 이루어진 것	3개월
유전적 요인에 동반하는 심실빈맥에 의한 실신이 추정되어 미치료인 것	금지
유전적 요인에 동반하는 심실빈맥에 의한 실신이 추정되어 ICD 또는 가이드라인에 의한 약물치료가 이루어진 것	3개월
기질적 심질환에 따르지 않는 우실 유출로 기원 또는 좌실 유출로 기원의 심실빈맥에 의한다고 추정되는 실신으로 미치료인 것	금지
기질적 심질환에 따르지 않는 우실 유출로 기원 또는 좌실 유출로 기원의 심실빈맥에 의한다고 추정되는 실신으로 카테터 소작술에 의한 치료가 약물치료로 억제에 성공한 것	3개월
원인불명의 실신	1개월

※ 관찰기간 중에 실신, 재발작이 없으면 운전 재개를 고려한다.
ICD (Implantable cardioverter-defibrillator): 이식형 제세동기

4. 안정된 상태가 유지되고 있는 듯 보이는 병리적 상태라도 돌연사나 실신의 위험성이 높으면 운전을 피해야 한다.
5. 당사자의 이해를 얻는 것은 아주 중요하지만, 가족이나 친척에게도 충분한 인식이 필요하다.
6. 자동차를 운전할 즈음에 건강상태 및 질병에 관하여 사회적 인지를 향상시킬 필요가 있다.
7. 운전을 그만두게 했을 경우, 사회적으로 충실하게 지원하는 것이 바람직하다.
8. 교통사고 사망자의 부검 비율을 높여 정확한 사망원인을 규명해야 한다.

참고문헌

(1) 日本循環器学会：失神の診断・治療ガイドライン 2012 年改訂版,循環器病の診断と治療に 関するガイドライン (2011 年度合同研究班報告). http://www.j-circ.or.jp/guideline/pdf/JCS2012_inoue_h.pdf
(2) Simpson C, et al. Assessment of the cardiac patient for fitness to drive：Drive subgroup executive summary. Can J Cardiol 2004;20:1314-20.
(3) Ainsworth BE, et al. Compendium of physical activities：A second update of codes and MET values. Med Sci Sports Exerc 2011;43:1575-81.
(4) Mark AL. The Bezold-Jarisch reflex revisited：clinical implications of inhibitory reflexes originating in the heart. J Am Coll Cardiol 1983;1:90-102.
(5) 日本循環器学会：不整脈の非薬物治療ガイドライン. www.j-circ.or.jp/guideline/pdf/JCS2011_okumura_d.pdf
(6) Sorajja D, et al. Syncope while driving：clinical characteristics, causes, and prognosis. Circulation 2009;120:928-34.
(7) 再発性の失神患者における自動車運転制限のガイドラインとその運用指針. http://new.jhrs.or.jp/pdf/guideline/com_device201303_01.pdf
(8) Shen WK,et al. 2017 ACC/AHA/HRS Guideline for the Evaluation and Management of Patients With Syncope：Executive Summary：A Report of the American College of Cardiology/American Heart Association Task Force on clinical Practice Guidelines and the Heart Rhythm Society. J Am Coll Cardiol 2017;70:620-63.
(9) 日本不整脈心電学会：ICD·CRT-D 植え込み後の自動車の運転制限に関して. http://new.jhrs.or.jp/public/pub-icc-crt/

10 당뇨병

1 들어가며

일본에서 당뇨병 환자는 2차 세계대전 이후 눈에 띄게 점차 증가하고 있다. 10년 전과 비교해서 약 1.3배 늘었으며, 증가 속도가 점점 빨라지고 있다. 현재 일본 성인 당뇨병 인구는 약 950만 명이며, 당뇨병 예비군이 약 1,100만 명이다.(1) 합하면 2,050만 명이며, 20세 이상 5명 중 1명이 '당뇨병 혹은 당뇨병 예비군'에 해당하게 된다. 또한, 국제당뇨병연합회(IDF)가 발표한 '당뇨병 지도(Diabetes Atlas) 제7판'에 의하면 일본은 당뇨병 환자 수가 세계 9위인 '당뇨병 대국'이기도 하다.(2)

2 자동차 운전과 당뇨병

이동 수단으로 자신의 자동차를 운전하는 당뇨병 환자는 수없이 많다. 2016년 운전면허 보유자는 8,220만 5,911명이었다. 평균 운전면허 보유자 비율인 76.6%로 볼 때 약 727만 명의 낭뇨빙 환자가 자동차를 운전하고 있을 가능성이 있다.(3) 2001년 6월, 일본 도로교통법이 일부 개정되어 운전면허 거부, 보류, 취소 등 처분할 수 있는 질병 또는 장애에 '발작으로 인해 의식장애 또는 운동장애를 초래하는 질병으로 법령이 정한 것'이 규정되었다. 규정에는 다양한 질환이 포함되지만, 개정 최종안에 2002년 2월, '무자각 저혈당(인위적으로 혈당을 조절할 수 있는 자는 제외)'이 추가되었다. 다만, 비록 무자각 저혈당을 보이는 사람이라도 정확히 자기관리를 하고 대처할 수 있는 사람은 제외된다고 명시되었다. 당뇨병 환자가 운전면허 신청이나 갱신 때 불이익을 받아서는 안 된다고 최종적으로 매우 엄격하게 규정되었다. 따라서 '저혈당'과 '무자각 저혈당'에 이어 '당뇨병과 저혈당'에 대해서 서술하겠다.

3 저혈당

1 정의

엄밀하게 단순히 혈당치가 낮은 것만으로 저혈당(Hypoglycemia)이라고 진단해서는 안 된다. 표 1과 같은 저혈당 증상이 나타나는 동시에 그때의 혈당치가 60~70㎎/dL 미만의 경우를 '저혈당'이라고 한다.

표 1. 저혈당 시에 인정되는 증상

1. 교감신경 자극증상	발한, 불안, 가슴 두근거림, 빈맥, 손가락 떨림, 안면 창백
2. 중추신경 증상	두통, 시야 혼탁, 공복감, 졸림, 이상행동, 경련, 혼수

표 2. 저혈당을 만드는 질환 및 병리적 상태

질환 및 병리적 상태
•당뇨병 치료제에 따른 저혈당
•인슐린종
•반응성 저혈당(위 절제 후나 2형 당뇨병 초기)
•당뇨병 치료제 이외의 약물에 의한 저혈당
•인슐린에 대한 항체에 기인하는 저혈당 인슐린 자기면역증후군(인슐린 자기항체에 의한 저혈당) 인슐린 투여에 따라 생긴 인슐린 항체에 의한 저혈당
•당 신생 억제와 저하(알코올, 간경변, 간부전)
•인슐린 길항호르몬의 저하
•췌장외성 종양(IGF-II 분비 종양 포함)
•괴병

2 임상 양상

보통 정맥 혈당치가 60~70㎎/dL 미만인 경우에 저혈당 증상이 나타난다. 더욱이 혈당치가 50㎎/dL 미만으로 저하하면 중추신경 기능장애가 생긴다. 저혈당일 때 인정되는 증상은 두 가지로 분류된다. 하나는 저혈당일 때 분비되는 카테콜라민 등에 의한 교감신경 자극증상이고 또 다른 하나는 포도당 결핍에 의한 중추신경의 에너지 부족을 반영한 중추신경증상이다. 교감신경 자극증상(Sympathtic nervous system stimulation symptoms)이 나타나는 혈당역치는 중추신경증상 역치에 비해 높기 때문에, 중추신경증상(CNS symptoms)이 나타나기 전에 교감신경증상을 인정하는 것이 일반적이다. 그러나 저혈당을 반복하는 경우나 당뇨병 신경장애가 진행되고 있는 환자와 고령자는 교감신경증상이 아닌 중추신경증상이 갑자기 나타나는 경우가 있다. 또한 고령자가 저혈당으로 이상행동을 보일 때 치매로 잘못 인식되기 쉬우므로 주의가 필요하다.

3 감별

저혈당이 될 수 있는 질환과 병태를 표 2에 나타냈다. 각 질환과 병태에는 각각 특징적인 소견이 있고, 이 소견들을 근거로 감별이 가능하다. 당뇨병에 대한 약물치료로 치료하는 경우에는 이런 약물들이 저혈당의 원인이 되는 경우가 많다.

4 치료

혈당치 회복을 위해 입으로 음식물 섭취가 가능한 경우에는 포도당(Glucose, 5~10g) 또는 포도당을 포함한 음료수(150~200mL)를 섭취하게 한다. 자당(Sucrose)은 적어도 포도당의 2배(설탕으로 10~20g)를 섭취하게 한다. 포도당 이외의 당류는 회복이 지연된다. 그리고 약 15분 후 저혈당이 지속되는 것 같으면 다시 같은 양을 마시게 한다. 입으로 섭취가 불가능한 경우는 의료기관으로 이송하여 50% 포도당(Glucose) 주사액 20mL를 정맥 내에 투여한다. 또한, 의식이 저하될 정도로 저혈당을 초래한 경우에는 응급처치로 일시적으로 의식 레벨(Consciousness level)이 회복돼도 저혈당이 지속되거나 재발하여 의식장애가 또다시 나타날 가능성이 높다. 저혈당이 지속되는 경우에는 반드시 의료기관에서 진찰받고 치료받도록 환자와 가족에게 지도할 필요가 있다.

4 무자각 저혈당

무자각 저혈당(Asymptomatic hypoglycemia)은 저혈당 시에 나타나는 교감신경 자극증상(발한, 불안, 가슴 두근거림, 빈맥, 손가락 떨림, 안면 창백) 없이 갑자기 의식장애를 초래하는 저혈당의 병적 상태이다. 저혈당 발작을 자주 반복하면 무자각 저혈당을 일으키는 경우가 있다. 원인은 당뇨병 신경장애의 하나인 자율신경장애와 저혈당에 대한 글루카곤(Glucagon) 분비 반응장애이다. 그러나 이와 같은 상황의 환자를 저혈당에서 일정 기간 동안 회피시키면 인슐린 길항호르몬 반응성이 회복된다는 보고가 있다.[4] 따라서 무자각 저혈당 치료법은 저혈당 발작을 반복하지 않는 것이 가장 좋은 방법이다.

당뇨병과 저혈당

당뇨병 환자와 자동차 사고의 관련 보고는 많다. 토론토대학의 연구에서는 교통사고 경험자의 당화혈색소 헤모글로빈(HbA1c)은 낮은 경향이 있고, 심각한 저혈당을 앓고 있는 사람은 교통사고 위험이 4배가 된다고 한다.[5] 일본에서도 자동차 운전 중 돌연사하는 병력 사례는 고혈압(53.2%), 심장질환(37.5%), 당뇨병(15.6%) 순으로[6] 당뇨병을 가볍게 보아서는 안 된다. 핀란드의 보고에 따르면 교통사고 사망자의 10.3%가 운전자의 컨디션 변화에 기인했다고 보고하였다.[7] 캐나다의 보고에서는 교통사고 사망사고 부검사례의 9%는 운전자의 관상동맥 질환이 사고발생과 관련이 있었다고 하였다.[8] 이와 같이 교통사고 사망사고의 약 10% 정도에서 운전자의 컨디션 변화가 사고의 원인이 되었다. 그래서 당뇨병 환자가 운전 중 컨디션에 변화가 온 경우, 우선 주의해야 할 병태는 '저혈당'이다.

당뇨병 치료 중에 저혈당이 될 수 있는 약물은 다음과 같다.

1 인슐린 치료

주사제 중 저혈당 부작용이 염려되는 것은 인슐린 주사제이다. 한편 같은 주사제인 GLP-1 (Glucagon-like peptide-1) 수용체 작용제는 단일제로 쓰면 혈당에 의존하여 효과를 발휘하기 때문에 저혈당이 될 걱정은 없다. 1형 당뇨병 및 2형 당뇨병에서 인슐린 치료에 의한 엄격한 혈당 조절은 중증 저혈당 빈도를 3배 증가시킨다고 한다.[9,10] 저자들의 연구에서도 자동차 운전 중에 저혈당을 경험한 환자는 인슐린 치료환자 가운데 22%였고, 그 중에 5명은 저혈당이 원인이 되어 교통사고를 일으켰다.[11] 인슐린 치료, 경구혈당강하제, GLP-1 수용체 작용제 순서로, 운전 중에 저혈당을 경험하거나 저혈당이 원인이 된 교통사고가 많았다.[12] 이것은 현재까지 보고된 일본과 유럽, 미국의 연구 결과와 일치한다.[7,13,14] 그러나 본 연구에서는 인슐린 치료가 필수인 1형 당뇨병 환자는 운전에 대한 주의의식이 높다는 사실을 알 수 있었다(운전 시의 저혈당 대책을 마련하고 운전 전에 혈당을 측정하고 있는 비율이 높았다).[11,12] 이는 1형 당뇨병은 본래 저혈당 빈도가 높아 일상생활에서도 저혈당에 대한 대책을 마련한 사람이 많기 때문이다.[15] 또한 주치의로부터 운전 시의 저혈당 대처방법을 지도받고 있는 사람이 많다는 본 연구 결과가 뒷받침이 되었다고 생각한다.[12] 따라서 1형 당뇨병을 포함한 인슐린 치료 환자에게는 운전 중의 저혈당에 대한 엄중한 지도가 필요하다.

2 경구혈당강하제

현재 일본에서는 7종류의 경구용 혈당강하제가 시중에 나와 있는데, 이 가운데 저혈당을 일으키기 쉬운 것은 SU제(Sulfonyl 계열)이다. 또한 초속효과형 SU제(즉효형 인슐린 분비 촉진제; Glinide)도 저혈당을 일으킬 가능성이 있다. 우리들의 연구에서도 SU제를 포함한 치료군은 다른 치료보다 운전 중의 저혈당이 높은 비율을 보였다. SU제에는 저혈당 위험성이 있으며, 보고도 다수 있다.[16,17] 특히 고령자나 신장 기능 장애 환자에게 SU제를 투여하면 인슐린 치료환자와 비교해도 저혈당에 의한 긴급 입원이 많고 저혈당이 지연된다는 사실도 대부분 인정하고 있다.[18] SU제는 저혈당 시에 당질 섭취에 의해 혈당치가 일단 상승하더라도 30분 정도에서 다시 저혈당이 생기는 '천연성 저혈당'을 일으키기 쉽다는 점도 유의할 필요가 있다.

그러나 다른 5종류의 경구혈당강하제(Biguanides제, Thiazolidine제, DPP-4 억제제, α-GI제, SGLT2 억제제)는 단일제일 경우 저혈당 빈도가 적다. 그러나 이 5종류의 약물도 인슐린이나 SU제, Glinide제와 병용하면 저혈당 빈도가 증가한다.

당뇨병 합병증 예방 관점에서도[19], 어떤 타입의 당뇨병이든 되도록 빠른 시기에 엄격한 혈당조절과 합병증 위험 관리가 요구된다. 그러나 약물치료를 받고 있는 당뇨병 환자는 저혈당이 될 가능성이 적지 않다. 또한 향후 고령화 사회가 진행되어 독거 고령자가 증가하고 점점 저혈당 위험이 높아지는 임상 현장에서 저혈당을 잘 일으키지 않는 약물을 선택하는 것도 교통사고의 위험을 줄이는 방법이라고 생각한다.

6 자동차 운전 시 주의할 점

일본에서는 무자각 저혈당 발현 빈도에 대한 보고가 없어 운전 중의 무자각 저혈당 발현 빈도도 잘 알려지지 않았다.

저혈당을 일으킬 가능성이 있는 환자에게 인위적으로 대응할 수 있다면 자동차 운전에는 어떤 문제도 없다. 그러나 저혈당에 대한 지식이 부족하거나 저혈당을 일으킬 수 있다는 사실을 잘 알면서도 대책을 취하지 않아 사고를 일으킨 경우, 그 주치의와 환자의 책임 소재가 문제가 될 가능성이 높다.

미국당뇨병학회(American Diabetes Association, 이하 ADA)는 2012년에 '당뇨병이 있어도 운전을 삼갈 필요는 없고, 운전 가능 여부는 의사의 판단에 맡겨야 한다'는 성명을 발표했다.[20] ADA는 포괄적인 금지와 규제에는 반대하는 자세를 취하면서, 운전 위험성이 있는 환자는 의사에게 평가를 받도록 하고 저혈당이 빈번하게 일어나는 경우에는 주치의와 상담하도록 권고하고 있다. 15개의 체계적인 문헌고찰에서도 당뇨병 환자가 자동차 사고를 일으킬 확률은 당뇨병이 아닌 사람과 비교해서 12~19% 상승에 머물렀다. 대다수의 당뇨병 환자는 정상적인 생활을 하며 운전에 지장이 없다고 한다.(21)

더욱이 ADA는 2013년, '인슐린 치료를 받고 있는 당뇨병 환자가 안전하게 운전하기 위한 7가지 조항'을 발표했다.(22)

① 운전하기 전과 장시간 운전 시에는 일정 간격으로 혈당 측정을 합시다.
② 운전 시에는 자기 혈당 측정기와 포도당을 항상 곁에 둡시다.
③ 저혈당 증상을 느끼거나 혈당치가 70㎎/dL 미만인 경우에는 운전을 멈추고 안전한 장소에 정차합시다.
④ 저혈당을 자각하면 혈당치를 올리기 쉬운 식품을 섭취합시다.
⑤ 혈당치가 기준에 달한 것을 확인하고 나서 운전을 재개합시다.
⑥ 무자각 저혈당을 경험했다면 운전을 멈추고 주치의와 상담합시다.
⑦ 망막증이나 신경장애가 생긴 사람은 주치의와 상담합시다.

이상으로 운전 중의 지도사항 이외에도 포도당 준비와 혈당 측정 등 운전 전의 지도사항도 상당히 중요하며 주지해야 한다.

7 환자 대응

2013년 6월 14일, 질병에 대해 허위신고를 한 경우의 벌칙을 포함한 개정도로교통법이 공포되었다. 이에 따라 공안위원회가 일정한 질병(무자각 저혈당도 포함) 증상 등을 질문할 수 있고 운전에 지장이 있는 증상을 허위로 신고한 자에게는 벌칙이 적용된다. 또한, 의사가 임의로 환자의 진단결과를 공안위원회에 신고할 수 있는 제도도 만들어졌다. 따라서 운전에 지장을 초래하는 질병이 있는 운전자에 대한 대책이 상당히 강화되었다.

또한 자동차를 운전하는 당뇨병 환자에 대한 주의 환기와 지도는 다음과 같다.

① '저는 당뇨가 있어요' 카드를 휴대한다(그림 1).
이 카드는 일본당뇨병협회가 발행하여 당뇨병 환자에게 무료로 배포하고 있다. 카드에는 '의식불명이 되거나 이상한 행동이 보이면 본인이 휴대하고 있는 설탕(포도당) 또는 쥬스나 설탕물을 주세요. 그래도 회복하지 않으면 뒷면에 기재된 의료기관에 전화해서 지시에 따라 주세요'라고 기재되어 있다.

저는 당뇨병 환자입니다.
I HAVE DIABETES

의식불명이 되거나 이상한 행동이 보이면 본인이 휴대하고 있는 설탕(포도당) 또는 주스나 설탕물을 주세요. 그래도 회복하지 않으면 뒷면에 기재된 의료기관에 전화해서 지시에 따라 주세요

(사) 일본당뇨병협회 발행

그림 1. '저는 당뇨병 환자입니다' 카드

② 당뇨병약을 파악하고 이해한다.

현재 투약하고 있는 당뇨병약이 저혈당을 초래할 가능성이 있는 약물인지 아닌지를 스스로 파악해 둘 필요가 있다. 저혈당이 될 가능성이 있는 약물의 경우, 그 약효가 얼마나 지속하는지(내복 후 혹은 주사 후, 효과가 몇 시간 지속하는지)를 주치의에게 확인해 둘 필요가 있다.

③ 포도당을 휴대하고, 차 안에도 보관한다.

저혈당이 발생하면 대처할 수 있는 포도당을 상비하고 휴대하도록 지도해야 한다. 또한 자동차 내에서 분말 상태의 포도당은 섭취하기 어려울 수 있으므로, 젤리 형태의 포도당과 포도당 함유율이 높은 쥬스(환타그레이프® 20.0g/350mL, 환타오렌지® 18.9g/350mL)를 준비해 둘 수 있다.

④ 운전 전에 혈당을 측정한다.

자가 혈당측정기를 소지하고 있는 환자는 식전과 식간, 장거리 운전 시에는 운전하기 전에 혈당을 측정할 것을 권장한다. 혈당치는 100mg/dL 이상이 바람직하다. 혈당이 낮은 경우에는 보충 식사를 하거나 운전을 하지 말아야 한다.

⑤ 저혈당 시에는 바로 정차한다.

무자각 저혈당을 제외하고 저혈당은 보통 전조 증상이 있기 때문에 조금이라도 증상이 나타난다면 바로 운전을 정지할 의무가 있다. 실제로 일본에서 저혈당에 의한 자동차 사고 판례에서는 자동차 운전 과실치사상과 업무상과실치사로 유죄판결이 내려진 사례가 다수 있다.[23] 이것은 '저혈당 전조를 자각할 수 있었는데 그 시점에서 운전을 중단하지 않고 그 후 사고를 일으켰다', '혈당치를 스스로 조절할 수 있었는데 운전하기 전의 당분 보급을 나태하게 해서 사고를 일으켰다'고 하는 이유에서이다. 또한 직업 운전자의 경우에는 회사가 행정적 책임을 추궁 받는 경우도 있다. 따라서 저혈당 전조 증상이나 저혈당 증상이 나타났을 때는 바로 운전을 멈추고 자동차를 안전한 곳에 정차할 대책을 취해야 한다.

⑥ 운전 재개는 신중하게 결정한다.

저혈당 증상이 사라지고 혈당치가 기준에 달한 것(혈당치 100mg/dL 이상)을 확인하고 나서 운전을 재개하도록 지도한다.

저자가 근무하는 당뇨병센터에서도 도치기현 경찰본부·도치기현 운전면허센터가 발행하는 포스터를 붙이며 실제로 계몽활동에 노력하고 있다.

향후에는 주치의의 적극적인 지도 개입, 환자 본인의 의식향상과 함께 의료종사자를 포함한 의료팀에 의한 계발과 교육, 공개강좌 등 사회적 지원이 저혈당에 의한 자동차 운전 사고를 줄일 수 있을 것이다. 내분비 내과 의사들도 자동차 운전 시 저혈당에 대한 주의 환기와 예방책을 반복해서 지도하도록 노력해야 한다는 데 공감한다.

참고문헌

(1) 厚生労働省. 平成24年国民健康·栄養調査. http://www.mhlw.go.jp/bunya/kenkou/eiyou/h24/-houkoku.html
(2) IDF Diabetes Atlas, Seventh Edition. International Diabetes Federation. 2015
(3) 警察庁交通局運転免許課：平成 28年版運転免許統計. http://www.diabetes.org/
(4) Cryer PE. Mechanisms of hypoglycemia-associated autonomic failure in diabetes. N Engl J Med 2013;369:362-72.
(5) Redelmeier DA, et al. Motor vehicle crashes in diabetic patients with tight glycemic control：a population-based case control analysis. PLoS Med 2009;6:c1000192.
(6) 一杉正仁：運転中の突然死剖検例の検討. 日交通科会誌 2007;73-7.
(7) Tervo TM, et al. Observational failures/distraction and disease attack/incapacity as cause(s) of fatal road crashes in Finland. Traffic Inj Prev 2008;9:211-6.
(8) Oliva A, et al. Autopsy investigation and Bayesian approach to coronary artery disease in victims of motor-vehicle accidents. Atherosclerosis 2011;218:28-32.
(9) Diabetes Control and Complications Trial Research Group, Nathan DM, et al. The effect of intensive treatment of diabetes on the development and progression of long-term complications in insulin-dependent diabetes mellitus. N Engl J Med 1993;329:977-86.
(10) Hemmingsen B, et al. Intensive glycaemic control for patients with type 2 diabetes：systematic review with meta-analysis and trial sequential analysis of randomised clinical trials. BMJ 2011;343:d6898.
(11) 松村美穂子・他. 糖尿病患者における自動車運転中の低血糖発作の実態一低血糖発作による 交通事故低減への啓発一. 糖尿病 2014;57:329-36.
(12) 松村美穂子・他. 自動車運転中の糖尿病患者の低血糖発作,日交通科会誌 2014;13:10-7.
(13) 安田圭吾・他. 糖尿病患者における自動車事故の実態, 糖尿病 2006;49:180.
(14) 林 慎・他:糖尿病患者における自動車運転状況および低血糖の実態, 糖尿病 2006;49:180.
(15) Cox DJ, et al. Progressive hypoglycemia's impact on driving simulation performance. Occurrence, awareness and correction. Diabetes Care 2000;23:163-170.
(16) Gitt AK, et al. Prognostic implications of DPP-4 inhibitor vs. sulfonylurea use on top of metformin in real a world setting-results of the I year follow up of the prospective DiaRegis registry. Int J Clin Pract 2013;67:1005-14.
(17) Gul M, et al. The effectiveness of various doses of octreotide for sulfonylurea-induced hypoglycemia after overdose. Adv Ther 2006;23:878-84.
(18) 柳一徳・他:当院における遷延性低血糖発生の要因と病態の解析,第84回日本内分泌学会学術総会, 2011
(19) UK Prospective Diabetes Study (UKPDS) Group：Intensive blood-glucose control with sulphonylureas or insulin compared with conventional treatment and risk of complications in patients with type 2 diabetes (UKPDS 33). Lancet 1998;352:837-53.
(20) Lorber D, et al. Diabetes and driving. Diabetes Care 2012;1:81-6.
(21) Cox DJ, et al. Diabetes and driving safety：science, ethics, legality and practice. Am J Med Sic 2013;345:263-5.
(22) American Diabetes Association Position Statement. Diabetes and Driving 2013;36:80-5.
(23) 馬場美年子・他. 糖尿病による意識障害に起因した自動車事故例の検討一本邦判例からみた 運転者の注意義務と予防対策について一 日交通科会誌 2011;11:13-20.

11 의식장애

1 의식장애란?

'의식(Consciousness)장애'는 질환명이 아니라 증상(증후)이고, 그 주된 내용은 의식 수준(각성 수준)의 저하(악화)이지만, 이 이외에도 의식 내용의 왜곡, 의식의 축소라는 두 요소를 포함한다. 의식장애는 1차성 뇌장애(뇌 자체에 장애 존재) 또는 2차성 뇌장애(뇌 이외의 정신질환을 포함한 장기와 기능장애)로 인해, 뇌의 정상적인 기능이 저해되어 생기기 때문에 의식장애를 초래하는 질환으로 그 원인이 다양하다.

의식장애는 각성(Alertness)의 중증도(Severity)와 긴급도(Urgency)에 따라 의식 수준(Level of consciousness)이 어느 정도로 변화하는 가를 구분하는 것이 중요하다. 의식 수준의 저하를 초기 단계에서 파악하는 것, 의식의 저하 속도를 판별하는 것이 임상 과정에서 필수적이다.

의식 내용의 왜곡(Change of contents)이란 자기 자신이나 지금 자신이 놓여있는 상황을 파악할 수 없는 상태를 말한다. 의식 수준의 저하는 존재하지 않거나 존재해도 경도인 경우가 많다. 대뇌피질의 기능장애에 의해 나타나고 지능 저하, 기억력 저하, 정신 증상 등을 보이며, 이는 급성 혹은 만성으로도 나타날 수 있다. 대부분은 정신질환, 발달장애에서 발생하지만 전해질 이상(Electrolyte abnormality), 전두엽 주변의 수막종(Meningioma) 등의 양성종양, 변연계(Limbic system) 뇌염[난소성 기형종과 관련 있으나 멀리 떨어진 조직에서 발생하는 방종양성 뇌염(Paraneoplastic encephalitis)] 등과 합병해서 급성으로 발병하는 경우도 있다.

의식의 축소(Restriction of consciousness)란, 의식 수준의 저하는 없지만, 자신의 주의 및 관심이 향하는 방향이 상당히 한정되어 있어 그 외의 일에 신경 쓸 수 없을 때 상황에 대한 정확한 파악이나 올바른 판단을 할 수 없는 상태를 말한다. 공포, 경악, 심각한 불안 등 부하가 강한 심인성 반응으로서 생기는 경우가 많고, 해리성 장애(소위 히스테리) 등에서 자주 보인다. 이 병증이 생기는 동안의 사건(Episode)에 대해서는 나중에 기억하지 못하는 경우가 있다.

의식 청명(Alertness)이란, 그림 1의 넓은 원판에 어떤 결손도, 울퉁불퉁한 것도 없는 상황이다. 의식 수준의 저하는 의식이 점점 아래로 가라앉아서 확실히 눈뜬 각성상태에서 조금씩 자신이 놓여 있는 입장을 알 수 없게 된다[혼란상태(Confused): 지금 있는 장소, 현재의 날짜와 시간, 그리고 주위 사람에 대해 정확히 설명할 수 없다]. 의식 수준이 좋은 상태에는 날뛰거나 큰소리를 내거나 할 수 있어도 서서히 본인 스스로 말이 없어지고, 더 나아가 말을 거는 등의 자극이 없으면 눈을 뜨지 않으며, 맨 마지막에는 강한 통증 자극에도 손발조차 움직이지 못한다.

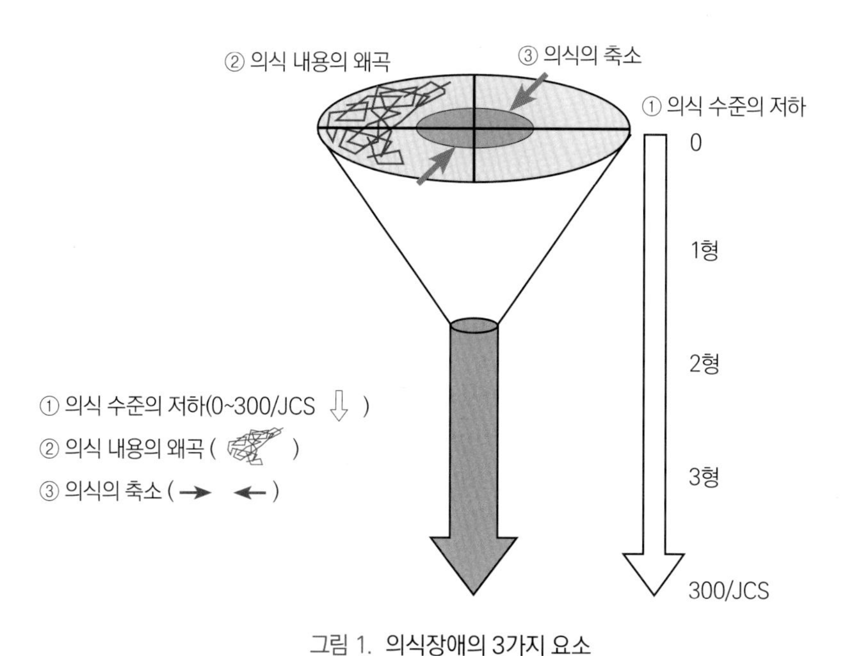

그림 1. 의식장애의 3가지 요소

의식 내용의 왜곡은 원판의 일부분이나 전체에 구멍이 뚫려 찢어지거나 울퉁불퉁한 상태라고 할 수 있다. 기억, 이름기억, 주위에 대한 주의력, 정보수집능력, 상황파악, 사고, 평가, 판단력 등이 왜곡되어 있다. 의식 수준의 저하는 없거나 있어도 경도 정도이다.

의식 축소는 원형 그 자체가 줄어들어 작아진 상태이며, 외부의 정보를 입력할 수 없고(일부러 무시하고 있는 것인지도 모른다) 정확한 상황파악과 사고, 판단이 어려운 상태라고 할 수 있다. 마찬가지로 의식 수준이 저하하지 않는 경우가 많다.

2 의식장애의 정량적 평가법

의식수준 저하를 객관적으로 평가하는 방법이 있다. 일본에서 사용되고 있는 일본코마척도(Japan coma scale, JCS), 세계적으로 널리 사용되고 있는 글라스고우코마척도(Glasgow coma scale, GCS)가 있다. 둘 다 중증 두부외상의 예후를 판단하기 위해 손상 환자의 의식장애를 정량적으로 평가할 목적으로 거의 같은 시기에 일본과 영국에서 작성한 것이다. JCS에서는 3자릿수(100~300)가 중증이고, GCS에서는 8 이하가 중증으로 분류된다.

JCS는 3–3–9도 방식이라고도 하며 0~300이 10단계로 분류되어 있다. 일본에서는 구급대원을 중심으로 병원 전 응급의료에 널리 보급되었다. 그 특징은 의식장애를 경도(눈을 뜨고 있다, 각성하고 있다: 1자릿수), 중등도(자극으로 눈을 뜰 수 있다, 각성할 수 있다: 2자릿수), 중증(각성할 수

없다: 3자릿수)로 해서 한 축으로 파악하고, 그 위에 의식 청명을 0/JCS로 표기할 수 있다는 점이다. 표 1은 이 표기법을 보여준다. 1/JCS와 100/JCS는 예후나 중증도에서 100배나 차이가 날 리 없으므로 그런 의미에서 집계 및 평균 등 통계상에 문제가 있다.

표 1. 일본코마척도(JCS)

자릿수	반응	점수
1 각성 상태	의식 청명	0
	대체로 청명하지만 무언가 하나 확실하지 않다	1
	혼동 상태가 있다	2
	자기 이름, 생년월일을 말할 수 없다	3
2 자극에 의한 각성상태	일반적으로 말을 걸면 쉽게 눈을 뜬다	10
	큰 소리 또는 몸을 흔드는 것으로 눈을 뜬다	20
	계속 통증 자극을 하면서 반복적으로 말을 걸면 겨우 눈을 뜬다	30
3 자극해도 각성하지 않는 상태	통증 자극에 대해 물리치는 듯한 동작을 한다	100
	통증 자극으로 조금 손발을 움직이거나 얼굴을 찡그린다 (*제뇌경직을 포함한다)	200
	통증 자극에 반응하지 않는다	300
R (Restless): 들뜬 상태, I (Incontinence): 대소변실금, A (Apathetic): 무기력		

*Decerebrated rigidity (제뇌경직)

한편, GCS는 눈뜨기(Eye opening), 소리에 의한 반응(Verbal response), 운동에 의한 반응(Best motor response)의 세 축을 합산하여(표 2), 최저점 3점~최고점 15점 범위에서 1점차씩 나타내기 때문에 통계처리가 쉽다. 최고점인 15점에는 JCS의 0과 1이 포함된다. 즉, 의료인이 볼 때 의식이 명료하다고 단정 짓기 어려운 미묘한 차이는 표현할 수 없다. 새롭게 JCS와 GCS의 장점을 도입한 응급코마척도(Emergency coma scale, 이하 ECS)가 개발되었고, JCS, GCS를 알고 있는 검사자는 한번 강의를 수강한 후에 모의환자에게 ECS를 시행한 결과, 정답율이 높고 예후와의 상관도 좋게 나타났다. 그 내용을 표 3, ECS 판정 흐름도를 그림 2, ECS 3자릿수와 GCS의 M의 대조표를 표 4에 각각 나타냈다.

표 2. 글라스고우코마척도(GCS)

관찰항목	반응	점수
눈뜨기 (Eye opening)	자발적으로 눈을 뜬다	4
	부르면 눈을 뜬다	3
	통증 자극에 눈을 뜬다	2
	전혀 눈을 뜨지 않는다	1
소리반응 (Verbal response)	지남력이 있다	5
	혼돈된 회화	4
	부적절한 언어(Word)	3
	이해 불가능한 음성(Sound)	2
	소리 반응이 없음	1
운동반응 (Best motor response)	명령에 따른다	6
	통증에 국소적 반응이 있다.	5
	자극에 손발을 움츠리는 회피성 반응이 있다	4
	비정상적으로 굴곡이상(제피질 자세*)	3
	비정상적으로 신전이상(제뇌 자세*)	2
	전혀 반응이 없다.	1

*제피질 자세: Decorticated posture, *제뇌 자세: Decerebrated posture

표 3. 응급코마척도(ECS)

1자릿수. 각성 상태: 자발적으로 눈뜨기, 스스로 말하기 또는 목적 지향적 동작을 보인다	
혼돈 있음	1
혼돈 또는 자발 언어 없음	2
2자릿수. 각성할 수 있다: 자극에 의한 눈뜨기, 스스로 말하기 또는 명령에 따르는 것을 보인다	
말을 걸면	10
통증 자극으로	20
3자릿수. 각성하지 않는다: 통증 자극으로도 눈뜨기, 말하기 및 명령에 따르지 않고 운동반사만 보인다	
물리친다, 자극 부위에 손을 가지고 간다	100L
겨드랑이를 열고 구부린다, 얼굴을 찡그린다	200W
겨드랑이를 닫고 구부린다	200F
겨드랑이를 닫고 뻗는다	200E
전혀 반응하지 않는다	300

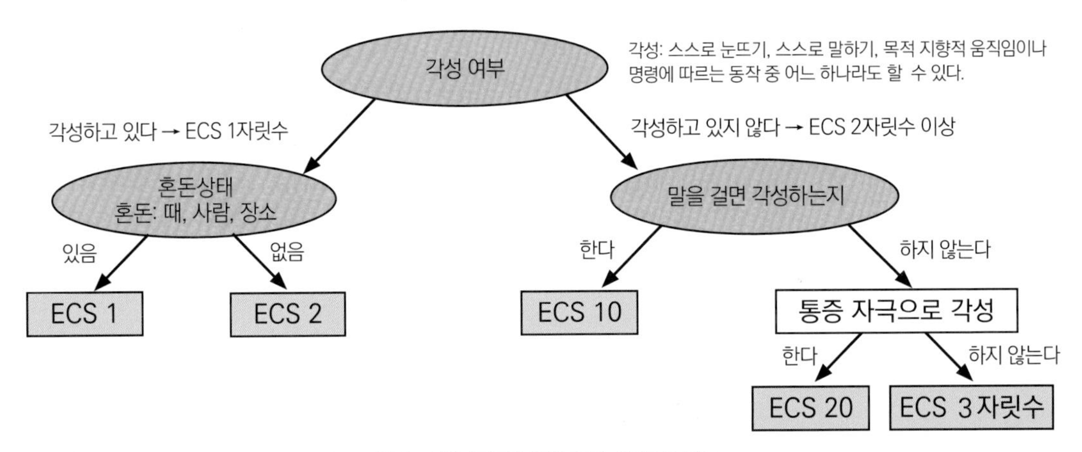

그림 2. 응급코마척도(ECS) 판정 흐름도

표 1. 일본코마척도(JCS)

ECS 3자릿수 통증자극에 대한 반응		GCS의 움직임 반응(M)	
물리치며, 자극부위에 손을 가져감	100L	통증 부위에서만 움직임	5
겨드랑이를 벌리며 구부리고, 얼굴을 찡그림	200W	회피성 반응을 보임	4
겨드랑이를 붙이며 굴전 반응	200F	비정상적인 굴전 반응보임	3
겨드랑이를 붙이며 신전반응	200E	비정상적인 신전 반응보임	2
전혀 반응 없음	300	전혀 반응 없음	1

L (Localize): 통증 자극 부위 쪽으로 손발을 가져감, W (Withdraw): 통증에 손발을 움추림, F (Flexion): 상지를 비정상적으로 구부림, E (Extension): 사지를 비정상적으로 신전시킴

3 의식장애를 초래하는 질환과 그 감별

1 1차성 뇌장애와 2차성 뇌장애

의식장애를 초래하는 원인에는 뇌 그 자체의 병변에 의한 1차성 뇌장애와 뇌 이외의 원인으로 인한 뇌 기능이 저해되어 일어나는 2차성 뇌장애가 있다. 양쪽 모두가 발생하는 경우도 있을 수 있다.

2 2차성 뇌장애를 초래하는 질환

뇌의 중량은 1,300g(체중 70kg이라고 하면 그 2% 미만)이지만, 혈액 공급은 심박출량(Cardiac output)의 20%를 차지하고 항상 대량의 산소, 포도당을 운반하는 혈류를 필요로 한다. 이 중 어느 것이라도 막히게 되면 수초~수십 초 만에 의식장애가 생긴다. 갑자기 산소 공급이 저하되면 상기도 폐쇄나 폐울혈(Pulmonary congestion), 중증 폐렴(Pneumonia), 일산화탄소 중독으로 인슐린의 상대적 과잉에 의한 저혈당 발작(Hypoglycemic shock), 그리고 혈류저하는 각종 쇼크[1. 심장원인: 급성심근경색, 급성심부전, 치명적인 부정맥, 심장판막증, 2. 심장외 막힘이 원인: 심장 탐포네이드(Cardiac temponade), 폐색전(Pulmonary embolism), 긴장성기흉(Tension pneumothorax)/혈관 내 용량 저하성: 중증외상, 소화관출혈, 대동맥박리(Aortic dissection), 3. 혈액분포이상이 원인: 패혈증(Sepsis), 척수손상, 미주신경반사)], 목맴(Hanging; 이 경우는 정맥순환류도 장애가 된다)에 의해 생긴다. 이외에도 전신성 감염증에서의 패혈성 뇌증(Septic encephalitis; 혈액 내에 높은 사이토카인 농도에 따른 뇌세포 기능의 직접 장애와 패혈성 쇼크에 의한 뇌혈류 저하), Ⅲ도 열사병(Heat stroke; 뇌의 고체온과 고사이토카인혈증), 중증 간질환(Liver disease; 간경변, 급성간염 등)과 신장 질환(Kidney disease; 급성신장손상, 요독증 등)에 수반하는 대사성 뇌증(Metabolic encephalopathy), 약물 과량섭취나 약물 그 자체에 의한 부작용이나 상호작용, 전해질 이상 등이 있다.

3 1차성 의식장애를 초래하는 질환

뇌 자체의 장애에 의해 의식장애를 초래하는 질환에는 다른 원고에서도 기재되어 있는 뇌졸중, 두부외상, 중추신경감염증(뇌염과 수막염), 뇌전증 등이 있다. 의식장애 이외의 특징적인 소견이 있는 것도 많고, 증상 발견, 그리고 중증도, 긴급도를 나타내는 지표로서 의식장애는 중요하다.

4 응급실에서 의식장애 감별(그림 3)

의식장애를 주된 증상으로 하는 사례에서도 우선은 호흡수, 맥박, 혈압, 체온 등의 활력징후(vital sign)를 확인하고 소생(정상화)을 최우선으로 한다. ABC 즉 A: Airway 기도 확보, B: Breathing 산소공급과 환기, C: Circulation 순환 확인과 상태를 최적화시키면서 2차성 의식장애를 감별한다. 경련이 지속하는 경우에 디아제팜(Diazepam) 등을 투약하여 억제시킨다. 혈액 가스(ABGA)를 포함한 채혈 결과에서 CO_2분압, 일산화탄소혈색소(COHb), 혈당(Blood glucose), 대사성 산혈증(Metabolic acidosis), 전해질(Electrolyte), 간 기능(Liver function), 신장 기능(Renal function), 응고계(Coagulation system) 등의 평가, 심전도 등의 평가 후에, 1차성 의식 장애의 원인 검색으로서 머리 컴퓨터단층촬영검사(CT)[우선은 단순 CT, 필요에 따라 조영제 투여 후 뇌혈관 컴퓨터단층촬영검

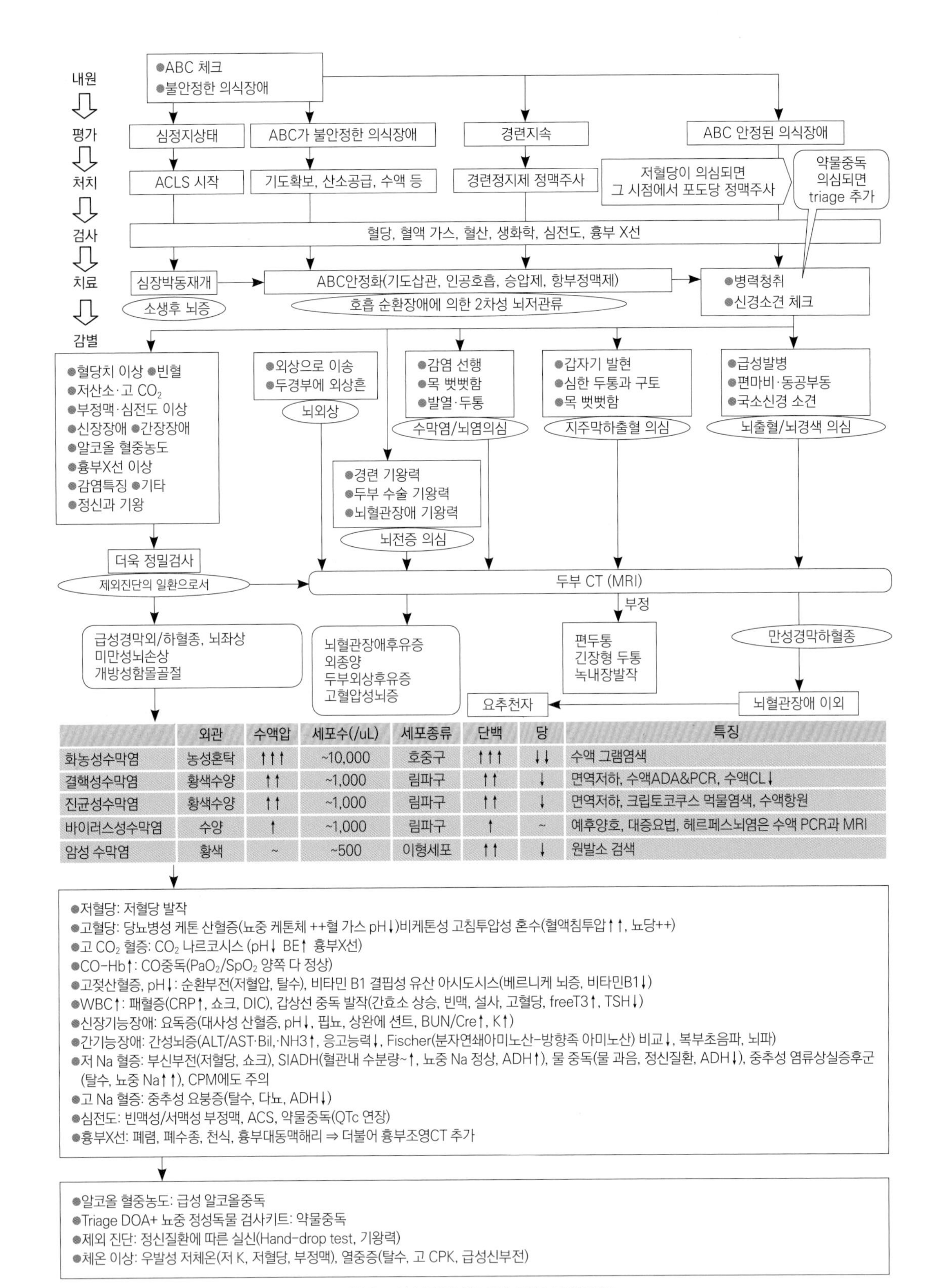

	외관	수액압	세포수(/uL)	세포종류	단백	당	특징
화농성수막염	농성혼탁	↑↑↑	~10,000	호중구	↑↑↑	↓↓	수액 그램염색
결핵성수막염	황색수양	↑↑	~1,000	림파구	↑↑	↓	면역저하, 수액ADA&PCR, 수액CL↓
진균성수막염	황색수양	↑↑	~1,000	림파구	↑↑	↓	면역저하, 크립토코쿠스 먹물염색, 수액항원
바이러스성수막염	수양	↑	~1,000	림파구	↑	~	예후양호, 대증요법, 헤르페스뇌염은 수액 PCR과 MRI
암성 수막염	황색	~	~500	이형세포	↑↑	↓	원발소 검색

그림 3. 의식장애 환자의 진찰 진행방법

사(CTA)]를 안전하게 시행한다. 더불어 수액검사, 호르몬 혈중농도, 알코올 혈중농도, 뇨중의 약물 정성검사, 각종 배양검사, 그리고 기왕력 등 다른 의료기관의 진료 이력과 그 내용, 처방약, 현재의 병력에 대한 상세한 정보를 수집한다.

4 의식장애와 운전

자동차를 사고 없이 안전하게 운전하기 위해서는 의식장애가 전혀 없는 상태, 즉 의식이 청명해야 한다. 의식 수준에 저하가 있는 경우에는 운전이 허가되지 않는다. 다만, 의식 내용의 변화와 의식 축소는 상당히 경미한 의식장애이고 이를 판단하는 일도 쉽지 않다. '왠지 이상하다', '사람들과 관계가 나쁘다', '화를 잘 낸다', '바로 발끈한다', '상식을 벗어난다', '난폭하다' 등으로 표현되는 상황에서, 의식장애 유무를 판단할 때는 풍부한 경험이 필요하며 시간을 들여 경과를 관찰해야 한다.

이렇게 각별히 주의해서 그 유무를 판단하는 이유는 자동차 운전이 일상생활에서 반드시 필요하지만 동시에 생명까지 빼앗을 위험성이 있기 때문이다. 사실 정신질환과 뇌전증 발작, 뇌졸중 후유증이 있어도 안전하게 운전하는 사람들도 많다. 마녀사냥이 되지 않고 사고에 휘말리는 희생자가 나오지 않도록 하려면 안전한 운전을 위해 필요한 ① 본인을 포함한 운전 전 체크 리스트와 ② 의료기관의 신중한 진찰, 드라이빙 시뮬레이터를 이용한 실지 테스트 등으로 누구나가 납득할 수 있는 판단기준을 작성할 필요가 있다.

참고문헌

(1) 三宅康史(編著). 特集 意識障害緊急を要する病状・病態の初期診療と意識障害への初期対応. レジデント 2010;3:5-106.

(2) 奥寺 敬. 他:新しい意識障害評価法 ECS の開発, 日本神経救急学会 ECS 検討委員会報告 2003. 日本神経救急学会誌 2004;17:66-8.

(3) Wakasugi M, et al. Development of New Coma Scale : Emergency Coma Scale(ECS). Kanno T(ed) : Minimally Invasive Neurosurgery and Multidisciplinary Neurotraumatology 2007 pp400-403, 2007 シュプリンガー・フェアラーク東京, pp400-403, 2007

(4) 救急救命士標準テキスト編集委員会(編) : 重症脳障害 改訂第9版 救急救命士標準テキスト下巻. へるす出版;2014. pp616-623.

12 수면장애

1 들어가며

2002년 일본 도로교통법 개정으로 '중증도의 졸음증상을 나타내는 수면장애'는 운전면허 거부, 취소, 보류 및 정지 조건이 되는 질환 중 하나가 되었다. 2014년부터는 개정도로교통법에 의해 증상에 대해 허위작성을 할 경우, 그에 대한 벌칙이 강화되어 의사는 운전적성을 빠뜨린 환자를 임의로 공안위원회에 신고할 수 있게 되었다. 더욱이 자동차 운전 치사상행위처벌법에 따라 질환에 의한 운전 위험을 알면서도 운전하여 타인에게 손상을 입히는 경우에는 처벌받는다. 이러한 제도의 설정 근거는 자동차 운전의 사고 위험을 억제하기 위해서 매우 타당하다. 그러나 환자가 운전면허 정지를 두려워해서 의료기관에서 진찰받기를 피하거나 의사가 공안위원회에 신고하여 의사와 환자 간의 양호한 신뢰관계가 무너지는 사태가 벌어지는 역효과가 날 수도 있다. 환자가 적절한 진단과 치료를 받아 안전하게 자동차 운전을 계속할 수 있도록 의료인은 과민성 질환에 따른 운전사고 위험을 파악하고 과부족이 없는 치료를 제공하거나 운전적성을 판단할 필요가 있다.

이 책에서는 대표적인 과민성 수면장애인 폐쇄성 수면무호흡증과 중추성 과민증(기면증과 특발성 과민증)을 중심으로 질환과 운전사고 위험, 운전문제 실태, 운전사고 대책 방안에 대해서 간략하게 설명하겠다. '중증도의 졸음증상을 나타내는 수면장애'를 가지고 있는 환자에 대한 졸음평가와 운전적성 판단 지표 및 검사 수법과 그 해석, 나아가 과민성 수면습관 및 수면장애 치료약이 미치는 영향에 대해서도 언급하겠다.

2 폐쇄성 수면무호흡증과 자동차 운전 위험

1980년대에 미국에서 폐쇄성 수면무호흡증(Obstructive sleep apnea, 이하 OSA) 환자의 운전사고 위험률이 높다는 지적이 나온 후 세계적으로 폐쇄성 수면무호흡증과 운전사고에 초점을 둔 역학적 연구가 많아졌다. 각국의 보고서 데이터를 바탕으로 한 체계적 문헌고찰(메타분석)연구에서 대상 인구가 달라 교차비(Odd ratio) 수준에서 차이가 있지만, 대부분의 보고에서 OSA는 운전사고와 유의미한 관련 요인임을 나타내고 있다(그림 1).[1] 이와 같은 경향은 직업 운전자를 대상으로 한 체계적 문헌고찰(메타분석)연구에서도 확인되었다.[2]

OSA에 의해 생기는 졸음은 수면시의 무호흡-저호흡과 동반하는 얕은 수면, 그리고 호흡이 종

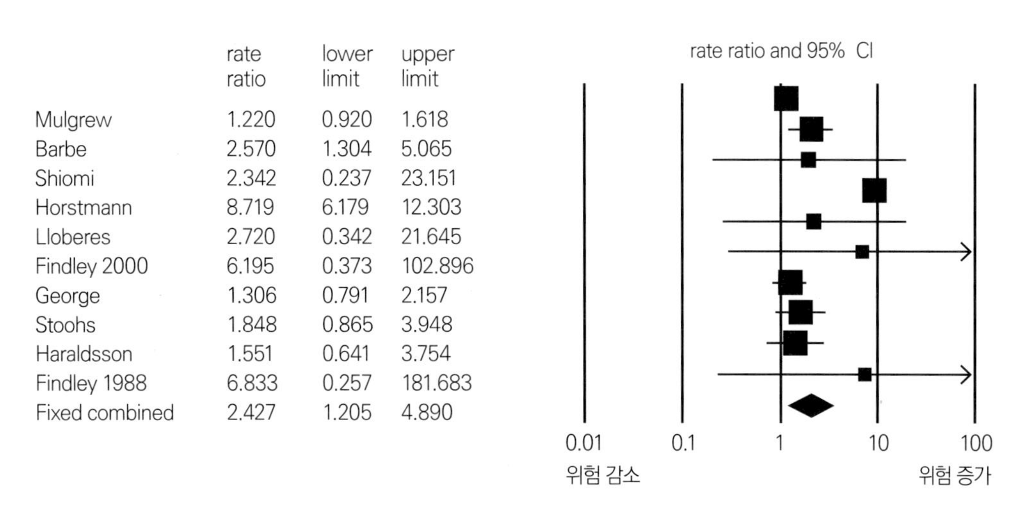

	rate ratio	lower limit	upper limit
Mulgrew	1.220	0.920	1.618
Barbe	2.570	1.304	5.065
Shiomi	2.342	0.237	23.151
Horstmann	8.719	6.179	12.303
Lloberes	2.720	0.342	21.645
Findley 2000	6.195	0.373	102.896
George	1.306	0.791	2.157
Stoohs	1.848	0.865	3.948
Haraldsson	1.551	0.641	3.754
Findley 1988	6.833	0.257	181.683
Fixed combined	2.427	1.205	4.890

그림 1. OSA 환자의 운전사고 위험(심신 장애가 없는 사람과의 비교·메타분석) (문헌1에서 인용, 필자 변경)
OSA 환자에서 운전사고 위험이 커지는 것을 나타내고 있다.

료될 때에 생기는 아주 작은 각성반응에 의해 빈번하게 수면이 분단되는 것이 주요 원인이 된다. 또한 무호흡–저호흡에 따르는 간헐적 저산소혈증도 영향을 미친다.[3] OSA에서는 무호흡 중증도 지수(Apnea hypopnea index, AHI; 수면 1시간당 무호흡 및 저호흡 횟수)가 높을수록 운전사고 위험이 높다[4~8]고 한다. 객관적인 졸음지표인 수면잠복기 반복반응검사(Multiple sleep latency test, 이하 MSLT; 뇌파계를 이용하여 평가하는 검사)[9]에서도 중증 증상을 보이는 경우는 졸음수준이 높아진다고 하였다.[10] 정상 수면 대기시간은 5–15분이며 수면대기시간(Sleep latency time)이 5분이하이면 과다 수면이 의심되며, 반대로 이것이 15분 이상이면 잠이 들기 힘든 상태로 추정된다. 한편으로 자각적 졸음지표인 엡워스 졸음척도(Epworth Sleepiness Scale, 이하 ESS)[11] 점수는 OSA의 중증도와는 명확한 상관관계가 없으며[12], 자각적인 수면 증상 척도인 ESS와 객관적인 MSLT의 결과는 동일한 환자인데도 다를 때가 있다고 보고하였다.[10] 이러한 결과는 자각적 졸음 유무와 상관없이 자동차 운전자(특히 직업 운전자)에 대한 폐쇄성 MSKT의 타당성을 지지하는 것이라고 할 수 있다. 또한 미국수면의학회(American Academy of Sleep Medicine, 이하 AASM)는 직업 운전자에 대해서 '1. 체질량지수(Body mass index, BMI) 40kg/㎡ 이상, 2. 직무 중에 권태감이나 졸음이 있음 또는 졸음과 관련된 운전사고 이력이나 위험 운전력이 있음, 3. BMI 33kg/㎡ 이상으로 2종류 이상의 혈압강하제가 필요한 고혈압 또는 2형 당뇨병이 있음' 중 어느 하나에 해당되는 경우에는 OSA 진단을 위한 정밀검사를 실시하도록 권장하고 있다.[13]

그러나 모든 OSA 환자에서 운전사고 위험이 높지 않다는 것에도 유의할 필요가 있다. 필자의 조사에서는 치료를 받지 않은 OSA 환자의 과거 5년간의 졸음운전 사고에 대해서 AHI 40회/시간 이상, 그리고 ESS 16점 이상인 경우에는, 이 검사결과들이 운전사고와 독립적인 위험 인자로 밝혀졌다.[14] 또한, 마찬가지로 직업 운전자를 대상으로 한 연구에서도 사고 위험이 될 수 있는 중증도의 수면과민성(MSLT상 평균 수면대기시간이 5분 이내)을 가진 경우는 AHI 40회/시간 이상, ESS 11점 이상과 관련이 있었다.[15] 다른 연구에서도 AHI와 ESS가 높은 점수는 운전사고의 독립적인 위험 인자였다는 것이 확인되었다.[16,17] 바꿔 말하면 OSA 중증도가 경도~중등도(AHI가 30회/시간 미만)이고, 동시에 ESS 점수도 낮은 사례에서는 OSA 자체에 의해 졸음운전 사고가 생길 가능성은 비교적 낮다고 할 수 있다.

3 폐쇄성 수면무호흡증(OSA)에 대한 운전사고 대책

OSA의 치료법은 주로 가정에서 지속적 양압 호흡치료(Continuous positive airway pressure, 이하 CPAP)와 구강내 장치(Oral appliance, OA)를 사용하는 것이고, 중증도에 따라서 그 적응이 검토된다. 모두 대증요법이기 때문에 치료 효과에는 수면 시의 호흡이벤트 억제효과와 처방에 따라 약을 얼마나 잘 복용(복약 순응도)하는 가에 따라 크게 영향을 받는다. OSA에 대해 적절하게 CPAP가 이루어지면 운전사고 위험이 감소되는 것과[18](그림 2), 드라이빙 시뮬레이터를 이용한 연구에서 운전행위가 개선되는 것이 확인되었다.[19] CPAP의 순응도에 대해서는 일반적으로 하루에 4시간 이상, 사용일 비율 70% 이상을 권장하지만, 이것이 반드시 졸음수준의 개선을 보장하기 위한 것은 아니다. Weaver 등[20]은 자각적인 졸음지표(ESS) 개선에는 하루에 4시간 이상, 색관적인 졸음지표(MSLT) 개선을 목표를 달성하기 위해서는 하루에 6시간 이상, 낮 시간의 기능개선에는 하루에 7.5시간 이상의 CPAP 사용이 바람직하다고 결론지었다. 또한 미국수면학회에서는 중증 OSA 환자는 하루만 CPAP 사용을 중단하는 것만으로도 사고 위험이 커질 가능성이 있다고 보고하면서, 이에 대한 주의를 경고하였다.[13] 더욱이 수면시간이 짧거나 졸음수준이 높은 것은 OSA의 중증도보다도 졸음운전이나 사고와 깊은 관련이 있었다.[21] 또한 주행거리가 길수록 운전사고 위험이 커진다는 보고[22,23]를 근거로 하면 OSA를 갖고 있는 사람의 졸음운전 위험을 줄이기 위해서는 CPAP 사용 준수를 엄밀하게 점검하여야 한다. 또한 야간 수면시간을 충분히 확보하고 장거리 운전 시에 적당한 휴식을 취하면서 가능한 장시간의 운전을 피하는 것도 아주 중요하다고 생각한다.

폐쇄성 수면무호흡증 환자가 CPAP를 시작한 후에도 여전히 졸리는 사례가 2.4~4.4% 정도 보고되고 있다.[24,25] 이와 같은 졸린 증상은 수면장애국제분류 제3판에서 "적절하게 치료된 폐쇄성 수면무호흡증 환자의 과다수면"으로 기재되어 있으며, 기타 수면장애 없이 적절한 수면시간을 확보하고 3개월 이상 적절한 CPAP(하루 7시간 이상 사용)를 한 후에도 ESS가 중증도 이상(11점 이상)으로 상승한 점, MSLT의 평균 수면대기시간이 8분 미만(중추성 과면증에 준한 졸음 수준)인 것을 참고 기준으로 하였다.[26] 수면습관, 환경, 복약 및 기호품 등의 문제없이 그 외 수면을 방해

	rate ratio	lower limit	upper limit
Barbe	0.407	0.370	0.447
George	0.333	0.231	0.482
Findley	0.090	0.005	1.631
Horstmann	0.255	0.232	0.279
Scharf	0.286	0.250	0.327
Yamamoto	0.039	0.002	0.649
Krieger	0.313	0.194	0.503
Cassel	0.188	0.131	0.267
Engleman (injury)	0.200	0.104	0.385
Fixed combined	0.278	0.223	0.348

rate ratio and 95% CI

0.01 0.1 1 10 100

위험 감소 위험 증가

그림 2. CPAP에 의한 운전사고 위험 개선(치료 전과의 비교·메타분석) (문헌18에서 인용, 필자 변경)
OSA에 대해 적절하게 CPAP가 이루어지면
치료 전과 비교해서 운전사고 위험이 감소되는 것을 나타내고 있다.

하는 병태가 병존하지 않는 경우에는 각성 유지약인 모다피닐(Modafinil, 100~300mg/일) 투여가 일본에서는 보험이 적용된다. ESS 11점 이상의 졸음 증상으로 CPAP를 받고 있는 일본인 OSA 환자에 대해서 모다피닐 200mg/일 투여한 후 ESS나 각성유지 검사(Maintenance of wakefulness test, MWT) 결과에 유의미한 개선이 확인되었다.[27] 한편으로 저자들은 CPAP 후 여전히 졸리다고 호소하는 일본인 환자에게 모다피닐 200mg을 투여한 경우, 투여 전의 졸음수준이 비교적 경증인 시험군(MWT 평균 수면대기시간 14분 이상)에서는 대조군에 비해 졸음수준에서 유의미한 개선이 보이지 않았다는 것을 보고하였다.[28] CPAP 후의 잔유 수면(Residual sleep) 수준이 비교적 가벼운 사례에는 모다피닐(Modafinil)의 효과가 없을 가능성이 있다는 것과 CPAP 후의 과다수면은 자연히 소실되는 것을 염두에 두고 모다피닐의 효과와 필요성을 신중하게 살펴 필요 이상으로 처방하는 일이 없도록 주의하기 바란다.

4 중추성 과다수면증과 운전사고 위험

심각한 수면 장애 사실은 없지만 충분한 수면시간을 확보해도 중증도의 졸음이 생기는 수면장애로서 중추성 과다수면증(기면증, 기면발작증, Narcolepsy, 이하 NA)과 특발성 과다수면증(Idiopathic hypersomnia, 이하 IHS)을 들 수 있다. NA에서는 빈번하게 졸음이 증폭되고 동시에 렘수면(REM sleep)의 역발현성이 증가하는 특징이 있고, 렘수면 관련 증상으로서 가위눌림(Sleep paralysis), 입면환각(Hypnagogic hallucination), 정동탈력발작(Cataplexy) 등을 수반하는 경우도 있다. IHS에서는 졸음은 증가하기 쉽지만, 렘수면(REM sleep)의 역발현성은 심신장애가 없는 사람과 동등하고, 렘수면 관련증상은 동반하지 않는다. 이러한 수면각성장애가 있는 NA에서도 졸음운전 위험이 높다고 보고되었으며(29~31), 일본인 NA 환자를 대상으로 한 연구에서는 ESS 점수가 16점 이상이면 운전사고 경력과 관련이 있었다.(30) NA에는 제1형(정동탈력발작 혹은 척수액내 오렉신 농도치가 낮은 것)과 제2형(척수액내 오렉신 농도치가 낮지 않은 것)이 있다. 치료를 받지 않은 환자의 NA의 졸음수준은 중증 OSA와 동등 혹은 그 이상으로 높고 그중에서도 제1형 NA의 졸음수준은 제2형 NA 및 IHS와 비교해서 더 높다.(32)

NA는 운전사고 위험률 상승이 염려되지만, NA와 IHS는 운전면허 취득 가능 연령인 18세 이전에 발병하는 경우가 많고, 본인 또는 주변이 운전사고 위험을 심각하게 여겨 운전 자격 취득을 희망하지 않는 경우가 많기 때문에 운전 허가 여부가 임상현장에서 문제가 되는 일은 의외로 적다. 일반 인구 역학조사에 따라 NA의 졸음운전 위험을 검토한 연구는 적고, 낙관하기는 어렵지만 OSA(운전면허 취득 후에 발병하기 쉽고, 특히 비만이 있는 직업 운전자에게 유병률이 높다)에 비해서 사회적인 영향은 적다고 생각한다.

5 중추성 과다수면증(NA)에 대한 운전사고 대책

NA는 현재로서 각성 유지약을 사용하는 증상에 따른 약물치료법을 사용하고 있다. 졸음수준이 높은 제1형 NA에서도 모다피닐 복용으로 드라이빙 시뮬레이터 성적이 개선되었고(33), 실제로 고속도로 운전에서도 자동차가 옆으로 흔들리는 현상이 감소하였다.(34)

NA는 연속운전에서 졸음이 생기기 쉬운 경향이 있다. 30분간의 드라이빙 시뮬레이터에서 심신장애가 없는 시험군에서는 시간 경과에 따라 충돌률이 증가하지 않았지만, NA 환자군에서는 시간 경과에 따라 충돌률이 증가하였다.(35) 따라서 중추성 과면증 환자의 졸음운전 위험을 낮추기 위해서는 약물 복용을 엄격하게 준수하고 장시간의 연속운전을 피하며 정기적으로 휴식을 취하는 등의 대책을 마련해야 한다.

6 졸음평가와 운전 적정 판단

객관적인 졸음 평가방법으로서 일반적으로는 수면잠복기반복반응검사(MSLT) 및 각성유지검사(MWT)를 실시한다. 전자는 주로 각종 과다 수면성 질환의 중증도 평가 및 감별진단에 이용하고, 후자는 과다 수면성 질환의 치료 효과 판정이나 운전을 포함한 사회생활에 대한 졸음 영향

수준의 참고 지표로서 이용된다. 어느 검사든 검사환경을 유지하기가 쉽지 않기 때문에 검사할 수 있는 시설은 많지 않으며, 주로 수면 전문 의료시설에서 이루어진다. 또한, 전자는 일본에서는 건강보험이 적용되지만, 후자는 적용되지 않는다. MSLT는 밝은 낮 시간에도 어두운 장소에서 눈을 감고 눕게 하여 잠들도록 지시한 상황에서 20분간 뇌파를 기록하고, 4~5회의 검사결과의 평

표 1. 수면잠복기반복반응검사(MSLT), 각성유지검사(MWT)와 운전면허에 관한 각국의 보고

	폐쇄성 수면무호흡증(OSA)	중추성 수면과다증(NA)	
호주	MSLT, MWT가 객관적 졸음평가 방법으로서 기재(기준치는 없음). ESS 16~24점이면 사고 위험이 올라간다.	진단을 위한 MSLT에 대해서만 기재	직업 운전자에서는 의학적 평가로서 MWT, MSLT로 객관적 졸음을 측정하고, 치료 반응을 확인하고 기재
캐나다 (캐나다의학협회)	CPAP 사용 준수를 평가하라고만 기재	사고가 4배 많지만, 졸음보다도 정동탈력발작, 수면마비가 관계있다고 기재 12개월 이내에 정동탈력발작, 수면발작이 있었던 것으로 MSLT로 진단된 사람에게 운전을 허가해서는 안된다.	MWT에 대한 기재 없음
뉴질랜드	사고 위험과의 관계와 운전금지, 치료와 운전 재개, 치료 효과의 추적 필요성은 기재	사고 위험과의 관계와 운전금지, 치료와 운전 재개, 치료 효과의 추적 필요성은 기재	MSLT, MWT에 대한 기재 없음
택사스 ("택사스 운전법규" 의료자문단: 운전자격증 시험 및 발급을 주관하는 주 보건서비스 부서)	국립고속도로운전안전청의 규정에 따라 중증(AHI>20)은 치료가 끝날 때까지는 운전하지 않도록 경증은 AHI<10 동시에 ESS<10이면 운전 가능 중등도(10<AHI<20)는 치료가 끝나고 ESS<10이 되면 운전 가능. 중증 사례는 MWT를 정상범위로 조절하고 치료 효과를 확인하라고 기재	치료 효과를 확인하기까지 3개월은 운전금지	OSA 중증 사례에만 MWT 시행 권고 운전검사는 수면장애 이외의 부분에서 기재
미국 ("미국연방정부에 의한 OSA와 직업적 자동차 운전자 안전에 관한 규칙" 미국연방자동차운송업자 안전청)	사고 위험인자로서 낮 시간의 졸음이 기재되어 있지만, 평가방법으로서는 ESS뿐이고, MSLT, MWT에는 따르지 않는다고 기재. 또한 캘리포니아주에서는 MWT/MSLT 실시 여부는 의사의 판단에 따름		OSA와 사고에 대한 증거 보고서 정도이다.
유럽연합 ("프랑스 고속도로회사와 국립 수면 및 의식집중연구소"에 의한 운전 중 수면에 관한 규정)			졸음평가법으로는 MSLT, MWT를 기재. 운전환경과는 다르지만, 주관적 졸음과 상관있고 수면부족을 예민하게 반영한다고 기재

(문헌41에서 인용, 필자 변경)
OSA: 폐쇄수면무호흡, NA: Narcolepsy, ESS: 엡워스 졸음척도

균 수면대기시간과 렘수면 출현대기시간(NA에 특징적인 렘수면 역발현성 지표가 된다)을 측정한다. 평균 수면대기시간이 10분 이상이면 정상(병적인 졸음 판단기준은 8분 이하), 5분 미만이면 중증도의 졸음이 있다고 평가한다.

각성유지검사는 낮 시간에 완전히 어두운 장소가 아닌 약한 빛 아래에서 눈을 뜨고 앉은 상태에서 자지 않도록 지시한 상황에서 40분간 뇌파를 기록하고 4회 검사결과의 평균 수면대기시간(각성유지 기능의 지표가 된다)을 측정한다. 각성유지검사의 평균 수면대기시간과 실제 운전에서 졸음의 의한 자동차의 좌우 흔들림 빈도는 역상관 관계에 있다고 보고되었고[36,37], 현 시점에서 평균 수면대기시간이 34분 이상인 경우 운전행위에는 문제가 없고, 19분 미만의 경우에는 운전 위험이 높다고 평가한다.[36,38]

피험자의 각성유지검사 결과가 운전 적정 판단지표 중의 하나로서 취급되는 것을 알고 있는 경우에는, 의식적으로 각성 상태를 유지하려고 노력하기 때문에 평균 수면대기시간을 연장시킬 가능성이 있지만 적어도 졸음을 과대평가할 가능성은 거의 없다.[39] 또한 수면잠복기반복반응검사와 각성유지검사의 평균 수면대기시간이 동일한 경향을 보인다고는 할 수 없기 때문에 용도나 목적에 따라 검사를 달리할 필요가 있다. 자각적 졸음지표인 ESS와 수면잠복기반복반응검사, 그리고 각성유지검사의 졸음검사 평가 결과가 각각 다른 원인에 대해서는 신중하게 해석해야 한다.

폐쇄수면무호흡증과 중추성 수면과다증 등의 과다수면성 질환의 자동차 사고 위험에 대해서는 환자의 생활습관이나 운전 거리의 영향 등을 고려하여 종합적인 판단이 요구된다. 과다수면성 질환의 운전 적정 판단에 관한 각국의 보고를 표 1[41]에 기술하였다. 이와 같이 객관적인 졸음지표인 각성유지검사가 절대적인 결정적 카드가 되는 것은 아니다. 현실적으로는 과다수면성 질환이 있는 환자가 지속적으로 적절한 치료를 받도록 지지하면서, 환자의 수면위생과 생활습관, 근무체제 등 전체적인 배경을 충분히 파악하는 동시에 질환 특성을 고려하여, 각성유지검사를 유효한 보조적 자료로서 활용해야 한다.

과다수면이 생길 수 있는 수면습관 및 수면제의 영향

OSA와 NA 이외에도 졸음운전 위험이 생길 가능성이 있는 병증으로는 일주기성 리듬 변화(Alternation of circadian rhythm)나 수면부족(Lack of sleep)을 들 수 있다. 교대 근무자는 수면각성리듬 변화로 인해 야간이나 이른 아침 근무 시간 및 낮 시간에 과도한 졸음을 자주 경험한다. 연속 노동시간이 길면 졸음이 심해지는 경향이 있고, 특히 장시간 교대근무 후 귀가할 때 교통사고 빈도가 높다.[42] 만성적인 수면부족 상태가 지속되는 수면부족증후군에서도 졸음과 관련된 운전사고 위험이 상승한다.[43] 본인에게 수면부족에 대한 자각이 없어도 무리하게 일어날 필요가 없는 휴일에 주말에 비해 2시간 이상 더 자는 경우는 잠재적인 수면부족 가능성을 고려해서 주말의

수면시간을 연장하도록 지도해야 한다. 교대근무나 수면부족 등의 부적절한 수면위생이나 운전 시의 휴식 부족에 의한 졸음운전 사고의 절대 건수는 OSA나 NA보다도 많기 때문에[44] 이러한 사실의 중요성에 대한 주의 환기가 필요하다.

수면장애 중에서 유병률이 가장 높은 만성 불면증(Chronic insomnia)도 2차적인 수면부족이 생길 수 있지만, 낮 시간의 각성 수준도 높기 때문에 낮 시간의 과다수면은 OSA보다도 두드러지지 않아 운전사고 위험에 대해서도 합의된 견해에 이르지는 못했다. 다만, 치료에 사용되는 수면제가 다음날까지 작용하면 운전사고 위험을 증대시킬 수 있다.[45] 특히 오전 중에 운전할 때 고용량, 중·장시간형 약물의 이월 효과(Carry-over effects)가 문제시되지만[46], 대부분의 벤조디아제핀(Benzodiazepine)류 보다도 반감기가 짧은 Z-약물(Benzodiazepine receptor agonist, Non-benzodiazepine agents)에서도 운전사고와의 관련성이 지적되고 있다.[47] 벤조디아제핀류와 Z-약물(Z-drug)보다도 진정효과가 낮은 멜라토닌(Melatonin) 수용체 작용제인 라멜테온(Ramelteon)이나 오렉신(Orexin) 수용체 길항제인 서보렉산트(Suvorexant)에도 이월 효과가 보고되고 있다. 자동차를 운전하는 불면증 환자에게 수면제를 처방할 때에는 작용시간, 복용시각, 용량을 충분히 검토함과 동시에 졸음 발현의 개인차도 배려해야 한다.

8 마치며

과다수면을 보이는 수면장애의 운전문제 실태와 졸음운전 사고 위험, 치료가 운전행위에 미치는 영향, 졸음평가와 운전적성 판정법에 대해서 간략하게 살펴보았다. 졸음운전 위험은 수면장애와 약물뿐만 아니라 부적절한 수면위생과 피로가 크게 기인한다. 중증도의 졸음이 생길 수 있는 수면장애가 있는 환자에게는 적절한 치료로 운전행위가 개선될 수 있다는 것을 전달해야 한다. 또한 질환 치료와 병행하면서, 적절한 생활습관을 들이고, 장시간의 운전을 피하며 계획적으로 휴식과 선잠을 취하도록 철저하게 지도해야 한다.

참고문헌

(1) Tregear S, et al. Obstructive sleep apnea and risk of motor vehicle : systematic and meta-analysis. J Clin Sleep Med 2009;5:573-81.
(2) Garbarion S et al. Risk of occupational accidents in workers with obstructive sleep apnea : systematic review and meta-analysis. Sleep 2016;39:1211-18.
(3) Banks S, et al. Factors associated with maintenance of wakefulness test mean sleep latency in patients with mild to moderate obstructive sleep apnoea and normal subjects. J Sleep Res 2004;13:71-8.
(4) George CF, et al. Sleep apnoea patients have more automobile accidents. Lancet 1987;2:447.
(5) Findley LJ, et al. Automobile accidents involving patients with obstructive sleep apnea. Am Rev Respir Dis

1988;138:337-40.
(6) Sassani A, et al. Reducing motor-vehicle collisions, costs, and fatalities by treating obstructive sleep apnea syndrome. Sleep 2004;27:453-8.
(7) Karimi M, et al. mpaired vigilance and increased accident rate in public transport operators is associated with sleep disorders. Accid Anal Prev 2013; 208-4.
(8) Basoglu OK, et al. Elevated risk of sleepiness-related motor vehicle accidents in patients with obstructive sleep apnea syndrome : a case-control study. Traffic Inj Prev 2014;15:470-6.
(9) Littner MR, et al. Practice parameters for clinical use of the multiple sleep latency test and the maintenance of wakefulness test. Sleep 2005;28:113-21.
(10) Fong SY, et al. Comparing MSLT and ESS in the measurement of excessive daytime sleepiness in obstructive sleep apnoea syndrome. J Psychosom Res 2005;58:55-60.
(11) Johns MW. A new method for measuring daytime sleepiness : the Epworth sleepiness scale. Sleep 1991;14:540-5.
(12) Sauter C, et al. Excessive daytime sleepiness in patients suffering from different levels of obstructive sleep apnoea syndrome. J Sleep Res 2000;9:293-301.
(13) Gurubhagavatula I, et al. Management of obstructive sleep apnea in commercial motor vehicle operators : recommendations of the AASM sleep and transportation safety awareness task force. J Clin Sleep Med 2017;13:745-8.
(14) Komada Y, et al. Elevated risk of motor vehicle accident for male drivers with obstructive sleep apnea syndrome in the Tokyo metropolitan area. Tohoku J Exp Med 2009;219:11-6.
(15) Sasai-Sakuma T, et al. Cross-Sectional study of obstructive sleep apnea syndrome in Japanese public transportation drivers : Its prevalence and association with pathological objective daytime sleepiness. J Occup Environ Med 2016;58:455-8.
(16) Arita A, et al. Risk factors for automobile accidents caused by falling asleep while driving in obstructive sleep apnea syndrome. Sleep Breath 215;19:1229-34.
(17) Barbe PJ,et al. Automobile accidents in patients with sleep apnea syndrome. An epidemiological and mechanistic study. Am J Respir Crit Care Med 1998;158:18-22.
(18) Tregear S, et al. Continuous positive airway pressure reduces risk of motor vehicle crash among drivers with obstructive sleep apnea : systematic review and meta-analysis. Sleep 2010;33:1373-80.
(19) Antonopoulos CN, et al. Nasal continuous positive airway pressure (nCPAP) treatment for obstructive sleep apnea, road traffic accidents and driving simulator performance : a meta-analysis. Sleep Med Rev 2011;15:301-10.
(20) Weaver TE, et al. Relationship between hours of CPAP use and achieving normal levels of sleepiness and daily functioning. Sleep 20107;30:711-9.
(21) Matsui K, et al. Insufficient sleep rather than the apnea-hypopnea index can be associated with sleepiness-related driving problems of Japanese obstructive sleep apnea syndrome patients residing in metropolitan areas. Sleep Med 2017;33:19-22.
(22) Filomeno R, et al. : Developing policy regarding obstructive sleep apnea and driving among commercial drivers in the United States and Japan. Ind Health 2016;54:469-75.
(23) Quera Salva MA, et al. Sleep disorders, sleepiness, and near-miss accidents among long-distance highway drivers in the summertime. Sleep Med 2014;15:23-6.
(24) Guilleminault C, et al. Tiredness and somnolence despite initial treatment of obstructive sleep apnea syndrome (what to do when an OSAS patient stays hypersomnolent despite treatment). Sleep 1996;19:S117-S122.
(25) 林田健一・他. 睡眠時無呼吸症候群治療後の残遺眠気について. 睡眠医療;2008.175-80.
(26) American Academy of Sleep Medicine : The International Classification of Sleep Disorders, Diagnostic & Coding Manual 3 rd ed. American Academy of Sleep Medicine, Darien, USA, 2014
(27) Inoue Y, et al. Efficacy and safety of adjunctive modafinil treatment on residual excessive daytime sleepiness among nasal continuous positive airway pressure-treated Japanese patients with obstructive sleep apnea syndrome : a double-blind placebo-controlled study. J Clin Sleep Med 2013;9:751-7.
(28) Inoue Y, et al. Findings of the maintenance of wakefulness test and its relationship with response to modafinil therapy for residual excessive daytime sleepiness in obstructive sleep apnea patients adequately treated with

nasal continuous positive airway pressure. Sleep Med 2016;27-28:45-8.
(29) Aldrich MS, et al. Automobile accidents in patients with sleep disorders. Sleep 12 : 487-494, 1989.
(30) Ozaki A, et al. Health-related quality of life among drug-naive patients with narcolepsy with cataplexy, narcolepsy without cataplexy, and idiopathic hypersomnia without long sleep time. J Clin Sleep Med 2008;4:572-8.
(31) Philip P, et al. Sleep disorders and accidental risk n a large group of regular registered highway drivers. Sleep Med 2010;11:973-9.
(32) Sasai T, et al. Comparison of characteristics among narcolepsy with and without cataplexy and idiopathic hypersomnia without long sleep time, focusing on HLA-DRBI(*)1501/DQBI(*)0602 finding. Sleep Med 2009;10:961-6.
(33) Findley LJ, et al. Time0on0task decrements in "steer clear" performance of patients with sleep apnea and narcolepsy. Sleep 1999;22:804-9.
(34) Philip P, et al. Modafinil improves real driving performance in patients with hypersomnia : a randomized double-blind placebo-controlled crossover clinical trial. Sleep 2014;37:483-7.
(35) Findley LJ, et al. Time-on-task decrements in "steer clear" performance of patients with sleep apnea and narcolepsy. Sleep 1999;22:804-9.
(36) Philip P, et al. Maintenance of Wakefulness Test, obstructive sleep apnea syndrome, and driving risk. Ann Neurol 2008;64:410-6.
(37) Sagaspe P, et al. Maintenance of wakefulness test as a predictor of driving performance in patients with untreated obstructive sleep apnea. Sleep 2007;30:327-30.
(38) Philip P, et al. Maintenance of wakefulness test scores and driving performance in sleep disorder patients and controls. Int J Psychophysiol 2013;89:195-202.
(39) Bonnet MH, et al. Impact of motivation on multiple sleep latency test and maintenance of wakefulness test measurements. J Clin Sleep Med 2005;1:386-90.
(40) Pizza F, et al. Daytime sleepiness and driving performance in patients with obstructive sleep apnea : comparison of the MSLT, and a simulated driving task. Sleep 2009;32:382-91.
(41) 井上雄一. 閉塞性睡眠時無呼吸症候群の運転問題を考える. 睡眠医療 2015;9:21-6.
(42) Barger LK, et al. Harvard Work Hours, Health, and Safety Group : Extended work shifts and the risk of motor vehicle crashes among interns. N Engl J Med 2005;352:125-34.
(43) Komada Y, et al. Clinical significance of behaviorally induced insufficient sleep syndrome. Sleep Med 2008;9:851-6.
(44) Asaoka S, ete al. Excessive daytime sleepiness among Japanese public transportation drivers engaged in shiftwork. J Occup Environ Med 2010;52:813-8.
(45) Menzin JM et al. A general model of the effects of sleep medications on the risk and cost of motor vehicle accidents and its application to France. Pharmacoeconomics 2001;19:69-78.
(46) Roth T, et al. Meta-analysis of on-the-road experimental studies of hypnotics : effects of time after intake, does, and half-life. Traffic Inj Prev 2014;15:439-45.
(47) Barbone F, et al. Association of rode-traffic accidents with benzodiazepine use. Lancet 1998;352:1331-6.

13 암

1 들어가며

최근 의료기술의 진보에 따라 일상생활 활동과 암(Cancer) 치료를 병행하려는 계획을 갖고자 하는 환자도 증가하고 있으며 직장에서도 '암을 치료하면서 일하는' 것이 점점 당연시되는 시대가 되었다.(1) 그러나 대중교통을 담당하는 다양한 운전·조종사가 암에 걸린 경우를 생각하면 치료 중에 일을 하는 것은 단순히 개인의 운전 위험으로 그치는 것이 아니라 승객이나 고객의 재산 등 안전이 담보되어야 할 대상도 위협받을 수 있게 된다.

필자들(2)은 암 진단을 받고 치료를 계속 받으면서 운전하는 동력차량 조종자(철도기관사의 법령상의 명칭으로, 이하 운전기사로 한다)의 적성판단에 대해 학술전문가를 중심으로 철도 산업의와 실무자가 함께 검토하여 현 시점에서 공통인식을 정리할 수 있었다. 그 내용은 일반 자가용 운전자나 공공성이 있는 사업용 자동차 운전자 등에게도 공유할 수 있는 정보라고 생각한다. 연구팀의 논의를 중심으로 소개하면서 '암과 운전'에 대해서 고찰하고자 한다.

2 암 환자의 운전·조종에 대한 적합성 판단(표 1)

암 환자인 운전자가 자동차를 운전할 때 지장이 되는 상태로 다음과 같은 경우에 해당되는지 판단해야 한다; '① 피로, 질병, 약물, 기타의 이유로 정상적인 운전을 할 수 없는 경우에 운전 금지, ② 그 외 자동차 등의 안전한 운전에 필요한 인지, 예측, 판단 또는 조작 중 어느 하나에 관련된 능력을 상실하게 될 우려'. 원칙적으로는 운전자의 주치의가 작성한 진단서 또는 필요에 따라 임시적성검사 등 전문가의 의견을 바탕으로 판단된다.(3)

운전기사도 자동차의 적성판단과 마찬가지로 '동력 차량의 조종에 지장이 되는 질병 또는 신체 기능에 장애가 없을 것'이라고 규정된 항목에 대해 평가, 판단을 받으며, 원칙적으로 철도 사업과 관련된 책임 있는 산업의학 전문의가 주치의와 정보를 연계하여 운전 허가 여부(의학 적성)를 판단한다.(3)

항공조종사는 항공 신체검사 규정 내용(4) 중 종양 항목에 상세하게 기술되어 있다. 현재 진행형인 질병으로서 암 진단과 치료뿐만 아니라 과거치료 이력이 있는 악성종양(Malignant tumor)은 원칙적으로 부적합 상태로 판단하기에 각 교통수송의 운전 조종사의 신체적성 중에서도 가장 엄격한 판단이 요구된다. 이러한 판단은 국가가 지정한 의사가 수행하고 있지만, 부적합 상태인 사람도 상세한 검사 결과에 기반하여 일정한 절차에 따라 신청을 하면 장관의 판정에 따라 개별적으로 허가될 수도 있다는 내용도 있다.

표 1. 암과 운전·조종에 관한 적성 판단

	암과 관련된 신체요건	법령 근거
자동차 운전자	자동차 등의 안전한 운전에 필요한 인지, 예측, 판단 또는 조작 중 어느 하나와 관련된 능력을 상실하게 될 우려가 있는 증상을 보임	도로교통법 제66조 제90조, 제101조
철도운전사	동력차량 조종에 지장이 되는 질병 또는 신체기능의 장애가 없음	동력차량 조종자 면허에 관한 장관령
항공조종사	부적합 상태: 악성종양 또는 그 의심이 되는 사람 악성종양의 기왕력이 있는 사람 악성종양과 관련된 치료를 받고 있는 사람 다만, 부적합한 사람이었지만 치료 후 충분한 경과관찰 기간을 거쳐, 재발 및 전이 소견이 없는 사람은 국토교통부 장관의 지시가 있으면 지정의사가 적합으로 판정할 수 있음.	항공국장 통지에 의한 항공신체검사 매뉴얼

3 철도기관사의 적성판단에 대한 고찰

'동력차량 조종자의 의학적성검사 판정에 관한 핸드북(2009년 3월)'[5]은 그 판단 내용 자체로 법적 근거가 될 수 있는 것은 아니지만 철도 산업의학 전문의가 중심이 되어 운전기사의 의학적인 적성과 관련된 공통인식을 망라하여 작성되었다.[6]

의학적성 판단에 의하면(표 2) 암 진단을 받은 운전기사는 암으로 의심되는 것을 포함하여 치료 중은 물론 치료가 종결 또는 근치되어 재발 위험이 거의 없다고 할 때까지는 운전에 대한 적성을 충족하지 못한다.

운전기사의 적성판단과 암 치료의 배경을 바탕으로 2015년도에 건강에 기인하는 운전사고와 암 진료 및 사회의학의 제일선에서 활약하고 있는 전문가를 포함하여 철도 산업의학 전문의와 사업자가 모여 암 환자인 운전기사의 적성에 대해 논의한 후 보고서를 펴냈다.[2] 앞에서 언급한 핸드북[5]과 같이 법적 구속력이 있는 내용은 아니지만 철도 산업의학 전문의가 운전기사의 적성을 판단하는 데 있어 중요한 근거가 되고, 다른 운전·조종자의 적성판단에도 영향을 미친다고 생각한다. 이하 동 검토위원회에서 논의한 내용을 중심으로 고찰하겠다.

표 2. 암 치료와 의학적성 판단(기존)

(일본철도(JR)건강관리연구회: 동력차량 조종자의 의학적성검사 판단에 관한 핸드북(잠정판) - 철도 산업의학 전문의를 위해- 11-2. 악성종양·수술 후에 대해서, p30, 2009년 3월에서 일부 발췌 인용, 필자 변경)

1. 이하 다음 상태는 원칙적으로 동력차량 조종자에 적합하지 않다고 보아야 한다(절대적 제한).
   1) 확실히 암 유지 상태인 사람(의심되는 사람도 이에 준한다)
   2) 항암제를 복용하거나 주사요법으로 사용 중인 사람
   3) 장기기능부전 혹은 그와 비슷한 상태인 사람
   4) 수술 이후 뚜렷하게 승무에 지장이 있는 상태인 사람(장기이식시술 후 기본적으로 불가 사례: 쉰 목소리, 연하장애, 섭식장애, 덤핑증후군, 흡수불량증후군, 직장방광장애 등)

2. 상기에 준하여 이하의 상태이면 동력차량 조종에 지장이 있을 우려가 있으므로 위험인자 유무 등을 고려하여 신중한 판단이 필요하다.
   상기 1에 해당되지 않는 사람

3. 판정 시 주의사항
   일상활동상태평가척도(performance Status Scale) - *1 이상인 자는 승무 불가
   (*란 전신상태 지표의 하나로, 환자의 일상생활의 제한 정도를 나타내는 지표로 1은 암으로 인한 증상이 있어 일상생활에 제한이 따른다는 것을 의미한다)

4. 수술 이후(수술 혹은 그에 준하는 처치를 한 사람)
   일반적으로 악성질환, 종양은 수술 후 6개월, 양성질환(양성종양을 포함하지 않는다)은 수술 후 3개월을 관찰 기간으로 하고, 승무의 적합여부를 판단하지만, 정기(1회/월 정도)인 경과보고를 의무화하는 것을 조건으로 철도업무 가능으로 판단 할 수 있다.

철도기관사의 암 치료와 합병증에 대한 고찰

암의 3대 치료법은 외과적치료, 방사선치료, 그리고 항암제와 같은 내과적 치료(면역치료도 포함)이며, 일반적으로 단독 또는 병합하여 실시한다. 여기에서는 암의 3대 치료법과 관련하여 운전에 지장을 주는 합병증과 부작용에 대해 주로 기술하고자 한다.

4 외과적 치료

① 근치적 절제가 이루어져 수술 후 보조 항암제 치료가 불필요한 사례
② 근치적 절제가 이루어졌으나 수술 후 보조 항암제 치료를 필요로 하는 사례
③ 비근치적 절제 사례

위와 같은 외과 수술 후의 기본적인 상황을 보면 ③의 경우는 계속해서 치료에 전념할 수 있는

환경을 유지하면서 직능(운전기사 이외의)을 충분히 발휘할 수 있는 상황을 만들어야 한다고 생각한다. ①의 경우 적절한 수술로 거의 근치에 이른 상태인 것은 확실하지만, 수술 근치 정도는 병의 원인뿐만 아니라 암 종류 등에 따라 예후에 차이가 있는 점도 고려되어야 한다. 예를 들면, 대장암(Colon cancer) 1기는 근치적 절제 수술 후 96.3%가 완치되었다고 생각하지만, 췌장암(Pancreatic cancer) 1기는 56.7%에서만 수술 후 근치될 수 있다고 생각한다. 한편 ②의 경우 대장암 A3기/B3기(IIIA/IIIB)의 경우, 5년 동안 재발하지 않을 확률은 각각 81.9%/50.2% 이지만, 위암(Stomach cancer) A2기/B2기(IIA/IIB), A3기/B3기(IIIA/IIIB)의 근치확률은 79.5%/65.3%, 55.4%/44.9%로, 50% 이상 또는 그 근처의 확률로 근치되었다고 생각한다. 근치절제 후 보조 항암제 치료에 의한 합병증과 장기부전, 부작용을 적절하게 관리할 수 있으면 ①과 ②는 동등하게 취급될 가능성이 있다.

또한 개별 암 절제술에 따라 운전에 지장이 생기는 일반적인 기능장애에 대해서는 위 절제 후 장애로서 조기·후기 덤핑증후군, 우 우회 수술(Stomach bypass surgery) 후 수입각 증후군[(Afterent loop syndrome): 위 수술 후 담즙과 췌장액이 정체되어 발생하는 합병증], 그 외 소화기 증상(가슴 쓰림, 구토, 복통, 팽만감, 설사, 변비 등), 특히 조기 덤핑증후군인 전신증상(졸음, 나른함, 식은땀, 두근거림, 마비, 실신 등)은 운전에 지장을 줄 수 있는 중요한 기능장애라고 판단된다. 대장 절제를 받은 이후에 빈번한 배변 혹은 변비와 같은 배변장애가 생긴다. 직장암 수술 후에는 기능적인 배뇨장애와 인공항문을 만든 부위(회장 말단에 제작되는 경우)로 다량의 묽은 배변이 배출되어 자주 화장실을 다녀야 하는 경우도 있다.

유방암(Breast cancer) 수술 후 나타나는 기능장애로는 상지 운동장애, 림프절 절제술(Lymph node dissection)에 의한 부종 등이 올 수 있다. 따라서 이러한 수술 후 발생하는 증상으로 인해 실제 운전 작업 조건과 운동능력 등이 고려되어야 한다. 자궁경부암(Cervical cancer)은 수술 시에 방광이나 직장 신경이 일부 손상된 결과, 수술 후 배뇨배변장애를 일으키는 경우가 있고, 위의 증상이 장기화 되는 경우에는 운전 작업에 대한 배려가 필요하다.

전립선암(Prostatic cancer)인 경우 생검(Biopsy)을 하여 그 결과, 비교적 악성도가 낮은 암이 극히 소량만 존재하여, 적극적인 치료를 시작하지 않아도 예후에 미치는 영향이 적다고 판단되는 경우, 종양 표지자인 전립선 특이항원(Prostate specific antigen, 이하 PSA)의 수치를 참고로 경과 관찰하는 PSA 감시치료를 하기도 한다. 이 경우 암을 근치하지 않아도 일상생활에 준하는 신체활동을 오랫동안 할 수 있고, 기존의 관점에서 보면 암이 존재하는 상태일지라도 다른 암과 예외적인 상황으로 인정받을 수도 있다.

두경부암(Head & neck cancer)은 그 부위에 발생한 종양 및 외과적 치료로 호흡 및 식사(저작과 삼킴), 발성, 미각, 후각, 청각 등의 중요한 기능에 장애를 일으킬 뿐만 아니라 신경손상에 의한 합병증이 종종 발생하기도 한다.

전이성 뇌종양(Metastatic brain tumor)은 전체 뇌종양의 17.6% 이상을 차지하며[7], 주로 폐암(51%), 소화기계 암(18%), 유방암(9%), 신·비뇨기계(5%)에서 발생하며, 두개내압 항진(IICP)에 의한 두통, 구역질, 구토 외에 돌발적인 의식장애나 경련 발작의 원인이 될 수 있다는 점에서 지금까지의 운전 의학적성 판단에서 대단히 중요하게 고려되어야 하는 요소이다. 그러나 가능성이 높다는 이유만으로, 뇌전이 빈도가 높은 폐암이나 소화기계통 암에서 두개내압 항진이 없는 암환자들까지 의학적 적성을 충족하지 않는다고 일률적으로 판단해서는 안된다.

2 방사선치료

적어도 근치 목적의 방사선치료(Radiation therapy)를 받는 경우에는 치료 일정을 지키고 컨디션을 관리해야 하기 때문에 치료가 우선되어야 하는 시기라고 생각된다. 외과적 치료나 항암제 치료 후 재발 방지를 목적으로 시행하는 방사선치료는 치료 일정과 컨디션 관리에 지장이 없다는 전제하에, 운전업무에 대해서 주치의와 논의한 후에 적성 충족 여부를 판단할 수 있다.

방사선치료에 의한 부작용은 주로 치료 중에 생기는 급성기 부작용과 치료 종료 후부터 수개월에서 수년이 경과된 후에도 발생하는 만성기 부작용으로 크게 나눈다. 급성기 부작용은 거의 치료 종료와 함께 개선되기 때문에 간헐적으로 방사선치료를 받는 경우에는 각각의 치료 종료 후 주치의의 의견을 참고하며 운전에 지장이 없는지 유무를 판단하는 것이 바람직하다.

또한 방사선치료는 불가역적인 만성기 부작용이 있기 때문에 치료부위나 방사선 조사법에 따라 운전을 할 수 있는지 판단하는데 세심한 주의가 필요하다. 방사선 조사 부위의 대표적인 만성기 부작용을 표 3에 기술하였다.[8] 이 중에서 두부(뇌)의 방사선 조사 후에는 특별한 주의를 요한다. 두부에 고선량방사선치료(High-dose radiation)의 조사를 받으면 뇌경색 위험이 높아지는데 이는 방사선으로 인해 뇌나 경부에 혈관 장애를 초래하여 갑자기 의식을 잃거나 경련 발작으로 이어지는 경우가 있다.

표 3. 조사 부위의 대표적인 방사선치료법에 의한 만성기 부작용

조사부위	부작용
두부(뇌) 척수	뇌괴사, 뇌경색, 안기능장애, 청력저하, 뇌하수체기능이상, 척수증, 말초신경장애
경부	구내건염, 미각장애, 구강 및 인두점막궤양, 인두협착, 갑상선기능 저하
흉부 폐	방사선 폐렴, 폐섬유증
심장	심외막염, 심근경색
식도	식도협착, 식도궤양, 천공
복부 골반	간 및 신장의 기능저하, 장염(만성화), 장폐색, 장협착, 궤양, 천공, 방광염(만성화), 방광위축
뼈	골괴사, 골절

(미쯔하시 노리오(三橋紀夫): 방사선 치료의 유해 사례. 오니시 히로시(大西 洋)· 외 (편저): 방사선요법 2010. 시노하라출판신사, 표4, pp93-108, 2010에서 일부 발췌 인용, 변경)

3 항암제 치료

화학적 치료법(Chemotherapy)인 항암제는 여러 가지 종류가 있지만, 장기별 독성으로 인해 부작용이나 발병 시기도 다양하다.(2) 특히 손발 마비 등과 같은 말초신경장애를 일으켜 글씨 쓰는데 어려움을 호소한다면, 이러한 증상은 섬세한 운전 조작도 방해할 수 있기 때문에 이를 염려하는 전문가들이 많다.

항암치료를 받는 운전자는 주사 및 경구 투여 등 방법과 상관없이 운전에 지장을 초래하는지가 고려되어야 하는데, 만약 직장에 복귀해서 외래로 통원 치료를 받고 있다면 항암제 복용에 따른 부작용에 대한 첨부 문서정보가 그 판단을 하는 기준이 될 수 있다. 현재 복용하고 있는 경구 항암제에 대한 첨부 문서에 자동차 운전에 따른 기본적인 주의 등급을 분류하고, 더불어 운전할 때 주의해야 할 부작용을 표 4에 정리하였다.(2)

등급A: 첨부 문서에 '운전에 대한 특별 기재가 없거나 충분히 주의 한다'로 보고됨
등급B: 운전금지를 요구하는 약물 중 운전 사고에 대한 확실한 보고사례가 없음
등급C: 운전금지를 요구하는 약물 중 운전 사고에 대한 사례가 보고됨

경구 항암제 첨부 문서에는 부작용 발생 빈도뿐만 아니라 개인의 정도 차이가 크고 반드시 자동차 운전 등에 위험이 따를 수 있는 기계 조작에 관한 내용과 그 빈도가 일치하지 않는 경우를 볼 수 있다. 항암제를 복용하는 운전자를 일률적으로 첨부 문서 대로 허가·제한할 것이 아니라 실제 부작용이 어느 정도로 운전에 지장을 주는지 객관적으로 평가해서 적성을 판단하는 것이 중요하다.

한편, 암 완화의료에서 사용하는 마약성 진통제(Opioid analgesics)나 진토제(Antiemetics) 등 통증을 조절하고 항암치료의 부작용을 감소시키는 약물 등의 병용에 대해서도 살펴보아야 한다. 각각의 개별 사례도 함께 판단해야 하지만, 대중교통의 안전을 근거로 자가용 자동차를 운전하는 항암치료를 받는 운전자도 가능한 같은 범주에서 고려되어야 한다고 생각한다.

또한, 일부 주사형 항암제는 물에 녹기 어려운 성질 때문에 알코올을 포함한 수액에 녹여 투여되기도 하므로(Ⅱ-16 '약물', 표 3., 152쪽 참조), 이런 항암제 투여 후의 운전은 금지되어 있다.(2)

표 4. 경구 항암제와 운전상 주의해야 할 부작용

(게이오기주쿠대학 약학부 실무약학 강좌 기즈 준코(木津純子) 교수 제공)
[일반사단법인 일본철도운전협회: 승무원의 적성·자질에 관한 종합평가위원회 보고서(의약품·치료부회). pp.76-80, 표8-6 경구항암제와 의학적성판단(1)~(5), 2016년 3월에서 인용, 필자 일부 변경]

1. 살세포 항암제(Killer cell anticancer therapy)

상품명	일반명	첨부문서 등급 분류				운전 시에 주의해야 할 부작용 사례(빈도불명*)
		기재 없음	A	B	C	
엔독산	시클로포스파미드	○				쇼크*, 아나필락시스*, 현기증(0.1~5%)
프로카바진	프로카바진	○				경련발작*, 기면·부동성 현기증(1% 미만)
테모달	테모졸로마이드	○				뇌출혈*, 아나필락시스*, 현기증·의식장애·경면·경련(10% 미만)
메토트렉세이트	메토트렉세이트	○				쇼크*, 아나필락시스*, 뇌증*, 졸음*, 몽롱*, 현기증*
젤로다	카페시타빈	○				심한 설사*, 심장애*, 보행장애*, 탈진*
5-FU	플루오로우라실	○				심한 설사*, 의식장애*, 보행장애*
플루츠론	독시플루리딘	○				심한 설사*, 보행장애·의식장애(0.1% 미만), 졸음(5% 이상)
프토라푸르	테가푸르	○				심한 설사*, 의식장애(0.5%), 경면(0.1% 미만), 가슴 쓰림(0.1~5%)
UFT(E)	테가푸르·우라실	○				심한 설사*, 의식장애·경면(0.1% 미만)
티에스원(TS1)	테가푸르·기메라실·오테라실K	○				심한 설사*, 심근경색*, 의식장애*, 현기증· 눈물(0.1~5%)
유젤/류코보린	폴리네이트 Ca	○				심한 설사*, 심근경색*, 의식장애*, 쇼크*
알케란	멜파란	○				쇼크*, 아나필락시스 같은 증상*, 현기증*
스타라시드	사이타라빈	○				
로이케린	메르캅토퓨린	○				
플루다라	플루다라빈	○				착란*, 경련*, 뇌출혈*, 현기증(5% 이상)
히드레아	히드록시카르바미드	○				발열, 권태감(0.1~5%)
펩시드/라스테트	에토포시드	○				권태감(10% 이상)
페라조린	소브족산(sobuzoxane)	○				권태감(0.1~5%)
론서프	트리플루리딘 치피라실	○				설사(10% 이상)
마브린	부설판	○				

2. 분자표적항암제(Molecular target anticancer therapy)

상품명	일반명	첨부문서 등급 분류				운전 시에 주의해야 할 부작용 사례(빈도불명*)
		기재 없음	A	B	C	
이레사	게피티니브		○			급성폐장애(1~10%), 중증도의 설사(1% 미만)
타쎄바	엘로티닙	○				중증도의 설사(1.1%)
글리벡	이매티닙		○ (현기증, 졸음, 몽롱)			쇼크, 아나필락시스(1% 미만), 현기증·경면·몽롱(1% 미만)
넥사바	소라페닙	○				출혈(10% 이상), 급성폐장애*, 현기증(1~10%), 쇼크*
수텐	수니티닙		○ (현기증, 경면, 의식소실)			고혈압(59.1%), 코 출혈(23.7%), 심부전(3.2%), 뇌전증 같은 발작(1.1%), 현기증·의식소실(2~20%), 경면(2%미만)
사레드	탈리도마이드			○ (경면, 졸음, 현기증,서맥, 기립성 저혈압)		뇌경색(5% 미만), 기면상태·경면*, 경련*, 기립성 저혈압*, 졸음(5% 이상)
타시그나	닐로티닙			○ (현기증, 몽롱, 시력저하)		심근경색(1.1%), 현기증(1% 이상), 몽롱·시력장애(0.5% 미만)
스프라이셀	다사티닙	○				뇌출혈(0.8%), 심부전(0.6%), 현기증·몽롱(10% 미만)
타이커브	라파티닙	○				설사(50% 이상), 기면·현기증(1~10% 미만), 몽롱(1% 미만)
아피니토	에베로리무스	○				급성호흡궁박증후군(0.2%)
레블리미드	레날리도마이드			○ (피로, 현기증, 경면, 몽롱)		뇌경색(0.4%), 심부전(1.2%), 경련(0.1%), 현기증(1~5%), 피로·경면·몽롱(1% 미만)
베사노이드	트레티노인	○				레티노인산 증후군(호흡곤란 등)(12.3%), 착란*, 시각장애(5% 이상)
암노레이크	타미바로텐	○				레티노인산 증후군(호흡곤란 등)(5% 이상)
포말리스트	포말리도마이드			○ (경면, 착란, 피로, 의식수준 저하, 현기증)		뇌경색(0.3%), 심부전(0.7%), 피로(10% 이상), 현기증(5~10%), 경면·의식수준 저하·착란 상태(5% 미만)
자이티가	아비라테론	○				심장장애*, 눈의 피로, 피로(5% 미만)
인라이타	액시티닙	○				일과성 뇌허혈증(0.8%), 뇌출혈(0.3%), 경련발작·기면(0.3%), 현기증·몽롱·호흡곤란(1~10%), 설사(50.8%)
지오트립	아파티닙	○				중증도의 설사(27.3%), 심장애(0.8%), 결막염(14.8%), 몽롱(1% 미만)
알레센자	알렉티닙	○				경면(0.1~5%)·눈 건조·피로(10% 미만)
잴코리	크리조티닙		○ (시각장애)			심부전(0.1%), 시각장애(20% 이상)
라파리무스	시롤리무스(라파마이신)	○				아나필락시스*, 현기증·피로(5% 이상)

상품명	일반명	첨부문서 등급 분류				운전 시에 주의해야 할 부작용 사례(빈도불명*)
		기재 없음	A	B	C	
보트리엔트	파조파닙	○				출혈(13.2%), 망막박리(0.1%), 피로(30% 이상), 경면·현기증(5% 미만)
젤보라프	베무라페닙	○				수명(눈 이상 중 하나)·몽롱(1~5%), 피로(43.7%), 설사(21.3%), 현기증·기면(1~5%)
보술리프	보수티닙			○ (부동성 현기증, 피로, 시력장애)		중증도의 설사(12.7%), 심장애(6.3%), 쇼크·아나필락시스*, 부동성현기증·경면·결막염·눈 건조(5% 미만), 피로(10% 이상)
졸린자	보리노스탓					설사·피로(10% 이상), 현기증·실신(10% 미만), 몽롱·권태감*
자카비	록소리티닙					현기증(1~5%)
스티바가	레고라페닙					설사·피로(10% 이상), 현기증(1~10%)
렘비마	렌바티닙		○ (피로, 무력증, 현기증, 근경축)			설사·피로(30% 이상), 무력증·현기증(10~30%)

3. 호르몬제(Hormone therapy)

상품명	일반명	첨부문서 등급 분류				운전 시에 주의해야 할 부작용 사례(빈도불명*)
		기재 없음	A	B	C	
놀바덱스/타스오민	타목시펜	○				시력장애·시각장애, 아나필락시스*, 현기증*
화레스톤	토레미펜	○				현기증(1% 미만)
아리미덱스	아나스트로졸		○ (무력증, 경면)			무력증·경면(1% 미만)
아로마신	엑스메스탄			○ (기면, 경면, 무력증, 현기증)		현기증·피로(5% 이상), 경면 *
히스론 H/프로게스톤	메드록시프로게스테론	○				뇌경색*, 아나필락시스 같은 증상*, 현기증*, 근육경련*, 졸음*
비아세틸	에스트라무스틴	○				권태감·피로*
페마라	레트로졸		○ (피로, 현기증, 경면)			심부전*, 현기증·피로(1~5%), 경면(1% 미만), 몽롱*
에스트라사이트	에스트라무스틴	○				심부전(0.17%), 피로(0.1% 미만)
이쿠스탄지	엔잘루타미드		○ (경련발작)			경련발작(0.2%), 현기증·기면(1~5%), 착란·환각(1% 미만)
카소덱스	비칼루타마이드	○				현기증(0.1~5%), 경면(1% 미만)
오다인	플루타마이드	○				현기증·경면(1% 미만)
프로스탈	클로르마디논	○	○ (현기증, 기면)			졸음(0.1% 미만)
오페프림	미토탄					치매(0.21%), 망상(0.21%), 보행불안정(10% 이상), 현기증·기면
티오디론	메피티오스테인	○				

4. 면역치료제(Cancer immunotherapy)

상품명	일반명	첨부문서 등급 분류				운전 시에 주의해야 할 부작용 사례(빈도불명*)
		기재 없음	A	B	C	
크레스틴	PSK	○				
베스타틴	우베니멕스	○				휘청거리는 느낌(1% 미만)

5. 기타 약물(Other anticancer agents)

상품명	일반명	첨부문서 등급 분류				운전 시에 주의해야 할 부작용 사례(빈도불명*)
		기재 없음	A	B	C	
아그리린	아나그렐리드	○				심부전*, 출혈*, 설사, 피로(10% 이상), 현기증·착란·경면*
레나덱스	덱사메타존	○				정신혼미·경련*, 근육경련·피로(10% 이상), 현기증·경면·몽롱(10% 미만)

5 암과 운전 적성에 대한 새로운 고찰

이상의 암 치료와 운전에 대한 지식을 바탕으로 검토위원회(2)에서는 기존에 암을 앓고 있는 상태 및 항암제 치료를 절대 운전부적응 상태로 제한하지 않고, 운전기사에게 필요한 업무 전반을 고려하면서 암 전이와 장기침투 및 치료 등에 의한 기능장애, 심폐 기능과 운동 기능, 정신·심리 기능 등 전신 기능에 대한 합병증을 종합하여 적성판단을 제안하였다. 운전기사의 의학적 적성판단의 기본지침은 '운전 업무에 지장이 되는 기능장애와 합병증을 동반한 악성종양(양성 종양도 포함)은 의학적 적성을 충족하지 못할 뿐 아니라 돌발적인 의식 장애와 경련 등 신체 기능 부전이 예상되는 사례에 대해서는 신중하게 판단해야 한다'는 것이다.

각각의 운송 사업체 및 산업에 따라 개별 암에 대한 적성판단에 대한 사고방식은 서로 차이가 있다. 이러한 판단의 차이를 존중하면서 대중교통을 담당하는 운전의 안전을 중시하는 공통 이해로서 암 치료 중 운전에 대한 적성을 판단하는 경우에는 주치의와 산업의학 전문의가 정보를 긴밀히 공유하고 개별적으로 대응하는 것이 중요하다고 생각한다.

(1) 厚生労働科学研究費補助金がん臨床研究事業「働くがん患者と家族に向けた包括的就業支援システムの構築に関する研究班 企業のためのがん就業者支援マニュアル」(主任研究員 高橋 都). 2013

(2) 乗務員の適性・資質に関する総合評価委員会報告書(医薬品・治療部会:がんと運転), 一般社団法人日本鉄道運転協会,平成28年3月

(3) 笠原悦夫・他. 職業運転とその適性判断. Prog Med 2012;32:1659-61.

(4) 航空医学研究センター. 航空身体検査マニュアル. http://aeromedicial.or.jp/manual/

(5) JR 健康管理研究会：動力車操縦者の医学適性検査の判定に関するハンドブック 暫定版, 平成21年3月

(6) 神奈川芳行・他. 「動力車操縦者の医学適性検査に関するガイドライン作成検討委員会」の 設置と検討課題について、交通医学 2007;61:79-87.

(7) Neurologia medico-chirurgica：Frequency of tumors by primary cancer. General Features of Metastatic Brain Tumors (1984-2000) Part 1 Report of brin tumor registry of Japan 12th edition. http://www.jstage.jst.go.jp/browse/nmc/49/Supplement/_contents

(8) 三橋紀夫. 放射線治療の有害事象. 大西 洋・他(編者). がん・放射線療法 2010. 篠原出版新社;2010. pp93-108.

14 눈 질환(녹내장 등)

 들어가며

우리는 자동차를 운전할 때 인지(Recognition), 판단(Judgement), 조작(Manipulation)을 반복해서 수행하고 있다. 인지란 어느 대상을 지각하고 판단하기 위한 중요한 과정으로 시각적인 지각은 눈이 인식한 시각 정보가 뇌로 전송되어 정보가 처리되는 과정을 말한다. 눈 질환을 앓아 시각에 문제가 생기면 인지에 악영향을 끼칠 뿐만 아니라 당연히 판단, 조작에도 영향을 미치며 교통사고 위험성이 높아진다.

 시야장애를 초래하는 질환

눈 질환 중에서 녹내장(Glaucoma)은 시신경(Optic nerve)에 장애가 생기는 시신경질환으로, 시야(Visual field)가 좁아지고(시야 협착), 부분적으로 보이지 않는 범위(시야결손: Visual field defect)가 생기는 등 시야장애 증상이 나타난다. 녹내장의 증상은 눈 속을 순환하는 안방수(Aqueous humor)의 흐름이 나빠지고 안압(Ocular tension)이 높아져서 시신경에 장애가 생기는 것으로 크게 급성 녹내장과 만성 녹내장으로 나뉜다.

급성 녹내장의 경우, 안압이 갑자기 상승해서 시력이 저하되고 눈의 통증, 두통, 구역질, 구토 등의 증상이 나타난다. 녹내장의 대부분을 차지하는 만성 녹내장의 경우에는 자각증상이 없고 만성적인 경과를 보이지만, 방치하면 서서히 시력이 저하되고 시야가 좁아지며 최악의 경우에는 실명(Blindness)에 이를 수도 있다.

안압검사에서 안압상승, 안저검사에서 망막 시신경 유두함몰(Optic disc cupping), 시야검사에서 구조변화에 일치하는 이상, 이 세 가지가 확인되면 녹내장으로 진단된다. 다만, 일본인은 안압이 기준 내(21mmHg 미만)의 정상 안압 녹내장이 많기 때문에 안저 및 시야검사가 중요하다. 녹내장은 대개의 경우, 좌우 눈의 증상에 차이가 있고 또 서서히 진행되며 주변시야부터 장애가 진행되어 증상초기에는 시력 저하가 나타나지 않는다는 특징이 있다. 따라서 증상을 깨닫지 못하고 진단에 이르지 못하는 잠재적인 녹내장 환자의 존재가 우려된다. 최근 녹내장에 관한 역학조사(1)에 의하면 40세 이상 20명 중 1명(약 500만 명)에서 발병하며, 노화와 함께 이환율이 상승한다고 보고되었으며 고령화가 진행되는 일본 국내에서는 더욱 환자가 증가할 것으로 추정된다. 실명에 이르는 질병 중에서는 빈도가 높은 질병으로, 유감스럽게도 치료에 의해 원래대로 회복할 수 없으며, 현재 일본인의 실명원인 중 1위이다.

3 녹내장과 자동차 운전

녹내장은 시야가 결손되는 질환이지만 시력이 0.7 이상이면 자동차 면허를 취득할 수 있다.(2)

그 때문에 주변시야의 결손이 심해져도 중심만 보이면 면허를 취득할 수 있다. 지방도시에서는 대중교통이 부족하여 통근, 통학, 쇼핑 등의 일상생활에 자동차가 없어서는 안 되는 중요한 이동수단이다. 자동차를 운전할 수 없으면 생활범위도 상당히 한정된다. 그 때문에 지방에서는 자동차 운전에 지장을 초래하는 시야장애를 자각하더라도 필요에 의해 운전을 계속하다가 안전 확인 부족이 원인이 되어 교통사고를 일으키는 경우가 있을 것이다. 또한 녹내장 환자는 200만 명으로 추정되지만 실제로 치료를 받고 있는 사람은 30~40만 명에 불과하며, 그 외의 사람은 자신이 녹내장인 것도 알지 못하는 것 같다.

시야장애가 중증일수록 교통사고 가능성이 높다는 보고가 있으므로 시야장애가 교통사고 요인의 하나가 아닌가 생각한다. 운전자 본인은 본다고 하더라도 옆에서 갑자기 뛰어나오는 것을 알아채지 못하거나 신호를 못보고 지나쳐서 중대한 교통사고를 일으킬 가능성이 있다.

녹내장을 앓고 있는 사람의 교통사고율을 조사한 데이터가 발표되었다.(3) 지치(自治)의과대학은 외래로 통원하는 녹내장 환자 중에서 녹내장 이외에 시력 및 시야장애를 초래하는 병력이 없고, 동시에 자동차 운전면허(이하, 면허)를 취득할 수 있는 눈의 좋은 쪽 시력이 0.7 이상인 36명을 대상으로 조사했다. 그 결과, 60%가 일상적으로 운전을 하고 있으며, 과거 5년 이내에 교통사고를 일으킨 사람이 27%였고, 그 중 60%가 사고 후에도 자동차를 운전하고 있었다. 가장 사고를 많이 낸 55세의 남성은 대물사고 3회, 인명사고 1회로 총 4회를 일으켰다.(3)

4 녹내장과 운전을 둘러싼 소송

시야와 면허 문제에 대해서 아사히신문 아사히카와(旭川)지사의 기사(4)는 아사히카와에서 수년 전 자동차에 의해 사망한 사람의 유족이 운전자가 갖고 있었던 시야의 커다란 결손이 사고의 원인이라며 민사소송을 제기했다고 보도한 바 있다.

신문기사에 의하면 교통사망사고와 운전자의 시야결손과의 인과관계를 쟁점으로 하는 민사소송이 아사히카와 지방법원에서 소송 중이다. 이하는 기사에서 발췌한 내용이다.(4)

소송은 2017년 3월에 제기되었다. 2015년, 아사히카와 시내에서 차에 치여 사망한 당시 50대 여성의 유족이 중증도의 시야결손이 있었던 40대 남성의 운전으로 사망사고가 발생했다고 하여 약 2,900만 엔의 손해배상을 청구했다. 남성 측은 '시야결손은 사고와 관계없다'고 전면적으로 다투고 있다. 소송에 의하면 사고는 여름 한나절에 Y자 교차로에서 발생했다. 선두에서 신호를 기다리고 있었던 남성의 승용차가 파란 불일 때 출발한 직후, 우측에서 자전거로 횡단보도를 건너던 여성을 치었다. 여성은 머리 등을 부딪쳐서 사망했다. 남성은 자동차 운전사상처벌법 위반(과실운전치사)죄로 벌금 약식명령을 받았다. 면허는 반납했다고 한다.

원고 측은 눈의 질환으로 시야의 커다란 결손을 자각하고 있었던 남성에게는 고도의 주시의무가 있다고 주장하였다. 또한 현장의 교차로는 보행자 신호가 빨간 불이 되고 나서 자동차의 진행방향 신호가 파란 불이 될 때까지 불과 1초밖에 되지 않아 '교차로에 있었던 여성에게 사고의 책임은 없다'고 했다. 한편, 피고 측은 좌측 보행자들을 신경 쓰느라 우측 확인이 소홀했던 것이고 사고와 시야결손과는 관계가 없다고 반론했다. 여성이 빨간 불에서 매우 빠른 속도로 횡단한 것이 사망요인이었다고 주장했다.

여성의 장녀와 차녀는 아사히신문 취재에 '시야결손이 있는데도 운전할 수 있는 면허제도를 바꿔야 한다'고 했다. 현행 제도에서는 시야결손이 있어도 면허취득이나 갱신할 수 있어 전문가로부터 개선을 요구하는 목소리가 높아지고 있다. 경찰청은 고령운전자 사고방지대책 중에서 대응을 검토하고 있다. 시야결손은 자각증상이 별로 없기 때문에 전문가는 '40세 이상인 사람은 한번 안과 진찰을 받으라'고 촉구하고 있다.

1 교통사고와 시야결손과의 인과관계

앞서 서술한 소송사례에서는 사고와 시야결손의 인과관계가 큰 쟁점이 되었다.

교통사고에서 시야결손이 문제가 되는 사례로는 2012년 나라(奈良) 지방재판 판결이 있다. 경트럭 운전 중에 도로를 건너던 남성을 치어 사망에 이르게 했다며 자동차 운전 과실치사죄를 선고받은 나라현의 남성이 시야가 좁아지는 난치병인 '망막색소변성증(Retinitis pigmentosa)'으로 인해 '피해자를 눈으로 확인하지 못했을 가능성이 있다'고 하여 무죄가 되었다. 남성은 질환 자각이 없었고 진단은 기소 후에 이루어졌다. 판결 후 재판관은 현행 면허제도에 대해서 '시력검사뿐만 아니라 시야검사도 실시하도록 대책이 필요하다'고 진술했다.

일본 녹내장학회 후기 녹내장연구반(1)이 후기 녹내장 환자 208명의 면허취득 비율과 교통사고 경험에 대해서 보고한 바 있다. 후기 녹내장 환자 208명 중, 운전을 계속하고 있는 자 75명(36.1%), 면허를 반납한 자 31명(14.9%), 면허를 유지하고 있지만 운전을 하지 않는 자 2명(1.0%), 그 외에는 면허를 가지고 있지 않았다. 후기 녹내장 환자의 36%가 여전히 자동차 운전을 계속하고 있는 것이다. 이 75명 중에서 사고경험이 있는 자는 15명이었다(20%).

녹내장과 망막색소변성증은 대부분 시야가 결손되어도 중심시력이 유지되기 때문에 일반 시력

검사로는 시야의 이상을 발견하기 어렵고 면허갱신도 가능하다.

2007~2010년에 진찰받은 녹내장 환자를 조사한 결과, 증상이 진행된 후기 녹내장 환자 29명 중 10명(34%)에게 과거 5년간 사고 이력이 있었고, 초기(7%)와 중기(0%) 환자에 비해 유의미하게 많았다고 한다.(1)

경찰청은 고령운전자의 사고방지대책 중에서 시야결손에 대해서도 검토하고 있고, 2016년도에는 모의적인 시야검사도 실시했다. 다만, 시야가 어느 정도 결손되면 운전에 지장이 있는지에 대한 증거가 없어 2017년의 전문가회의에서도 한층 더 검토가 필요하다고 하였다.

5 녹내장 환자에 대한 지도

현재 운전면허 취득 시 시력의 합격기준은 경찰청 홈페이지에 의하면 표 1(2)과 같고 기준을 충족하면 법적으로는 운전이 가능하다.

그림 1의 환자는 44세 남성으로 운전 경력은 26년이고 과거 5년간 사고 경력이 있다. 납품하는 일 때문에 주 4일 2시간 운전하고 있다. 이전에 비 오는 날 신호가 없는 교차로에서 자동차 접촉사고를 일으킨 적이 있기 때문에 야간에는 운전하지 않고 있다. 좌안 시야는 코 쪽 하부, 우안 시야는 코 쪽 상부의 감도가 저하하고 후기 녹내장에 해당하지만, 양안 중심시야가 유지되고 있기 때문에 교정시력은 우안이 09, 좌안이 1.2이었다. 일상생활 시야에 해당하는 양안 개방에서의 시야검사에서는 각각의 눈의 시야협착 부위를 서로 보완하여 감도저하 부위는 상당히 미미했다.

사고경험 유무와 양안 시야협착과의 관계는 확인할 수 없었고, 녹내장 후기까지 진행되면 그 정도와 관계없이 사고율은 높아진다. 현재의 면허취득 기준에서는 녹내장이 진행돼도 면허를 취득할 수 있지만, 이 결과를 보면 녹내장이 진행되면 자발적으로 반납하는 것이 좋다고 생각한다.

시야결손이 있어도 인간에게는 손상된 부분을 과거의 경험으로 채워 버리는 기능이 있고 보이지 않는데도 보이는 것처럼 느껴져서 자신에게 시야협착이 있다는 것을 자각하지 못하는 경우도 많다.

시야결손이 진행되면 갑자기 뛰어나오는 것을 식별할 수 있는 능력이 떨어지는 것은 사실이지만, 운전 중에 눈을 자주 움직여서 전혀 사고를 일으키지 않고 운전할 수 있는 사람도 있어서 일괄적으로 말할 수 없다.

이러한 이유로 드라이빙 시뮬레이터를 이용하여 시야가 어느 부위에서 어느 정도 결손되면 사고를 일으킬 위험이 상승하는지에 대한 연구도 진행되고 있다.(1) 문제는 '자각이 없는 사람이 많다는 것', '자동차를 못보고 도로를 건너다가 사고를 당하는 피해자가 될 위험성도 커진다는 것', '40세 이상의 녹내장 유병율이 5%고 한번은 안과에서 진찰받기를 바란다는 것', '경찰도 시야결손 상태에서 운전하고 있는 사람이 의외로 많다는 것'(4)을 알기 바란다.

표 1. 각종면허의 시력 합격기준(문헌2에서 인용, 변경)

소형 오토바이 면허, 소형 특수면허	양안으로 0.5 이상 또는 한 눈이 보이지 않는 쪽에 대해서는 다른 눈의 시야가 좌우 150도 이상으로 시력이 0.5 이상이다.
중형 제1종 면허(8톤 한정 중형), 준중형 제1종 면허(5톤 한정 준중형), 보통 제1종 면허, 이륜 면허, 대형 특수면허, 보통 가면허	양안으로 0.7 이상, 동시에 한 눈으로 각각 0.3 이상 또는 한 눈 시력이 0.3에 충족되지 않는 쪽, 혹은 한 눈이 보이지 않는 쪽에 대해서는 다른 눈의 시야가 좌우 150도 이상으로 시력이 0.7 이상이다.
대형 제1종 면허, 중형 제1종 면허(한정 없음), 준중형 제1종 면허(한정 없음), 견인면허, 제2종 면허, 대형 가면허, 중형 가면허, 준중형 가면허	양안으로 0.8 이상이고, 동시에 한 눈이 각각 0.5 이상, 더불어 탐시력검사 3회로 평균오차가 2㎝ 이내이다

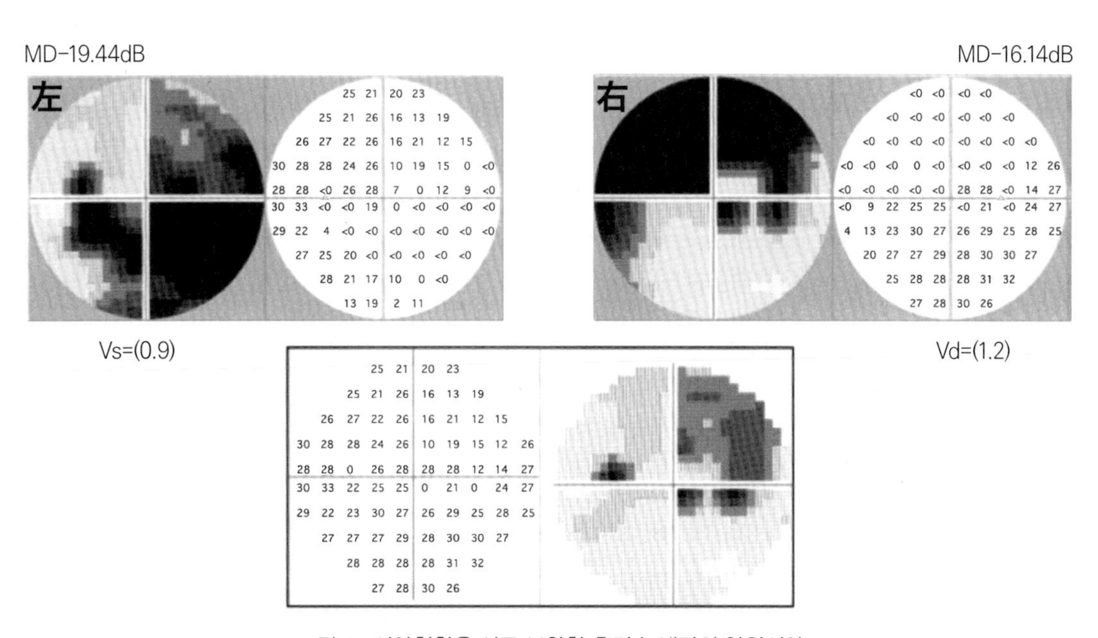

그림 1. **시야협착을 서로 보완한 후기 녹내장의 양안시야**

눈 질환으로 주변시야가 손상되더라도 중심시야만 유지되면 시력은 나오고, 반대로 주변시야가 손상 없이 유지되어도 아주 약간이라도 중심시야가 손상되면 시력은 저하된다. 다시 말해, 면허는 극단적으로 자신의 손을 똑바로 뻗어서 중심 10도라도 시야가 확보되면 취득 또는 갱신이 가능하다. 당뇨병망막증(Diabetic retinopathy), 노인성 황반변성증(Senile macular degeneration) 등 황반부에 생기는 눈 질환은 아주 분명하게 시력이 저하되기 때문에 면허 시험기준에 걸려 취득 또는 갱신이 곤란하다. 반대로 시력에 비교적 영향이 적은 주변시야부터 장애가 생기는 질환의 대표인 녹내장은 시력이 유지되기 때문에 면허 기준을 충족하는 경우가 많아 면허를 유지할 가능성이 높다.

시력과 시야의 관계를 보면 시력뿐만 아니라 '어느 범위가 어느 정도 보이면 사고를 방지할 수 있는지' 시야에 준하는 면허 기준을 검토해야 한다.

(1) 鈴木康之・他. 日本緑内障学会多治見疫学調査(多治見スタディ) 総括報告,日眼会誌 2008;112:1039-58.

(2) 警視庁:適正試験の視力の合格基準. http://www.keishicho.metro.tokyo.jp/smph/menkyo/menkyo/annai/other/tekisei03.html

(3) 青木由紀・他. 緑内障患者における自動車運転実態調査、あたらしい眼科 2012;29:1013-17.

(4) 朝日新聞阿朝刊の道内版,2017年6月21日. http://digital.asahi.com/articles/ASK6P35D5K6PUBQU006.html?rm=668

15 임신

질병에 대한 기초지식

세상은 자동차 사회이고 이미 20~30대 모든 가임기 여성 대다수가 운전면허를 취득했으며 임신 중에 자동차를 운전하는 일도 흔하다. 특히 이런 경향은 전철과 버스 등의 대중교통이 발달한 도시보다도 시골 마을에서 두드러지며, 자가용은 쇼핑 등의 일상생활뿐만 아니라 병원 통원에도 필수적인 수단으로, 많은 임산부가 분만 시기가 다가와도 자동차를 운전하는 상황이다.

임신 자체는 생명을 계승하는 생리적인 현상이고 다른 원고에서 논하고 있는 질병과는 분명히 구별되며, 임신 기간을 통해서 운전은 가능하다고 파악하고 있다. 그러나 임신에 의한 여성의 심신 변화는 자동차 운전에 무시할 수 없을 정도로 큰 영향을 미친다.

자동차 운전과 임신

1 임신이 운전에 미치는 영향

임신 중의 여성은 임신을 하지 않았을 때와 비교해서 다채로운 증상을 보인다. 117명의 임산부와 119명의 비임산부를 비교한 오스트레일리아의 종단적인 연구에 의하면 빈뇨, 피로, 골반 압박감, 불면, 요통이 임산부의 5대 증상이었다.(1) 일반적으로 임신 성립부터 임신 13주 6일까지를 초기, 임신 14주에서 임신 27주 6일까지를 중기, 임신 28주 이후를 말기로 나눈다. 임신 기간별로 빈도가 높은 증상을 열거하면 초기에는 피로, 구역질, 빈뇨, 식욕부진, 소변의 절박감, 중기에는 불면, 빈뇨, 피로, 요통, 배뇨의 절박감, 건망증, 말기에는 빈뇨, 피로, 골반의 압박감, 불면, 요통이 생기고, 분만이 종료된 산욕기(Postpartum period, 아이를 낳은 후 생식기가 정상 상태로 회복되기까지의 기간)에는 피로, 피부건조, 눈물, 건망증, 요통이 생긴다.(1)

이러한 여러 증상 중 피로, 빈뇨, 불면, 요통 등은 자동차 운전에 영향을 미친다고 할 수 있다. 또한 소수 사례이지만 임신 말기에서 산욕기에 걸쳐서 시력, 기억력, 반응시간을 조사한 연구결과에서는, 임신 말기에는 시력과 반응시간이 약간 저하하는 경향을 보이다가 산욕기에는 회복되었다.(2) 한편, 기억력도 같은 경과를 거치지만, 산욕기의 회복은 다른 증상과 비교해서 빨랐다고 한다.(2) 소수 사례인 이런 현상이 일반적인 것인가는 앞으로 검토할 필요가 있지만, 기억력보다도 반응시간과 시력이 안전한 운전에 필수적인 것을 생각하면 임신에 의한 생리적인 기능 변화가 어떤 형태로든 운전에 영향을 미칠 가능성은 역시 부정할 수 없다.

실제 임신 중에 사고 위험이 상승한다고 하는 집단적 코호트 연구(Cohort study, 전향적 추적연구)가 있다. 캐나다에서 50만 명을 대상으로 한 연구로 분만을 기점으로 해서 그 이전 4년과 이후 1년을 합해서 5년간 자동차 운전 중의 교통사고 발생을 조사한 결과, 처음 3년간(즉 임신 성립 전)과 비교해서 분만 전 1년간(즉 임신 지속기간)의 사고 위험은 임신 중기에 42% 증가하고 가장 위험이 높았던 것은 중기의 첫 1개월, 가장 낮은 것은 말기의 마지막 달이었다고 한다.(3)

선행 연구(1)에서 임신 초기의 5대 증상 중 구역질, 식욕부진 등이 포함되어 있는 바와 같이 임신 초기에는 흔히 입덧이라고 하는 일과성 구역질, 구토, 식욕부진 등의 소화기 증상이 나타난다. 입덧은 전체의 50~80%가 경험한다고 하며 임신 5~6주에 시작되어 공복 시에 증강하고 아침에 상태가 나빠지는 경우가 많아서 아침 구역질(Morning sickness)이라고도 하지만, 보통은 임신 12~16주 사이에 자연히 사라진다. 입덧 중에 구역질이 계속되어 자주 구토하여 체중감소와 탈수를 초래하는 등 중증화 현상을 악성입덧(임신 오조증, Hyperemesis gravidarum)이라고 하며, 식욕부진과 탈수가 심해져서 핍뇨(Oliguria), 단백뇨(Proteinuria), 간신기능부전(Hepatorenal failure) 등을 초래하면 신경증상도 나타날 수 있다. 악성입덧 상태가 되면 운전에도 지장이 생길 가능성이 있다.

이 입덧 시기를 넘긴 임신 중기는 안정기라고 하며 정신적이나 신체적으로 안정된 시기이다. 따라서 임신이 정상적으로 경과하면 이 시기의 운전은 특별히 지장이 없다. 그러나 앞서 언급한 캐나다 보고(3)에서는 임신 14~17주 6일까지의 기간 동안 운전사고 위험이 가장 높다고 한다. 입덧 등의 증상이 안정되어 몸 상태가 회복됨에 따라 마음이 해이해지거나 안정된 시기라고는 하나 비임신 시와 비교해서 피로와 졸음 등 몸 상태의 변화가 원인인지는 분명하지 않지만, 일반적인 안정기이기 때문에 자동차 운전도 안전하다고 할 수 없다는 것에 유의할 필요가 있다.

한편, 임신 후기가 되면 체형의 변화도 두드러진다. 체중이 늘고 배가 커져서 몸을 지탱하기 위해 자세를 뒤로 젖힌다. 지바현에서 일상적으로 자동차를 운전하는 임산부 134명을 대상으로 한 조사에 따르면 임산부가 원하는 자동차는 좌석의 시트 폭이 넓은 것, 발판이 낮은 것, 차량이 큰 것, 좌석 시트가 폭신한 것, 차고가 높은 것 순으로 많았다.(4)

임신을 하면 체중이 늘어나면서 동시에 몸의 움직임에 대한 변화를 알 수 있다. 또한, 핸들과 복부까지의 거리가 임신 6개월에는 16㎝ 되었던 것이 임신 9개월에서는 12㎝로 단축된다.(5) 이것은 핸들을 돌리는데도 영향을 미칠 가능성이 있는 것과 동시에 충돌 시 핸들에 복부를 부딪칠 수 있는 점도 있어 신중하게 운전함으로써 임신 말기의 사고 위험이 낮다고 하는 앞선 연구 결과(3)와 연관성이 있을지도 모른다.

그러나 임신이라는 현상에 따라 생기는 생리학적 변화나 증상이 자동차 운전과 관련된 운동능력과 판단능력에 어떤 영향을 초래하는지는 사실 자세히 알 수 없다. 향후 드라이빙 시뮬레이터를 이용하는 등 운전조작과 기능에 관한 비임신 시와 임신 시와의 비교, 혹은 임신 주수에 따른 변화에 대한 검토가 기대되는 바이다.

2 운전이 임신에 미치는 영향

임신 여성에게 나타나는 입덧이나 피로감이 운전 중에 개선되거나 악화된다고 생각하기 어려워서인지 운전 중인 임신 여성의 신체적 변화를 조사한 보고서는 거의 찾아볼 수 없다.

다수의 사례를 검토한 것은 아니지만, 임신 28주 이후의 임산부의 운전 전후와 운전 중의 혈압과 자궁수축, 태아 심박수의 변화를 검토한 연구가 있다. 이 연구에서는 운전 중에 산모의 맥박과 자궁수축 횟수가 감소하고, 운전 후 30분 시점에서는 자궁수축 횟수, 태아 심박수, 산모의 확장기 혈압이 감소했다. 그 외에는 유의미한 변화가 없고, 필자들은 자동차 운전이 산모와 태아에게 악영향을 끼치지 않는다고 결론지었다.(6)

한편으로는 더욱 소수의 사례이지만, 운전 중에는 무자각 중에 자궁수축과 혈압상승, 태아에게도 일과성 심박수 증가가 보인다는 보고도 있다.(7) 이 보고서에서는 자궁수축은 자동차의 출발 시점과 정차 시점에 집중되어 있고, 운전 중에는 태아 심박수의 일과성 빈맥이 증가하고 있었다. 또한 13명 중 8명에서 수축기 혈압이 운전 중에 10mmHg 이상 상승했다고 한다.(7) 시시각각 변화하는 교통상황에 바로 반응해야 하는 긴장이 강요되는 운전이 교감신경계를 자극하는 것은 상상하기 어렵지 않다. 대부분의 건강한 임신부에게 문제가 되지 않지만, 임신을 하면서 고혈압과 단백뇨 등이 발병하는 임신고혈압증후군(Pregnancy induced hypertension)의 위험인자가 있는 여성이나 증세가 나타난 여성은 위험해질 수 있다. 또한 자궁수축이나 출혈, 자궁경부 길이 단축 등의 객관적 소견으로 절박조산(Threatened preterm delivery)으로 진단될 경우에는 운전과 승차는 피하는 것이 좋다.

그러나 이 분야에서도 향후 데이터를 구축하고 축적해야 한다.

3 사고에 의한 영향

임신 여부와 상관없이 자동차 사고는 가끔 비참한 결과를 낳는다. 당연히 임신 중에 교통사고를 당하면 골절 등의 교통외상 이외에도 임신합병증 위험이 상승한다. 주요 합병증으로 조산(Preterm delivery), 미숙아(Premature baby)로 분만 외에 자궁 안에서 태아를 감싸고 있는 난막이 찢어져서 양수 유출을 보이는 전기 파수(Premature rupture), 태아에게 혈액을 공급하는 태반이 일찍 떨어지는 태반조기박리(Placental abruption) 등이 있다. 각각의 상대위험도는 조산으로 1.23(1.19~1.28), 전기 파수 1.32(1.21~1.43), 태반조기박리 1.34(1.15~1.56)라고 보고되고 있다.(8) 이러한 합병증이 생기는 커다란 요인은 자궁으로의 외부 충격으로 보이며, 핸들이나 본인의 척추에 자궁이 닿으면 변형과 수축을 일으키면서 취약한 난막(Ovular membrane)이 찢어지거나 근육과 탄성이 다른 태반이 박리되기도 한다. 이 중에 상위태반 조기박리는 대표적인 산부인과 구급질환이며 태아뿐만 아니라 모체의 사망원인이 되는 긴급사태이다.

이러한 사태를 피하고 산모와 태아 모두의 생명을 지키기 위한 대책으로서 안전운전에 유의하는 것은 물론이고, 임신 중이어도 안전벨트를 올바르게 착용하는 것이 중요하다. 운전 중 안전벨트의 효용에 대해서는, 운전 중에 사고를 당한 임신 20주 이후의 안전벨트 미착용 1,349사례와 착용 1,243사례의 임신부를 비교한 종단적인 소극적 코호트연구에서, 미착용자 임산부의 경우 저체중아의 출산이 1.9배, 48시간 이내의 분만이 2.3배로 상승한 것으로 드러났다.(9) 충돌시험용 인형을 이용한 실험에서도 안전벨트를 착용하면 핸들과 복부가 접촉하는 것을 방지한다는 사실이 밝혀졌다.(10) 따라서 일본 산부인과학회와 일본 산부인과의사회의 공동편집에 의한 산부인과 진료가이드라인 산부인과편 2017년판에서는 '안전벨트의 올바른 착용으로 교통사고 시의 산모와 태아의 사망률 저하를 기대할 수 있다'고 설명하며 안전벨트의 올바른 착용을 권장하고 있다.(11)

또한 국가공안위원회가 작성한 '교통방법에 관한 규칙'에도 '임신 중에는 교통사고 시 태아에게 미치는 영향을 줄이기 위해서 허리 안전벨트만 착용하지 말고 허리 안전벨트와 어깨 안전벨트를 같이 착용하는 것과 동시에 커진 복부를 안전벨트가 가로지르지 않도록 하는 등 올바른 안전벨트 착용이 필요하다'고 기재되어 있으며(12), 원칙적으로 안전벨트 착용이 의무화되어 있다.

다만, 2013년 삿포로의 여러 시설에서 이루어진 임신 35~37주의 약 4,000명 임신부에 대한 조사에 의하면 2,420명의 답변자(답변율은 61%) 중 임신 전은 94%가 안전벨트를 상시 장착했지만 임신 후는 87%로 유의미하게 저하하고 있었다.(13) 또한 히토스기(一杉) 등에 의하면 43%의 임산부는 안전벨트 착용에 압박감을 느끼고 12%의 임산부가 안전벨트가 신체에 잘 맞지 않는다고 답변했다고 한다. 임신으로 체형 변화가 생겨 안전벨트 착용에 불쾌감을 느끼고 있는 것을 알 수 있다. 그러나 안전벨트가 자궁을 가로지르는 부적절한 착용법은 태반의 박리를 야기하고 태아사망을 초래하는 것도 보고되었고(14), 어디까지나 신체에 꼭 맞는 올바른 장착이 중요하다.

또한, 거의 3,000건의 충돌사고를 에어백 작동 유무로 산모와 태아의 예후를 비교한 소극적 코호트 연구에 의하면 에어백이 작동하지 않은 1,141사례(안전벨트 착용률은 86% 이상)와 비교해서 2,207건의 에어백 작동한 사례(동 91% 이상)에서는 예후에 유의미한 차이가 보이지 않았다.(15) 이것은 에어백보다도 안전벨트 착용이 중요하다는 것을 나타내고 있는 것처럼 보인다. 에어백 작동에 의한 태반의 박리 사례가 있다는 보고(16)도 있는 만큼, 에어백 사용 시에는 두부와 복부가 아니라 흉부에서 작동되도록 핸들에서 30㎝ 정도의 거리를 두고 각도를 조절하도록 권장하고 있다.(17)

3 환자에 대한 대응

이상을 총괄하면 임신부는 다른 원고에서 논하고 있는 질병 범주에 포함되지 않고, 그 자체로 자동차 운전을 금하지 않는다. 그러나 임신 중의 여성은 자동차 운전 시 임신에 의한 심신 변화를 자의든 타의든 의식할 필요가 있다고 할 수 있다.

임신하지 않은 시기에는 볼 수 없었던 감정의 변화에 더해 임신 초기에는 입덧이라는 임신 특유의 컨디션 난조를 느끼며, 임신기간 동안 피로와 졸음을 느끼거나 자궁수축을 복부 팽배로 자각하는 경우도 많다. 이런 증상이 심한 경우에는 운전을 삼갈 것을 권고한다. 물론 절박유산, 조산 등의 임신합병증이 진단되는 경우도 마찬가지이다.

또한, 임신 중에는 빈뇨(Frequent urination)와 절박뇨(Urgency)라는 신체 증상이 나타나는 것 이외에 혈액응고기능도 항진하기 때문에 장시간 운전은 피하고 자주 화장실 가듯 휴식을 취하거나 스트레칭 등으로 혈전 예방에도 노력하는 것이 중요하다. 이것은 운전 여부와 상관없이 임신 중인 여성이 자동차에 승차할 시의 마음가짐으로서 중요하다.

또한, 임신 후기에는 체형 변화가 두드러지고 요통이 심해지거나 복부가 받혀서 핸들 조작에도 영향을 미칠 가능성이 있다. 허리베개 사용과 핸들 각도, 시트의 전후상하 조절 등 무리가 없는 드라이빙·자세를 궁리하는 것과 동시에 안전벨트를 올바르게 착용하도록 지도한다(그림 1). 어느 좌석이든 안전벨트의 올바른 착용이야말로 만일의 사고 시, 산모와 태아를 지킬 수 있는 유일한 방법이다. 이는 유아의 안전을 위해서 국가안전기준에 적합한 유아의자(Child seat)를 뒷좌석에, 올바르게 장착하는 것이 중요한 것과 마찬가지다.

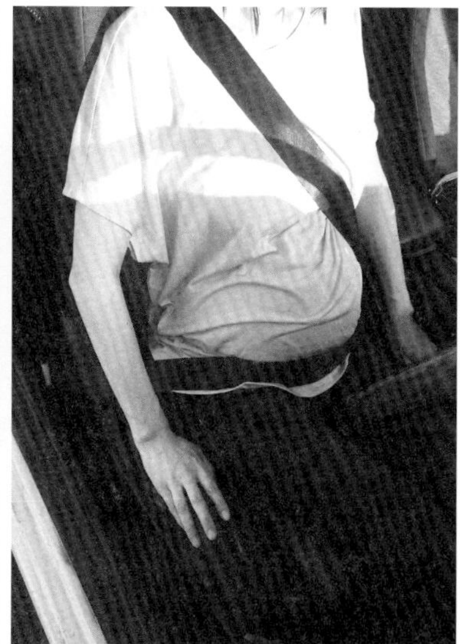

그림 1. 올바른 안전띠 착용과 운전자세

안전벨트는 반드시 어깨벨트와 허리벨트 양쪽을 장착한다. 어깨벨트는 한쪽 어깨에서 양 유방 사이를 통해 다른 쪽 허리부위의 낮은 위치로, 임신한 자궁의 볼록한 부분을 피해서 비스듬하게 통과시킨다. 허리벨트는 임신한 자궁의 볼록한 부분의 아래 위치에서 양측의 전상장골극(Anterior superior iliac spine, ASIS)과 치골결합(Symphysis pubis)을 연결하는 라인 위로 통과시킨다. 자동차 시트와 신체 사이에 틈이 생기지 않도록 깊이 앉아서 페달을 밟았을 때, 무릎관절 및 핸들을 쥐었을 때 고관절에 여유가 있도록 시트를 조절한다.

그런데, 임신 말기가 되면 언제든지 진통이 일어날 수 있는데 밤낮 상관없이 자동차를 운전할 수 있는 가족이 같이 있다고는 한정할 수 없다. 운전 중에 갑자기 양수(Amniotic fluid)가 터지거나 진통이 본격적으로 진행될 가능성을 생각하고 산모가 스스로 운전하는 것은 피하는 것이 바람직하다. 최근 택시회사에 사전등록을 하면 진통 시에 병원까지 데려다주는 이른바 진통택시라고 하는 서비스도 전국적으로 확산되고 있다. 이런 임신지원책을 적극적으로 이용하길 바란다.

마지막으로 산부인과 진료 가이드라인에는 '복부외상은 경증이어도 조기박리를 일으킬 수 있고, 특히 자궁수축을 동반하는 경우, 태아 심박수 모니터링을 통한 지속적인 관찰이 필요하다'고 기재되어 있다.[18] 사고 직후에는 분명히 이상이 없었는데도 불구하고 시간 경과 후 태반이 떨어져 나와 태아가 사망에 이르는 경우가 있기[12] 때문에, 사고를 당한 임신 여성에 대해서는 자궁수축과 태아심박의 이상소견 등의 유무를 관찰하기 위해 반드시 산부인과 검진을 함께 받기를 권고하기 바란다.

참고문헌

(1) Zib M, et al. Symptoms during normal pregnancy : a prospective controlled study. Aust N Z J Obstet Gynaecol 1999;39:401-10.

(2) 佐藤喜根子・他. マタニティドライビングに関する研究(第2報)-ドライビングによる妊婦の生理的変化. 東北大学医療技術短期大学部紀要 2001;10:51-7.

(3) Redelmeier DA, et al. Pregnancy and the risk of a traffic crash. CMAJ 2014;186:742-50.

(4) 一花正仁他. 任婦自動車乗員快適性向上への対策 妊婦自動車運転手を対象にした調査解析,日本職業.災害医学会会誌 2011;59:85-9.

(5) Auriault F, et al. Pregnant women in vehicles : Driving habits, position and risk of injury. Accid Anal Prev 2016;89:57-61.

(6) Nakajima Y, et al. Fetal heart rate and uterine contraction during automobile driving. J Obstet Gynaecol Res 2004;30:15-9.

(7) 佐藤喜根子・他. マタニティドライビングが母親とその胎児に及ぼす影響(第3報)ー運転中のCardiotocogramモニタリング, 東北大学医療技術短期大学部紀要II : 2005. 115-20.

(8) Vladutiu CJ, et al. Adverse pregnancy outcomes following motor vehicle crashes. Am J Prev Med 2013;45:629-36.

(9) Wolf ME, et al. A retrospective cohort study of seatbelt use and pregnancy outcome after a motor vehicle crash. J Trauma 1993;34:116-9.

(10) Motozawa Y, et al. Effects of seat belts worn by pregnant drivers during low-impact collisions. Am J Obstet Gynecol 2010;203:62.el-8.

(11) 日本産科婦人科学会·他：産婦人科診療ガイドライン産科編 2017. 日本産科婦人科学会, 日本産婦人科医会, 2017. pp432-435.
(12) 国家公安委員会交通の方法に関する教則, https://www.npa.go.jp/koutsuu/kikaku/kyousoku/index.htm
(13) Morikawa M, et al. Seatbelt use and seat preference among pregnant women in Sapporo, Japan, in 2013. J Obstet Gynaecol Res 2016;4:810-5.
(14) Bunai Y, et al. Fetal death from abruptio placentae associated wit incorrect use of a seatbelt. Am J Forensic Med Pathol 2000;21:207-9.
(15) Schiff RB, et al. The effect of air bags on pregnancy outcomes in Washington State：2002-2005. Obstet Gynecol 2010;115:85-92.
(16) Gherman RB, et al. Placental abruption and fetal intraventricular hemorrhage after airbag deploymenet：a case report. J Reprod Med 2014;59:501-3.
(17) The American College of Obstetricians and Gynecologists. Car safety for you and your baby. https://www.acog.org/-/media/For-Patients/faq018.pdf
(18) 再掲 11), pp186-190, 2017

16 약물

약물과 운전에 대한 원칙

다양한 약물을 사용하면 자동차 운전에 지장이 된다는 사실은 잘 알려져 있다. 특히 일본 국내에서는 불법 약물을 복용한 운전자가 사고를 일으킨다는 보도가 여기저기서 보고되었다. 또한, 미국에서는 마리화나 사용을 합법화하는 주가 있지만, 마리화나 복용을 허용하는 주와 복용을 금지하고 있는 주의 교통사고 발생률을 비교한 결과, 마리화나 사용을 인정하는 주에서 복용 때문에 발생한 교통사고가 유의미하게 많이 발생했다고 한다.(1) 약물에 관한 문제점은 많지만, 이 책에서는 치료에 사용하는 약물을 전제로 이야기를 진행하겠다.

자동차 운전을 규정하는 일본 도로교통법에서 약물 사용에 대해 언급한 것은 도로교통법 제66조의 조문뿐이다. 즉, '누구든지 과로, 질병, 약물의 영향, 그 외의 이유로 정상적인 운전을 할 수 없을 우려가 있는 상태에서 차량 등을 운전해서는 아니된다'라고 규정하고 있다. 도로교통법에서는 자동차 운전자에 대해 자신의 건강 상태를 양호하게 유지하고, 운전조작에 지장이 없는 약물을 적절하게 사용하는 것이 자기 책임으로서 정해져 있다. 따라서 특정 약물을 사용하는 경우에 자동차 운전을 할 수 없다고는 전혀 기재되어 있지 않다.

2 사고원인 규명

2008년 1월, 주행 중인 고속버스가 차도와 인도의 경계석과 접촉하는 등 불안정한 주행 상태를 보였다. 운전자는 핸들에서 손을 놓고 고개를 숙인 상태였다고 한다. 그리고 운전자는 탑승 전에 감기약을 복용하고 운전 중에 몽롱해진 것으로 나타났다. 이러한 사례는 복용한 약물이 운전조작에 영향을 미친 것으로 강하게 의심된다. 그러나 일본에서는 전문가가 모든 교통사고 원인을 세밀하게 검증하는 시스템이 없다. 특히 사망 사례에서는 생전에 사용한 약물이 불분명한 경우가 많아 어떤 약물이 관여했는지를 판단할 수 없는 경우가 대부분이다. 원칙적으로는 사망한 운전자의 모든 사례에서 혈액 중에 함유된 약물을 검사해야 한다. 유감스럽게도 이 약물은 부검하는 일부 사망 사례만 검사한다. 이미 항공기 사고에서는 사망한 승무원의 혈액에서 약물 검사를 하고 있으며, 약물이 조종에 미치는 영향에 대한 검토가 이루어지고 있다. 따라서 자동차 사고의 원인이 '운전조작 부적합', '난폭운전' 등으로 판단된 사례에는 약물 영향에 의한 사고가 포함되어 있을 것이다. 향후 사고 조사를 할 때, 약물의 영향을 염두에 두고 정보를 수집할 필요가 있다.

3 내복약이 관련된 사고 실태

약물 사용이 자동차 운전에 영향을 미친 사례를 소개하겠다. 우선, 임상현장에서의 검토이다. 교통사고로 도내 응급의료센터로 이송된 운전자를 대상으로 사고 원인과 사용 약물에 대한 영향을 검토하였다. 그 결과, 의식소실이 선행된 사례로서 여러 가지 향정신성 약물 복용 후 운전, 여러 가지 혈압강하제 복용에 의한 저혈압, 상용약을 적절히 복용하지 않아서 발생한 뇌전증 발작, 인슐린 주사에 의한 저혈당을 들 수 있다.[(2)] 또한 도치기현내의 응급의료센터의 전향적인 연구에서는 자동차 운전 중에 의식을 잃은 6명 중 3명은 당뇨병 저혈당이 원인이었다.[(3)] 3명 중 2명은 인슐린을 스스로 주사하고, 1명은 2형 당뇨병 내복약을 복용하고 있었다. 나머지 3명 중 2명은 수면제 복용 직후에 운전, 1명은 상용약 복용을 게을리 해서 현기증이 발작한 것이 원인이었다.

다음으로 의약품의료기기종합기구의 약물유해사례에 대한 자발적 보고 데이터베이스를 이용한 검토가 있다. 해당 데이터베이스에는 2004년 이후 일본 내에서 발생한 약물에 의한 유해사례가 수집되어 있다. 안도(安藤) 등[(4)]은 이 데이터베이스를 이용하여 2004~2016년에 걸쳐서 의약품에 의해 발생한 교통사고 사례를 분석하였다. 즉, 환자의 호소를 바탕으로 의사가 처방한 약물과 교통사고와의 인과관계를 부정할 수 없다고 판단한 사례가 연구 대상이며, 사고의 원인 검증이 이루어지지 않았기 때문에 신뢰성에는 한계가 있을 수 있다. 그중에서 가장 많이 보고된 것은 항파킨슨제이며, 프라미펙솔 염산염(Pramipexole)에 의한 돌발성 수면(Paroxysmal sleep)이 원인이었다. 이하 수면제인 졸피뎀 주석산염(Zolpidem tartrate), 진통제인 프레발린(Prebalin), 금연보조제인 바레니클린 주석산염(Varenicline tartrate)이 열거되었다(표 1).

표 1. 의약품 유해사례 자발적 보고 데이터베이스에 의한 교통사고와 관련된 의약품

분류	의약품명	교통사고 보고 건수	전체 보고 건수
파킨슨병 치료제	프라미펙솔염산염수화물	47	545
수면제	졸피뎀 주석산염	46	1,617
진통제	프레가발린	35	2,928
금연보조제	바레니클린 주석산염	19	603
항정신병제	설필리드	13	1,335
비마약성 진통제	트라마돌 염산염, 아세트아미노펜	13	887
수면제	니트라제팜	10	1,503

교통사고 건수가 10건 이상인 것에 한정한다.
(안도 초요시 외: 유해사례 자발적 보고 데이터베이스(JADER)에서 본 의약품에 의한 교통사고. 일본교통과회지 16:46-51, 표 2, 2016에서 일부 발췌 필자 변경)

이상과 같이 먼저 해당 약물이 적절하게 사용된 경우에도, 경면, 현기증, 의식소실 등의 부작용으로 운전에 지장이 생기는 것을 들 수 있다. 그리고 질환 치료목적으로 처방된 약물이 적절하게 사용되지 않은 것과 사용량 조절 불량도 사고의 원인으로 생각된다.

4 각종 약물을 선택하는데 주의해야 할 점

1 정신병 치료제

정신병치료제, 우울증치료제, 불안치료제, 뇌전증치료제 등은 진정작용과 수면작용을 목적으로 사용되기 때문에 복약 중에 자주 졸음이나 휘청거림이 보인다. 약물의 종류, 복용량, 반감기에 의해 생기는 작용이 다르기 때문에 처방 시에는 먼저 환자에게 충분히 주의를 환기하고 환자 본인에게 나타나는 다양한 작용을 확인할 필요가 있다. 또한, 사용방법에 조금이라도 변경이 있는 경우에도 마찬가지로 증상 변화를 확인할 필요가 있다.

2 성인병(생활습관병)의 치료제

일본에서 사용되는 '생활습관병'이라는 용어는 한국에서는 "성인병", 혹은 "만성질환" 등으로 표기하고 있다. 그런 질병으로는 암, 심혈관계 질환, 당뇨병 등이 있다.

당뇨병 환자는 운전 중 저혈당 발작을 일으킬 수 있다. 특히 자율신경장애가 있는 사람이나 저혈당이 반복해서 나타나는 사람은 자신도 모르게 의식장애에 빠질 수 있다. 일본에서 65세 이상의 제2형 당뇨병 환자 15,000명 이상을 대상으로 실시한 조사에 의하면, 지난 1개월 이내에 저혈당 발작이 있었던 환자는 10.4%이고 1년 이내에서는 21.1%에 달했다고 한다.(5) 교외의 병원으로 통원하는 당뇨병 환자를 대상으로 연구한 보고에 따르면, 제1형 당뇨병 환자의 35.6%, 인슐린을 사용하는 2형 당뇨병 환자의 13.8%, 내복약만을 사용하는 2형 당뇨병 환자의 2.7%가 운전 중에 저혈당 경험이 있었다고 한다.(6) 특히 복수의 경구혈당강하제를 복용하고 있는 환자는 공복 시 저혈당 상태에 빠질 가능성이 있다. 따라서 인슐린 사용자는 물론, 당뇨병에 대한 내복 치료를 하는 환자는 먼저 운전 중 저혈당을 예방할 필요가 있다.

고혈압은 심장·뇌혈관계 질환의 위험인자이며, 운전 중 질병 발병을 예방하는데도 엄격한 강압 관리가 중요하다. 그러나 혈압강하제를 복용하고 있는 사람은 저혈압으로 인해 일어설 때 생기는 어지러움, 현기증이 생길 수도 있다. 혈압은 일내 변동과 계절성 변동이 보이기 때문에 내복약 투여 초기와 증량 시에는 충분히 주의를 기울일 필요가 있다.

3 알레르기 치료제

가려움을 동반하는 질환이나 알레르기성 질환 치료에 항히스타민제(Antihistamine)가 사용된다. 오래전부터 이용되어온 1세대 항히스타민제 복용으로 인해 졸음, 현기증, 권태감 등의 부작용이 높은 비율로 보였지만, 2세대 항히스타민제는 중추신경계 부작용과 항콜린 작용이 경감되었다. 특히 비교적 새로운 2세대 항히스타민제는 수면(꾸벅 꾸벅 졸음)부작용이 비교적 낮은 경향을 보인다. 따라서 자동차를 운전하는 사람에게는 진정성이 적은 2세대 항히스타민제를 권장한다. 약을 복용한 후 잠시 동안 졸음이나 작업의 능력 저하가 없는지를 확인하고 복용자에게 가장 맞는 약물, 다시 말하면, 부작용이 적은 약물을 선택한 후 자동차를 운전하는 것이 바람직하다.

4 항암제

항암제의 부작용은 설사, 구토, 손 마비에서 골수 억제에 의한 백혈구 감소까지 다양하게 나타난다. 더욱이 부작용이 나타나는 시기도 치료 1주일 이내에서 3~4주일 후까지 다양하다. 이와 같이 증상에 따라서 자동차 운전에 필요한 집중력을 유지할 수 없는 경우도 있을 수 있다. 또한 일부 항암제는 물에 녹지 않는 성질이 있기 때문에, 알코올을 포함한 액체에 녹여서 경정맥적으로 투여한다. 외래에서 화학요법을 받는 환자는 차로 통원하는 경우가 많다. 따라서 항암제에 알코올이 포함된 경우에는 사전에 반드시 설명할 필요가 있다. 용해액에 알코올이 포함되어 있는 항암제인 파클리탁셀(Paclitaxil)을 투여받은 환자의 1/3 이상에서 의료 종사자로부터 자동차 운전을 삼가해야 한다는 설명을 듣지 못했다고 한다.(7) 자동차 운전을 염두에 둔 환자에 대한 지도가 중요하다.

5 안과약

아세틸콜린(Acetylcholine)의 무스카린 수용체 작용약인 필로카르핀(Pilocarpine)의 수용체 길항제로 아트로핀(Atropine)이 사용되고 있다. 전자는 동공축소, 후자는 동공확대를 초래하지만, 안과의 질환 진단 및 치료에 이용된다. 또한 녹내장 치료제로 몽롱함이 생기는 경우가 있다. 그 외에 부교감신경차단제(항콜린제)에는 진통 및 내시경 검사 시의 소화관 운동 억제를 목적으로 사용되는 부틸스코폴라민브롬화물(Butyl scopolamine) 등이 있다. 사용 후 항콜린 작용으로 인해 눈 증상이나 졸음 등이 나타날 수 있다.

6 기타 처방약

어깨 결림이나 허리통증에 대해 근육이완제가 사용되고 있으며, 이는 골격근(Skeletal muscle)의 과도한 긴장 항진을 개선하는 효과가 있다. 그중에서도 중추성 근이완제(Central type muscle relaxant)를 복용하면 졸음이나 휘청거림이 나타날 수 있다. 금연보조제에 현기증이나 가벼운 수면이 나타나며, 파킨슨병 치료제인 도파민 수용체(Dopamine receptor)에 작용하는 약물은 부작용으로 돌발성 수면이 보고되었다. 따라서 처방 시에는 주의를 요한다.

7 시판약

의사의 처방없이 약국에서 구매할 수 있는 시판약 중 일부에는 졸음을 야기하는 성분이 함유되어 있다. 특히 감기약, 진해거담제(기침을 가라앉히고 가래를 배출시키는 약물), 멀미약, 알레르기 치료약, 수면제(최면 진정제) 등에 포함되어 있다. 대표적인 것은 디펜히드라민 염산염(Dephenhydramine HCl), d-클로르페니라민말레산염(D-chlorpheniramine Maleate)이며, 이는 1세대 항히스타민제로 분류되는 성분이다. 시판약 일부에는 졸음을 초래하는 성분이 포함되어 있다는 것을 일반인에게 널리 알릴 필요가 있다. 특히 일상적으로 자동차를 운전하는 사람은 본인의 판단으로 약물을 선택하는 것보다 의사와 상담한 후에 복용할 것을 권장한다.(8)

5 환자 스스로 약물 복용을 준수

의사가 처방한 약을 환자가 반드시 규칙적으로 잘 복용한다고는 할 수 없다. 따라서 계획대로 질환이 조절되지 않을 수 있다. 주요 질환마다 환자가 의사의 투약 지시를 얼마나 잘 따르는가하는 복약 순응도를 비교한 문헌고찰(메타 분석)에 따르면, 관절염·류머티즘은 81.2%, 소화기계 질환은 80.4%이었지만, 당뇨병은 67.5%, 수면장애는 65.5%로 낮았다.(9) 또한 생활 습관병(성인병) 치료제에 한정해서 복약 순응도를 비교한 결과, 항혈소판제, 혈압강하제, 고콜레스테롤 치료제, 경구혈당강하제 순으로 낮아졌다.(10) 따라서 환자에게 먹지 않은 약이 얼마나 남아 있는 가를 확인하는 것이 환자의 질병 관리에 중요하다. 필자는 어느 지역에서 전 법인 택시운전사를 대상으로 건강관리 상황과 컨디션 변화에 기인한 사고의 발생 상황을 검토했다. 그 결과, 정기적으로 의료기관에 통원하면서 기존 질환을 치료를 받고 있는 사람은 운전 중의 컨디션 변화에 따른 사고와 대형사고로 이어질 뻔한 아찔한 사고를 일으키는 비율이 상당히 낮았다.(11) 따라서 통원 환자는 스스로 복약을 준수하려는 노력이 필요하다.

약물 첨부문서의 기재와 문제점

의료용 의약품 설명문서(이하, 첨부문서)는 의약품 의료기기법에서 규정된 제품 설명서이며, 의사, 치과 의사 및 약사에게 기업이 기본 정보를 작성하여 제공하는 것이다. 그런데 첨부문서 내에 '졸음을 초래하는 경우가 있으므로, 본 약제를 투여 중인 환자는 자동차 운전 등 위험이 따르는 기계를 조작하는 일에 종사하지 않도록 충분히 주의할 것'(운전금지) 또는 '졸음을 촉진할 수 있으므로, 본 제를 투여 중인 환자는 자동차 운전 등 위험이 따르는 기계 조작에 특히 주의시킬 것'(운전주의)이라고 기재된 약제가 있다. 의료수가청구서 정보 데이터베이스를 이용한 연구조사에서는, 어떤 의약품이 투여된 25세 이상의 외래 환자 73%가 이러한 기재가 있는 약물이 투여되었다고 한다.(12) 이런 환자에게 모든 자동차 운전을 금지하는 것은 불가능하다. 그렇지만, 어느 일정한 질환이 있는 환자는 자동차 운전을 할 수 없다. 예를 들면, 뇌전증치료약은 운전금지가 기재되어 있다. 이 첨부문서 기재에 따르면, 뇌전증치료약을 복용하는 환자는 자동차를 운전할 수 없다고 되어있다. 그러나 질환이 잘 제어되어 안전한 운전을 할 수 있는 상태면 운전이 법적으로 인정된다. 따라서 첨부 문서에서의 이 표현은 일본에서 정해진 법의 기재와 모순된다.

첨부문서 내에 기재되어 있는 약물이 반드시 졸음 등 부작용 발현율이 높다고는 할 수 없다. 2세대의 항히스타민제에 대해서 중추신경계의 부작용 발현율과 첨부문서의 자동차 운전에 대한 기재내용을 검토한 보고서에 따르면, 표 2와 같이 자동차 운전에 관한 기재가 없는 약물에서도 다른 약물과 마찬가지의 빈도로 가벼운 수면이나 졸음 부작용이 인정되었다.(13) 더욱이 같은 약물이라도 해외에서 발매되는 약물의 첨부문서에는 운전금지 및 운전중단이 기재되어 있지만, 일본의 첨부문서에는 기재되어 있지 않은 경우도 있다고 한다.(14) 또한 앞에서 소개했지만 표 3에 알코올을 포함한 항암제와 그 첨부문서에 대해 면밀한 검토가 필요하다. 알코올을 함유했음에도 첨부문서 내에 자동차 운전에 주의해야 한다는 기재가 없는 것이 많다. 이와 같이 첨부문서의 기재내용이 여러 면에서 적절하지 않다고 말하지 않을 수 없다.

2013년 5월 29일자로 후생노동성에서 '첨부문서의 사용상 주의에 자동차 운전금지 등의 기재가 있는 의약품을 처방 또는 조제할 때는 의사 또는 약사가 환자에게 주의환기에 대한 설명을 철저하게 할 것'이라는 문서가 공포되었다. 이것은 자동차를 운전하는 사람을 배려한 약물 처방과 복약지도를 철저히 할 것을 강조하고 있으며, 필자가 서술하고 있는 것과 같은 취지의 문서다. 자동차 운전은 환자가 교통 사회에 참여할 수 있도록 하는 중요한 수단이다. 따라서 어떤 약을 복용한다고 해서 일률적으로 자동차 운전을 금지하는 것은 타당하지 않다. 어디까지나 환자의 생활에 맞는 적절한 약물의 선택이 중요하다.

표 2. 2세대의 항히스타민약에서 부작용 발현빈도와 첨부문서의 기재

일반명	조사 시기	대상 수	경면, 졸음 부작용(%)	첨부서류 기재
케토티펜푸마르산염	승인 전 사용성적조사	2,081	13.1	운전금지
		19,089	3.3	
옥사토미드	승인 전 사용성적조사	1,559	10.4	운전금지
		6,629	3.5	
에피나스틴염산염	승인 전 사용성적조사	2,326	2.84	운전주의
		6,117	0.59	
에바스틴	승인 전 사용성적조사	1,270	5.04	운전주의
		6,813	0.97	
세티리진염산염	승인 전 사용성적조사	1,396	6.02	운전금지
		5,759	2.59	
베포타스틴베실산염	승인 전 사용성적조사	1,446	5.7	운전주의
		4,453	1.3	
펙소페나딘염산염	국내·해외 임상시험	6,809	2.3	기재 없음
올로파타딘염산염	승인 전 사용성적조사	1,746	11.6	운전주의
		7,874	5.9	
로라타딘	승인 전 임상시험	1,653	6.4	기재 없음

(의약품 인터뷰 서식 및 첨부문서에서 인용)
(기쓰 준코: 10, 항히스타민제와 자동차 운전, 특집 자동차 운전에서의 질병과 약물의 영향. Prog Med 32; 1647-1651, 표 1. 2012에서 인용, 필자 변경)

표 3. 투여 시에 알코올이 포함되어 있는 항암제

일반명	용해액 중의 순 알코올량	첨부 문서에서의 주의 환기	
		알코올에 대해서	자동차 운전에 대해서
멜팔란	0.4g	기재 없음	기재 없음
에토포시드	1.52g	기재 없음	기재 없음
파클리탁셀	6.67g	기재 있음	기재 있음
도세탁셀수화물	0.72g	기재 있음	기재 없음
템시로리무스	0.39g	기재 있음	기재 있음
에리불린메실산염	0.08g	기재 없음	기재 없음
풀베스트란트	0.5g	기재 없음	기재 없음

적절한 환자 지도

환자의 기저질환을 먼저 고려해서 적절한 약물을 사용하여야 한다. 실무상 첨부문서에 기재된 내용을 충분히 고려하고 나서 주치의는 환자에게 적절한 처방약을 선택해야 한다. 부작용이 전혀 없는 약은 없으며, 부작용의 발현에 대해서는 개인차가 있고, 또한 같은 사람이라도 상황에 따라 좌우된다. 따라서 자동차 운전에 지장을 초래하는 부작용이 생길 수 있는 경우에는 그 취지를 환자에게 정보 제공할 필요가 있다. 의사법 제23조에 '의사는 진찰한 본인 등에 대해 요양 방법 등 필요한 사항을 지도해야 한다'고 기재되어 있는 것을 보아도 분명하다.

특히 검사 및 진료 과정에서 약물을 투여했을 때는 그 취지를 환자에게 설명할 필요가 있다. 그리고 자동차 운전에 지장을 초래할 우려가 있는 약물을 투여할 예정일 때에도 사전에 설명해야 한다. 예를 들어, 안과 검사에서 약물로 동공을 확대시키는 경우에, 검사 후 자동차를 운전하는 것은 위험하다. 따라서 사전에 자동차를 운전해서 내원하지 않도록 설명할 필요가 있다. 이와 같이 생활의 일부인 자동차 운전을 배려해 환자를 지도해야 한다.

(1) Insurance Institute for Highway Safety/Highway Loss Data Institute : Satus Report 2016; 51, December 8, 2016

(2) 藤田 尚・他. 英国における医師の通報ガイドラインに沿った運転者の体調変化に起因したわが国の交通事故の実態調査, Prog Med 2012;32:2275-82.

(3) 岩田健司. 意識消失心自動車事故症例の検討, Prog Med 2012;32:2271-4.

(4) 安藤 剛·他. 有害事象自発報告データベース (JADER) からみた医薬品による交通事故, 日交通科会誌 2017;16:46-51.

(5) Fukuda M,et al. Survey of hypoglycemia in elderly people 재소 type 2 diabetes mellitus in Japan. J Clin Med Res 2015;7:967-78.

(6) 松村美恵子·他:糖尿病患者の自動車運転, Prog Med 2012;32:1605-11.

(7) 伴晶子·他. パクリタキセル製薬に含まれるアルコールの影響に関する検討,日病薬誌 2009;45:1123-6.

(8) 一杉正仁:運転管理に必要な疾病·薬剤の知識,労働科学 87 : 240-247, 2011

(9) DiMatteo MR : Variations in patients' adherence to medical recommendations : a quantitative review of 50 years of research. Med Care 42 : 200-209, 2004

(10) Manteuffel M, et al. : Influence of patient sex and gender on medication use, adherence, and prescribing alignment with guidelines. J Womens Health (Larchmt) 23 : 112-119, 2014

(11) Hitosugi M, et al. : Sudden illness while driving a four-wheeled vehicle : a retrospective analysis of commercial drivers in Japan. Scand J Work Environ Health 38 : 84-87, 2012

(12) 飯原なおみ・他:わが国のナショナルレセプトデータベースが示した運転等禁止・注意医薬 品の使用実態,医療薬学 40 : 67-77, 2014

(13) 木津純子:抗ヒスタミン薬と自動車運転, 特集 自動車運転における疾病と薬剤の影響, Prog Med 32 : 1647-1651, 2012

(14) 木津純子:服薬指導と自動車運転, Prog Med 36 : 525-531, 2016

색 인

번호

A

B

C

D

E

F

G

H

I

J

L

M